O LIVRO DAS RELIGIÕES

JOSTEIN GAARDER
VICTOR HELLERN
HENRY NOTAKER

O LIVRO DAS RELIGIÕES

Tradução
Isa Mara Lando

Revisão técnica e apêndice
Antônio Flávio Pierucci

15ª reimpressão

Copyright © 1989 by Gyldendal Norsk Forlag

Grafia atualizada segundo o Acordo Ortográfico da Língua Portuguesa de 1990, que entrou em vigor no Brasil em 2009.

Capa
Jeff Fisher

Título original
Religionsboka
Traduzido da versão inglesa
The book of religions *de James Anderson*

Preparação
Márcia Copola

Revisão
Renato Potenza Rodrigues
Vivian Miwa Matsushita

*As citações bíblicas que aparecem no texto
foram extraídas da Bíblia de Jerusalém
(São Paulo, Sociedade Bíblica Católica/Paulus, 1985).*

Dados Internacionais de Catalogação na Publicação (CIP)
(Câmara Brasileira do Livro, SP, Brasil)

Gaarder, Jostein
    O livro das religiões / Jostein Gaarder, Victor Hellern, Henry
Notaker ; tradução Isa Mara Lando ; revisão técnica e apêndice
Antônio Flávio Pierucci. — São Paulo : Companhia das Letras, 2005.

   Título original: Religionsboka.
   ISBN 978-85-359-0698-1

   1. Conduta de vida 2. Religião – História 3. Religiões I. Hellern,
Victor. II. Notaker, Henry. III. Título.

05-5101   CDD-291

Índice para catálogo sistemático:
1. Religiões 291

Todos os direitos desta edição reservados à
EDITORA SCHWARCZ S.A.
Rua Bandeira Paulista, 702, cj. 32
04532-002 — São Paulo — SP
Telefone: (11) 3707-3500
www.companhiadasletras.com.br
www.blogdacompanhia.com.br

SUMÁRIO

Nota à edição brasileira 7
Introdução *9*
Conhecimento religioso *15*
Religiões com origem na Índia *43*
Religiões do Extremo Oriente *84*
Religiões africanas *97*
Religiões surgidas no Oriente Médio: monoteísmo *105*
Filosofias de vida não religiosas *243*
Novas religiões e novas perspectivas *272*
Ética *282*
Apêndice: As religiões no Brasil *300*
Índice *324*
Sobre os autores *334*

NOTA À EDIÇÃO BRASILEIRA

Cada uma a seu modo, todas as religiões exaltam a compaixão e a fraternidade universal, a sinceridade e a honestidade, a humildade e a mansidão, valores incontestáveis que ninguém quer ver desaparecer. Ao mesmo tempo, lançamos um rápido olhar para o mundo e vemos católicos contra protestantes na Irlanda do Norte, cristãos contra muçulmanos nos Bálcãs, muçulmanos contra hindus na Índia, hindus contra budistas no Sri Lanka, suicídios religiosos coletivos na África e nos Estados Unidos, terrorismo de seitas religiosas no Japão, embates entre igrejas e seitas por todo lado. O universo da religião foi sempre complexo, contraditório e conflitivo.

Em perspectiva comparada, este livro investiga todas as formas de religiosidade, expondo suas semelhanças e diferenças. Mostra a distinção entre o cristianismo católico, o cristianismo das igrejas ortodoxas orientais e o das muitas denominações protestantes. Apresenta os deuses africanos. Define e contextualiza o judaísmo, o islamismo, o espiritismo. Percorre o continente asiático e ensina o que é hinduísmo, budismo, taoísmo, confucionismo, xintoísmo. Oferece informações fidedignas que permitem ao leitor atualizar-se em matéria de pluralismo religioso e diversidade cultural. E, na versão brasileira, esta verdadeira enciclopédia traz ainda um apêndice sobre as religiões no Brasil, de autoria do cientista social Antônio Flávio Pierucci.

Com serenidade e largueza de visão, *O livro das religiões* descreve as características e o espírito próprio de cada fé. Mas vai além: monta um abrangente quadro de referência das interrogações e angústias espirituais não religiosas. Sua leitura, assim, propicia um contato intelectual raro, esclarecido e generoso com um dos pilares da vida da humanidade.

Os editores

INTRODUÇÃO

SERÁ QUE PRECISAMOS DE UMA FILOSOFIA DE VIDA?

Imagine-se chegando a nossa galáxia, a Via Láctea. Durante milhares de anos você voa sem rumo entre as estrelas e os sistemas solares. De vez em quando, gira em torno de um planeta — sem enxergar o menor sinal de vida. Você já está prestes a ir embora da Via Láctea quando, de repente, avista um planeta transbordando de vida no meio de uma das múltiplas espirais da galáxia. Nesse exato momento você acorda. A viagem foi um sonho! Mas você percebe que o planeta que descobriu em seu sonho é o planeta onde você vive.

Você talvez seja jovem. É bem possível que tenha uma longa vida pela frente. Mas você também sabe que a vida não dura para sempre. De que maneira decidirá viver sua primeira e única viagem ao planeta Terra? Que perguntas fará e que respostas dará?

Durante o café da manhã, o estranho sonho não lhe sai da cabeça. Você se dá conta de que viver na Terra é uma oportunidade fantástica. Então você abre o jornal. Talvez, em meio a seu maravilhamento e a sua alegria pela vida, lhe ocorram pensamentos sombrios. Você começa a pensar no que está lendo: florestas derrubadas, poluição, buracos na camada de ozônio, armas nucleares, radiação no meio ambiente, AIDS. Até que ponto você considera o futuro deste raro planeta responsabilidade *sua*?

Muitas perguntas, mesmo as mais rotineiras, que lhe passam pela cabeça quando você vai para a escola ou para o trabalho, nascem em seu íntimo. O amor e o sexo, as relações com os amigos e a família, as notas nas provas e os estudos: tudo está conectado com sua perspectiva, sua visão da vida.

A caminho de casa, você pode ir conversando sobre um jogo de futebol, sobre sua próxima viagem nas férias de verão, sobre a chegada do final do ano letivo. Mas até mesmo esses fatos estão relacionados com sua perspectiva de vida. De que forma você decide passar seu tempo livre? Entrará numa organização não governamental? Ou vai trabalhar nos momentos de folga para conseguir algum dinheiro extra?

Mas, antes de tudo, há uma montanha de lição de casa para fazer. No entanto, para que serve tudo isso? O que você vai ser quando terminar a escola?

À noite, você se encontra com os amigos. Um deles conta que mandou fazer seu mapa astral; acredita firmemente na astrologia. O que será que lhe dá tanta certeza? Outro diz que tinha acabado de pensar numa velha amiga quando ela lhe telefonou. Seria telepatia? Afinal, a chamada percepção extrassensorial é fato ou ficção? A conversa avança para questões sobre a vida e a morte. Existe vida após a morte?

É nesse ponto que você conta o sonho para eles. Você estava fazendo uma longa viagem pelo espaço sideral. Cansado de tanto gelo, das rochas e do calor escaldante, já ia se afastando da Via Láctea quando, de repente, vislumbrou à distância um planeta azul e branco. E foi nesse planeta que você acordou.

Você pergunta: "O que esse sonho significa?". Será que nossos sonhos podem nos dizer algo sobre nós mesmos?

QUEM SOU? DE ONDE VENHO? PARA ONDE VOU?

As crianças logo se tornam curiosas. Uma criança de três anos pode fazer perguntas que os adultos não conseguem responder. Uma de cinco anos pode refletir sobre os mesmos enigmas que um idoso.

A necessidade de se orientar na vida é fundamental para os seres humanos. Não precisamos apenas de comida e bebida, de calor, compreensão e contatos físicos; precisamos também descobrir por que estamos vivos.

Nós perguntamos:

- *Quem sou eu?*
- *Como foi que o mundo passou a existir?*
- *Que forças governam a história?*
- *Deus existe?*
- *O que acontece conosco quando morremos?*

Essas são as chamadas *questões existenciais*, pois dizem respeito a nossa própria existência.

Muitas questões existenciais são bastante gerais e surgem em todas as culturas. Embora nem sempre sejam expressas de maneira tão sucinta, elas formam a base de todas as religiões. Não existe nenhuma raça ou tribo de que haja registro que não tenha tido algum tipo de religião.

Em certos períodos da história, houve gente que colocou questões existenciais numa base puramente humana, não religiosa. Mas foi só há pouco tempo que grandes grupos de pessoas pararam de pertencer a qualquer religião reconhecida. Isso não implica necessariamente que tenham perdido o interesse pelas relevantes questões existenciais.

Alguém já disse que viver é escolher. Muitas pessoas fazem escolhas sem pensar com seriedade se estas são congruentes, ou se existe alguma coerência em sua atitude com relação à vida. Outras sentem necessidade de moldar a atitude delas de maneira mais abrangente e estável.

Cada um de nós tem uma visão da vida. A questão é: até que ponto fomos nós mesmos que a escolhemos, até que ponto ela é nossa própria visão? Até que ponto estamos conscientes de nossa visão?

FACE A FACE COM A MORTE

Duas histórias reais demonstram como a vida cotidiana pode estar interligada a profundas questões existenciais. A primeira se passou durante a Segunda Guerra Mundial; a outra, na América Central de nossos dias.

Quando *Kim Malthe Bruun* tinha dezessete anos, a guerra estourou e ele testemunhou a profanação de importantes valores humanos por parte de uma potência estrangeira invasora. Após um ano, em 1941, Kim foi ser marinheiro, mas no outono de 1944 desembarcou na Dinamarca e entrou no movimento ilegal de resistência. Alguns meses depois acabou preso pelos alemães, e em abril de 1945 foi condenado à morte e fuzilado.

Não era raro os jovens assumirem a luta contra a ditadura nazista. Se ela acontecesse hoje, talvez você e seus amigos também se envolvessem nessa luta. Como você acha que reagiria se fosse condenado à morte? O que escreveria quando os guardas da prisão lhe dessem lápis e papel para que você deixasse uma última carta a seus parentes mais próximos?

O que Kim escreveu, nós sabemos. A última carta para sua mãe contém a seguinte passagem:

Hoje Jörgen, Niels, Ludvig e eu nos apresentamos diante de um tribunal militar. Fomos condenados à morte. Sei que você é uma mulher forte e conseguirá suportar tudo isso, mas quero que compreenda. Eu sou apenas uma coisa insignificante, e como pessoa logo serei esquecido; mas a ideia, a vida, a inspiração de que estou imbuído continuarão a viver. Você as verá em todo lugar — nas árvores na primavera, nas pessoas que encontrar, num sorriso carinhoso.

Em março de 1983, *Marianella García Villas* foi assassinada pelos militares na república centro-americana de El Salvador. Fazia vários anos que as forças do governo e os guerrilheiros rebeldes travavam uma feroz guerra civil. Durante essa guerra, uma facção do Exército, juntamente com extremistas, havia raptado e assassinado milhares de pessoas. A jovem advogada Marianella formou um comitê de direitos humanos para investigar casos de desaparecimento e tortura. Em decorrência, acabou indo para a "lista negra" dos terroristas. Ela sabia que sua vida corria perigo.

Como você teria reagido a uma ameaça desse tipo? A reação de Marianella foi continuar a luta. No início de 1983, ela visitou uma das zonas de guerra, numa missão do Comitê de Direitos Humanos. Ela nunca mais voltou. Porém, uma carta que escreveu em 1980 nos conta qual era o impulso que a movia:

Eu luto pela vida: um trabalho real, que vale a pena. Não tenho nenhum desejo de morrer, mas já vivi tão perto da morte e de suas consequências que a vejo agora como algo natural. Todos nós devemos morrer um dia, mas a morte sempre virá cedo demais para o homem ou a mulher que tem uma intensa sede de viver. Cada minuto que passa tem um significado, uma profundidade maior do que qualquer outra coisa, mesmo que pareça comum e rotineiro. Cada rajada de vento, cada canto da cigarra, cada revoada de pombos é como um poema.

Sei que os que trabalham pela justiça sempre terão o direito a seu lado e receberão a ajuda de Deus; estes irão prevalecer, e a verdade resplandecerá.

É melhor ser rico de espírito do que em bens materiais.

ALEGRIA DE VIVER

Marianella e Kim lutaram por ideias e valores em que acreditavam. Chegaram até a sacrificar a vida pelo que consideravam certo. Contudo, uma filosofia de vida não se manifesta somente em guerras e situações de tensão. Não se associa apenas a feitos heroicos e a grandes ideias. Nossa visão da vida também trata de coisas íntimas — como nossa atitude para com a família e os amigos, para com o trabalho e o lazer. Nossa perspectiva está ligada ao próprio modo como desfrutamos a vida. "Cada revoada de pombos é como um poema", escreveu Marianella em sua carta. E Kim, sentado em sua cela à espera da morte, escreveu sobre as árvores na primavera e um sorriso carinhoso.

Se esses dois defensores da liberdade tinham alguma coisa em comum, era a experiência de que a vida é algo infinitamente precioso. As cartas de Kim e Marianella irradiam a experiência de valores fundamentais que para nós, na nossa vida diária, podem por vezes passar despercebidos.

Será que precisamos enfrentar a morte cara a cara antes de podermos experimentar a vida? Será que precisamos ver nossas ideias e nossos ideais ameaçados e pisoteados para que possamos compreendê-los?

"Os que nunca vivem o momento presente são os que não vivem nunca — e o que dizer de você?", escreve o poeta dinamarquês Piet Hein, num de seus poemas. O pintor e escritor finlandês Henrik Tikkanen expressa uma ideia semelhante na seguinte máxima, ou *aforismo*, que nos dá o que pensar: "A vida começa quando descobrimos que estamos vivos".

CONHECIMENTO RELIGIOSO

O que é religião? É o batismo numa igreja cristã. É a adoração num templo budista. São os judeus com o rolo da Torá diante do Muro das Lamentações em Jerusalém. São os peregrinos reunindo-se diante da Caaba em Meca.

Em seguida podemos perguntar: será que essas atividades têm alguma coisa em comum? Será que seus participantes compartilham algum sentimento semelhante a respeito do que fazem? E por que fazem o que fazem? O que isso significa para eles? E como afeta a sociedade em que vivem?

São essas as questões que as ciências da religião procuram responder. O pesquisador investiga de uma perspectiva externa todas as religiões, buscando semelhanças e diferenças, e tenta descrever o que vê. A descrição dele nem sempre é plena e exaustiva, se comparada aos sentimentos de um crente acerca de sua religião. É como o que acontece com a música. Um especialista em teoria musical pode explicar de que maneira uma composição foi construída, e descrever suas tonalidades e seus instrumentos, mas jamais conseguirá recriar a experiência que a música transmite. Isso é ainda mais óbvio quando se trata de comida. Um nutricionista pode explicar que certo alimento consiste numa dada mistura de componentes orgânicos, e que, se for resfriado a uma determinada temperatura, terá um gosto doce e fresco ao entrar em contato com o palato humano; mas isso nunca será a mesma coisa que tomar de fato um sorvete.

···

Isso não quer dizer que o estudioso das religiões não possa ser religioso. O escritor italiano Umberto Eco, falando das relações entre os estudos de literatura comparada e a própria literatura, fez a seguinte observação: *"Até os ginecologistas podem se apaixonar". O importante é não deixar que durante a pesquisa as crenças e os sentimentos pessoais influenciem o material que está sendo estudado. Esse distanciamento permite ao pesquisador divulgar informações sobre a religião que são valiosas tanto para o indivíduo como para a sociedade.*

• • •

POR QUE LER SOBRE AS RELIGIÕES?

Um rápido olhar para o mundo ao redor mostra que a religião desempenha um papel bastante significativo na vida social e política de todas as partes do globo. Ouvimos falar de católicos e protestantes em conflito na Irlanda do Norte, cristãos contra muçulmanos nos Bálcãs, atrito entre muçulmanos e hinduístas na Índia, guerra entre hinduístas e budistas no Sri Lanka. Nos Estados Unidos e no Japão há seitas religiosas extremistas que já praticaram atos de terrorismo. Ao mesmo tempo, representantes de diversas religiões promovem ajuda humanitária aos pobres e destituídos do Terceiro Mundo. É difícil adquirir uma compreensão adequada da política internacional sem que se esteja consciente do fator religião.

Um conhecimento religioso sólido também é útil num mundo que se torna cada vez mais multicultural. Muitos de nós viajam para o exterior, entrando em contato com sociedades que têm diferentes valores e modos de vida, ao mesmo tempo que imigrantes e refugiados chegam a nossa própria porta, confrontando-se com um sistema social que lhes é totalmente estranho.

Além disso, o estudo das religiões pode ser importante para o desenvolvimento pessoal do indivíduo. As religiões do mundo podem responder a perguntas que o homem vem fazendo desde tempos imemoriais.

TOLERÂNCIA

Tolerância, ou seja, respeito pelas pessoas que têm pontos de vista diferentes do nosso, é uma palavra-chave no estudo das religiões. Não significa necessariamente o desaparecimento das diferenças e das contradições, ou que não importa no que você acredita, se é que acredita em alguma coisa. Uma atitude tolerante pode perfeitamente coexistir com uma sólida fé e com a tentativa de converter os outros. Porém, a tolerância não é compatível com atitudes como zombar das opiniões alheias ou se utilizar da força e de ameaças. A tolerância não limita o direito de fazer propaganda, mas exige que esta seja feita com respeito pela opinião dos outros.

Os registros da história mostram inúmeros exemplos de fanatismo e intolerância. Já houve lutas de uma religião contra outra e se travaram diversas guerras em nome da religião. Muitas pessoas já foram perseguidas por causa de suas convicções, e isso continua acontecendo nos dias de hoje.

Com frequência, a intolerância é resultado do conhecimento insuficiente de um assunto. Quem vê de fora uma religião, enxerga apenas suas manifestações, e não o que elas significam para o indivíduo que a professa.

Para os cristãos, a sagrada comunhão tem um significado especial. No entanto, uma descrição objetiva do ato da comunhão não poderia oferecer uma visão real do que a comunhão representa para um cristão.

O respeito pela vida religiosa dos outros, por suas opiniões e seus pontos de vista, é um pré-requisito para a coexistência humana. Isso não significa que devemos aceitar tudo como igualmente correto, mas que cada um tem o direito de ser respeitado em seus pontos de vista, desde que estes não violem os direitos humanos básicos.

COMO COMEÇARAM AS RELIGIÕES?

Foram registradas várias formas de religião durante toda a história. Já houve muitas tentativas de explicar como surgiram as religiões. Uma das explicações é que o homem logo começou a ver as coisas a seu redor como animadas. Ele acreditava que os animais, as plantas, os rios, as montanhas, o sol, a lua e as estrelas continham espíritos, os quais era fundamental apaziguar. O antropólogo E. B. Tylor (1832-1917) batizou essa crença de *animismo*. Tylor foi influenciado pela teoria de Darwin sobre a evolução. Segundo ele, o desenvolvimento religioso caminhou paralelamente ao avanço geral da humanidade, tanto cultural como tecnológico, primeiro em direção ao *politeísmo* (crença em diversos deuses) e depois ao *monoteísmo* (crença num só deus). Tylor concluiu que os povos tribais não haviam ido além do estágio da Idade da Pedra e, portanto, praticavam esse mesmo tipo de animismo. Hoje essa teoria do desenvolvimento foi rejeitada, e há um consenso geral de que animismo não é uma caracterização adequada para a religião dos povos tribais.

Alguns pesquisadores veem a religião como um produto de fatores sociais e psicológicos. Essa explicação é conhecida como um modelo reducionista, pois reduz a religião a apenas um elemento das condições sociais ou da vida espiritual do homem. Karl Marx, por exemplo, sustentava que a religião, assim como a arte, a filosofia, as ideias e a moral, não passava de um dossel por cima da base, que é econômica. O que dirige a história, de acordo com ele, é o modo como a produção se organiza e quem possui os meios de produção, as fábricas e as máquinas. A religião simplesmente refletiria essas condições básicas.

Nas modernas ciências da religião predomina a ideia de que a religião é um elemento independente, ligado ao elemento social e ao elemento psicológico, mas que tem sua própria estrutura. Os ramos mais importantes das ciências da religião são a sociologia da religião, a psicologia da religião, a filosofia da religião e a fenomenologia religiosa.

DEFININDO A RELIGIÃO

Muitas pessoas já tentaram definir religião, buscando uma fórmula que se adequasse a todos os tipos de crenças e atividades religiosas — uma espécie de mínimo denominador comum. Existe, naturalmente, até um risco nessa tentativa, já que ela parte do princípio de que as religiões podem ser comparadas. Esse é um ponto em que nem todos os crentes concordam: eles podem dizer, por exemplo, que sua fé se distingue de todas as outras por ser a única religião verdadeira, ao passo que todas as outras não passam de ilusão, ou, na melhor das hipóteses, são incompletas. Há também pesquisadores cuja opinião é que o único método construtivo de estudar as religiões é considerar cada uma em seu próprio contexto histórico e cultural. Contudo, há mais de um século os estudiosos da religião tentam encontrar traços comuns entre as religiões. O problema é que eles interpretam as semelhanças de maneiras diferentes. Alguns as consideram resultado do contato e do intercâmbio entre grupos raciais; segundo eles, as diferentes fés e ideias se espalharam do mesmo modo que outros fenômenos culturais, como a roda e o arado. Outros pesquisadores fazem comparações a fim de descobrir o que caracteriza o conceito de religião em si. É aí que as definições entram em cena. Vamos começar por algumas das mais famosas:

...

A religião é um sentimento ou uma sensação de absoluta dependência.

Friedrich Schleiermacher (1768-1834)

Religião significa a relação entre o homem e o poder sobre-humano no qual ele acredita ou do qual se sente dependente. Essa relação se expressa em emoções especiais (confiança, medo), conceitos (crença) e ações (culto e ética).

C. P. Tiele (1830-1902)

A religião é a convicção de que existem poderes transcendentes, pessoais ou impessoais, que atuam no mundo, e se expressa por insight, pensamento, sentimento, intenção e ação.

Helmuth von Glasenapp (1891-1963)

• • •

O SAGRADO

Nos primeiros anos do século XX, o sueco Nathan Söderblom (1866-1931), arcebispo e estudioso das religiões, ofereceu uma definição baseada nos sentimentos humanos: "Religiosa ou piedosa é a pessoa para quem algo é sagrado".

Sagrado se tornou uma palavra-chave para os pesquisadores da religião no século XX: descreve a natureza da religião e o que ela tem de especial. Esse termo ganhou realce numa obra sobre psicologia da religião, *A ideia do sagrado*, de Rudolf Otto, publicada em 1917. O sagrado é *das ganz Andere*, o "inteiramente outro", ou seja, aquilo que é totalmente diferente de tudo o mais e que, portanto, não pode ser descrito em termos comuns. Otto fala de uma dimensão especial da existência, a que chama de *misterium tremendum et fascinosum* (em latim, "mistério tremendo e fascinante"). É uma força que por um lado engendra um sentimento de grande espanto, quase de temor, mas por outro lado tem um poder de atração ao qual é difícil resistir.

Otto já foi criticado, refutado, plagiado e ampliado. Um dos que adotaram essa noção de sagrado foi o romeno Mircea Eliade, estudioso de religiões, em seu livro *O sagrado e o profano*. Ele elogia Otto e diz que seu sucesso como estudioso de religiões se deve a essa nova perspectiva que passou a abraçar. Em vez de estudar termos como *Deus* e *religião*, Eliade analisou vários tipos de "experiência religiosa" dos seres humanos. Ele começa com uma definição muito simples do que é o sagrado: é o oposto do profano. Em seguida, põe-se a considerar o significado original dessas palavras. *Sagrado* indica algo que é separado e consagrado; *profano* denota aquilo que está em frente ou do lado de fora do templo.

Eliade acredita que o homem obtém seu conhecimento do sagrado porque este se manifesta como algo totalmente diferente do profano. Ele chama isso de *hierofani*, palavra grega que significa, literalmente, "algo sagrado está se revelando nós". É o que sempre acontece, não importa se o sagrado se manifesta numa pedra, numa árvore ou em Jesus Cristo. Alguém que adora uma pedra não está prestando homenagem à pedra em si. Venera a pedra porque esta é um *hierofani*, ou seja, ela aponta o caminho para algo que é mais do que uma simples pedra: é "o sagrado".

Neste livro, em vez de darmos uma definição fixa e universal de religião, nós a estudaremos de quatro ângulos:

- *conceito (crença);*
- *cerimônia;*
- *organização, e*
- *experiência.*

CONCEITO (CRENÇA)

A religião sempre teve um aspecto intelectual. O crente tem ideias bem definidas sobre como a humanidade e o mundo vieram a existir, sobre a divindade e o sentido da vida. Esse é o repertório de ideias da religião, que se expressam por cerimônias religiosas (ritos) e pela arte, mas em primeiro lugar pela linguagem. Tais expressões linguísticas podem ser escrituras sagradas, credos, doutrinas ou mitos.

MITOS

Um mito é uma história que geralmente acompanha um rito. O rito com frequência reitera um ato em que o mito se baseia.

Assim, o mito religioso tem um significado mais profundo do que a lenda e os contos folclóricos. O mito procura explicar alguma coisa. É uma resposta metafórica para as questões fundamentais: de onde viemos e para onde vamos? Por que estamos vivos e por que morremos? Como foi que a humanidade e o mundo passaram a existir? Quais são as forças que controlam o desenvolvimento do mundo?

Muitas vezes os mitos elucidam algo que aconteceu no princípio dos tempos, quando o mundo ainda era jovem. Por exemplo, a maioria das religiões tem seus mitos de criação, que explicam como o mundo surgiu. O objetivo principal deles não é revelar fatos históricos. A essência do mito é oferecer às pessoas uma explicação geral da existência.

Os conceitos religiosos, que também encontram sua expressão em mitos, podem ser divididos, de modo geral, em três tipos: conceitos sobre um deus ou vários deuses, conceitos sobre o mundo e conceitos sobre o homem.

CONCEITOS DE DIVINDADE

MONOTEÍSMO

A crença que prevalece na maioria das grandes religiões ocidentais é o *monoteísmo*, isto é, a convicção de que existe um só deus. Há exemplos em muitas religiões de que o monoteísmo nasceu como reação à adoração de vários deuses (*politeísmo*). O islã tem suas raízes numa renovação ou reforma da antiga religião dos nômades árabes, a qual possuía numerosos deuses tribais.

MONOLATRIA

A monolatria é uma crença situada a meio caminho entre o politeísmo e o monoteísmo. Implica a adoração de um único deus, sem negar a existência de outros. Um deus é escolhido entre vários — por exemplo, na religião germânica se podia escolher entre Tor ou Odin, aquele em que se tivesse total confiança. Aqui a teoria fica em segundo lugar. O importante não é saber se determinado deus existe ou não, mas se ele é cultuado. Existem hoje exemplos de monolatria no hinduísmo.

POLITEÍSMO

Em religiões que possuem diversos deuses, é comum estes terem funções distintas, bem como esferas definidas de responsabilidade. A criação de animais e a pesca, o comércio e os diferentes ofícios, o amor e a guerra, podem ter seus próprios deuses. O mundo dos deuses com frequência é organizado da mesma maneira que o dos homens, numa família ou num estado.

Alguns pesquisadores acreditam que as divindades indo-europeias (isto é, indianas, gregas, romanas e germânicas) se estruturam em três classes baseadas na sociedade da época:

- *o monarca (que muitas vezes era também sacerdote);*
- *a aristocracia (os guerreiros), e*
- *os artesãos, agricultores e comerciantes.*

Era comum as pessoas venerarem o deus que ocupava o mesmo lugar que elas na escala social.

Geralmente o deus supremo é o deus do céu. Isso não implica que ele *habite* o céu, mas que se revele no firmamento e nos fenômenos associados à abóbada celeste.

Em muitas religiões o deus do céu faz par com uma divindade feminina. A imagem do casal Céu e Mãe Terra é de fácil compreensão para uma sociedade agrária. A terra é fértil e dá o alimento ao homem, mas só depois de receber sol e chuva do céu.

Além dos "deuses-reis", familiares para nós porque se encontram na mitologia clássica e na germânica, há uma grande quantidade de deuses menores e espíritos em volta de nós que são patronos de determinadas doenças ou de certas profissões.

PANTEÍSMO

O panteísmo é uma crença que difere tanto do monoteísmo como do politeísmo. Aqui a principal convicção é que Deus, ou a força divina, está presente no mundo e permeia tudo o que nele existe. O divino também pode ser experimentado como algo impessoal, como a alma do mundo, ou um sistema do mundo. O panteísmo costuma ser associado ao *misticismo*, no qual o objetivo do mortal é alcançar a união com o divino.

ANIMISMO E CRENÇA NOS ESPÍRITOS

Em muitas culturas prevalece a crença de que a natureza é povoada de espíritos. Isso se chama *animismo*, da palavra latina *animus*, que significa "alma", "espírito". Em certa época os historiadores da religião pensavam que o animismo havia sido a base de toda a religião e que mais tarde ele se transformou, via politeísmo, em monoteísmo. Mas essa é apenas uma teoria. O que é certo é que o animismo impera em várias sociedades.

Em nossa própria cultura a noção de espírito está presente em muitas criaturas relacionadas com as forças naturais: espíritos das águas, duendes, fantasmas e sereias.

Os espíritos dos mortos também continuam a desempenhar um importante papel na África, na América Latina, na China e no Japão.

Normalmente as características dos deuses são mais individualizantes e definidas com mais clareza que as dos espíritos. E as divindades em geral têm nome. Mas em inúmeros casos é difícil distinguir de imediato entre deuses, antepassados e espíritos. Todos são expressões da força sobrenatural que banha a existência. A ideia de uma força ou um poder que regula todos os relacionamentos na vida humana e na natureza predomina sobretudo nas religiões primais. Os historiadores da religião costumam usar o vocábulo polinésio *mana* para descrever essa força, que precisa ser controlada ou aplacada.

CONCEITO DE MUNDO

Um conceito de mundo bastante comum é que a Terra foi criada ou formada por um ser primordial ou por uma matéria primordial. A mitologia nórdica conta a história dos deuses que mataram Ymer, o gigante da montanha, e do seu corpo formaram o mundo.

Os gregos imaginavam o mundo como uma confusa massa (*caos*) que foi organizada por um poder divino e se transformou no mundo ordenado que hoje conhecemos (*cosmos*).

A criação pode ser vista ainda como uma espécie de nascimento, semelhante ao dos seres humanos e animais. No Egito antigo, circulava a ideia de que o mundo tinha saído de um ovo, ao passo que a religião xintó explica que as ilhas japonesas são os filhos do divino casal que criou o mundo.

A história da criação contada aos judeus e cristãos no Livro do Gênesis não menciona nenhum material ou substância primordial: conta de uma criação feita do nada. É por meio da palavra falada que a criação ocorre. Deus disse: "Haja luz", e a luz se fez.

...

Muitas religiões também têm crenças a respeito do fim do mundo, que a mitologia nórdica chama de ragnarok. A Terra, que foi criada e organizada, está sob a constante ameaça das forças do mal, as quais querem destruir o sistema do mundo e um dia irão imperar. O cristianismo e o islã veem o fim do mundo como algo intimamente relacionado ao julgamento divino.

As religiões da Índia, da mesma forma, adotam a ideia de que o mundo teve um início e um dia vai perecer, mas esse é um processo que se repete perpetuamente, num ciclo eterno sem começo nem fim, assim como o dia se torna noite e depois, outra vez, dia.

...

CONCEITO DE HOMEM

A CRIAÇÃO DO HOMEM

A maioria das religiões acredita que o homem foi criado por Deus, que suas origens são divinas. Nesse contexto, com frequência se fala da *alma* do homem, termo que tem conotações diferentes em culturas diferentes.

Costuma-se apresentar a alma em contraste com o corpo, e muitas religiões mostram um *dualismo* (a convicção de que algo é dividido em dois), ensinando que o corpo é temporal, e a alma, divina. Um conceito diz que a alma desce de um mundo superior e passa a habitar um corpo. Aí ela se sente trancada, aprisionada pela matéria, e anseia por retornar a suas origens etéreas.

Na história que o Antigo Testamento conta, a saber, que Deus criou o homem do barro e soprou a vida em suas narinas, encontramos outro conceito: na antiga tradição judaica, o homem é visto como um todo; corpo e alma estão intimamente ligados, e ambos são obra de Deus.

MORTE

Assim como as origens do homem requerem uma explicação, a maioria das pessoas se preocupa em saber o que acontecerá com elas quando morrerem.

As sepulturas dos vikings, nas quais os mortos eram enterrados com armas, ornamentos e comida, mostram que a ideia da vida após a morte não é nova. Os gregos antigos acreditavam no Hades, onde os que partiram passavam a levar uma existência tênue, feita de sombras. O ideal guerreiro da era dos vikings se espelha na crença que tinham no Valhala, onde os heróis lutam suas batalhas e morrem durante o dia, voltando novamente à vida durante a noite. Certas tribos indígenas da América do Norte ainda têm fé na existência dos "eternos campos de caça", com uma profusão de caça de todos os tipos.

Em várias sociedades, os mortos continuam existindo sob a forma de espíritos ancestrais, em íntima proximidade com os vivos. Eles oferecem aos vivos segurança e proteção, e em troca exigem que se façam sacrifícios em seus túmulos.

Quando se pergunta *o que* continua vivo, obtêm-se diversas respostas. Em geral, diz-se que é algo chamado de alma, mas em muitas tribos africanas não existe a divisão corpo e alma. Mesmo no cristianismo, a "vida eterna" não é associada a uma "alma eterna". Menciona-se a "ressurreição do corpo", ou, em outras palavras, a reconstituição da pessoa inteira. É verdade que o cristianismo fala num "corpo espiritual", porém isso serve para enfatizar a ideia de que o homem, após a ressurreição, não se tornará um espírito indefinido.

As religiões costumam ter ideias diferentes sobre a *salvação*. Algumas creem que o homem pode ser salvo por um poder divino, ao passo que outras afirmam que ele deve resgatar a si mesmo — e para isso indicam uma variedade de métodos.

O conceito de *transmigração* ocupa uma posição única. Os hinduístas acreditam que a alma se liga a este mundo pelos pensamentos, pelas palavras e ações humanas, e que quando um indivíduo morre, sua alma passa para o corpo de outra pessoa ou de um animal. Portanto, a alma está presa nesse eterno ciclo, até que venha a salvação.

A RELAÇÃO DO HOMEM COM O DIVINO

No islã e no judaísmo o homem cumpre suas obrigações religiosas se submetendo aos mandamentos de Deus; nas religiões africanas e indianas, seguindo as regras tribais estabelecidas pelos ancestrais, e na religião chinesa, alcançando uma harmonia, ou uma consonância, com as forças básicas da existência, *yin* e *yang*.

Em certas religiões, sobretudo na Índia, um dos objetivos é atingir a união com a divindade. Para os gregos antigos isso seria o equivalente a uma blasfêmia, um sacrilégio. Romper as barreiras que separam o humano do divino era algo conhecido como *hybris* (arrogância). Uma ideia semelhante se expressa na história do Antigo Testamento sobre a queda do homem. A harmonia original do homem com Deus foi destruída porque o homem tentou imitá-lo.

CERIMÔNIA

A cerimônia religiosa desempenha um papel importante em todas as religiões. Nessas ocasiões, segundo certas regras predeterminadas, invoca-se ou louva-se um deus ou vários deuses, ou ainda manifesta-se gratidão a ele ou a eles. Tais cerimônias religiosas, ou *ritos*, tendem a seguir um padrão bem distinto, ou *ritual*.

O conjunto das cerimônias religiosas de uma religião é conhecido como *culto* ou *liturgia*. A palavra *culto* (do verbo latino *colere*, "cultivar") é empregada em geral para significar "adoração", mas na ciência das religiões é um termo coletivo que designa todas as formas de rito religioso.

O culto promove o contato com o sagrado, e por isso costuma ser realizado em lugares sagrados (templos, mesquitas, igrejas), nos quais há objetos sagrados (fetiches, árvores sagradas, altares). As pessoas que lideram o culto religioso também podem ser sagradas, ou pelo menos especialmente consagradas a esse trabalho.

As palavras sagradas exercem no culto uma função relevante: orações, invocações, trechos de textos sagrados e os mitos, muitas vezes associados a ritos específicos.

• • •

Antes de olharmos mais de perto os diferentes ritos, falemos um pouco da magia.

Magia é uma tentativa de controlar os poderes e as forças que operam na natureza. Costuma-se encontrar a magia em contextos religiosos, e é difícil traçar uma linha divisória nítida entre a religião e a magia, entre uma reza e um encantamento. A distinção que mais sobressai é o fato de, na religião, o indivíduo se sentir totalmente dependente do poder divino. Ele pode fazer sacrifícios aos deuses ou se voltar para eles em oração; porém, em última análise, deve aceitar a vontade divina. Quando, por outro lado, o ser humano se vale dos ritos mágicos, ele está tentando coagir as forças e potências a obedecer à sua ordem — que com frequência consiste em atingir finalidades bem concretas. Desde que os rituais mágicos sejam realizados corretamen-

te, o mago acredita que os resultados desejados decerto ocorrerão, por uma questão de lógica. Se ele falhar, irá culpar um erro em seu ritual, ou o uso de um feitiço *mais forte contra si.*

A magia já foi interpretada por algumas pessoas como origem da ciência, ou um estágio inicial desta. O que faz o mago, assim como o cientista, é tentar descobrir um elo entre causa e efeito. De qualquer maneira, ele é forçado a fazer observações da natureza e a adotar processos empíricos de raciocínio. Sem dúvida, os magos já fizeram numerosas observações detalhadas sobre as relações naturais, e muitas das plantas e ervas usadas pelos curandeiros podem ser utilizadas também pela moderna ciência médica.

...

ORAÇÃO

De certo modo o mais simples de todos os ritos, a oração já foi chamada de "casa de força da religião". Pode ser a comunicação espontânea de um indivíduo com Deus, e nesse caso não costuma ter uma forma definida, uma vez que é expressa em termos pessoais.

Já a oração coletiva normalmente obedece a um padrão bem definido. Pode ser lida, ou cantada em uníssono, ou entoada como uma antífona, na qual se alternam o que conduz a oração e a assembleia.

Determinados atos e gestos estão associados à oração. Muitas comunidades cristãs rezam ajoelhadas no genuflexório; alguns oram de mãos postas; os muçulmanos se inclinam até o chão na direção de Meca. A oração também pode se relacionar à dança. O objetivo da dança pode ser invocar a chuva, ou preparar seus participantes para a caça ou a guerra. Os dançarinos usam máscaras e disfarces, e sua apresentação pode se assemelhar bastante a uma pantomima ou peça teatral. As palavras e a cerimônia estão intimamente ligadas. Aqui vemos como um mito, ou narrativa sagrada, se casa com certos ritos. Às vezes eles se fundem a ponto de produzir um drama.

SACRIFÍCIO

O sacrifício é um elemento central no culto de muitas religiões. Um sacrifício, em geral algo que as pessoas consideram valioso, é oferecido aos deuses. Pode ser constituído de frutas, primícias das colheitas, um filhote de animal; em certas culturas existem até mesmo exemplos de sacrifício humano. O propósito da oferenda varia, e podemos distinguir entre vários tipos de sacrifício, dependendo daquilo que o sacrificante deseja alcançar. Em todos eles, é constante a experiência do contato e da fraternidade.

OFERENDA

A oferenda (do latim *offerre*, "trazer" ou "oferecer") é o tipo mais comum de sacrifício e provavelmente o mais antigo. Oferece-se um presente aos deuses e se espera outro em troca. O intuito do sacrifício se expressa na frase latina *do ut des*, ou seja, "dou para que tu me retribuas o presente".

Uma oferenda de agradecimento deve ser vista no mesmo contexto. É uma retribuição a algo que os deuses proporcionaram, talvez algo pedido anteriormente.

À primeira vista, isso pode parecer uma forma de barganha, mas devemos considerar o contexto. O ato de dar e receber presentes implica um tipo de associação. Quem dá e quem recebe ficam unidos; e o objetivo das oferendas é também, em parte, alcançar uma comunhão com os deuses.

É comum oferecer os primeiros frutos da estação, uma fração da carne que foi caçada ou da colheita do ano. Trata-se de uma expressão de gratidão aos deuses e, ao mesmo tempo, do desejo de que essa proteção continue.

Vemos, assim, que o sacrifício é necessário tanto para os deuses como para o homem. Os deuses se tornam fortes com o sacrifício. Se não houver sacrifícios, eles se debilitam, o que terá efeitos negativos sobre o mundo e a humanidade, possivelmente na forma de doenças e más colheitas.

Isso se evidencia nos sacrifícios encontrados na religião nórdica, cuja intenção era fortalecer os deuses bons, que favorecem o bem e a vida (Aesir e Wanes), para que conseguissem resistir às forças do mal (os Jotuns), que queriam destruir a ordem do universo.

SACRIFÍCIOS DE ALIMENTOS

O motivo principal para o sacrifício de um alimento é alcançar uma comunhão com os deuses. Quase sempre se trata de uma oferenda animal, que depois é comida pelos sacrificantes. Em regra, o sacrifício é oferecido aos deuses, mas pode acontecer de a oferenda representar o próprio deus. Nesses casos, parte do poder desse deus é transmitida àquele que come a oferenda.

SACRIFÍCIOS DE EXPIAÇÃO

Se um indivíduo cometeu um crime contra os deuses e despertou sua ira, deve ser punido. Para apaziguar os deuses e evitar uma vingança, ele pode fazer um sacrifício de expiação. A oferenda — por exemplo, um animal sacrificial — substitui o culpado e é punida no lugar dele.

RITOS DE PASSAGEM

Os ritos de passagem se associam às grandes mudanças na condição do indivíduo. As principais transições marcadas por esses ritos são o nascimento, a entrada na idade adulta, o casamento e a morte.

Tais ritos costumam simbolizar uma iniciação. O nascimento é a iniciação na vida, enquanto a morte é a iniciação numa nova condição no reino dos mortos, ou na vida eterna.

De uma forma ou de outra, todas as sociedades têm ritos de passagem, mesmo aquelas em que a religião não desempenha nenhum papel na vida pública. Em geral, é grande a importância deles nas culturas ágrafas, nas religiões primais. Nestas, os ritos de passagem estão claramente ligados às noções de tabu.

Tabu é uma palavra polinésia adotada pelos historiadores da religião para indicar uma severa proibição, restrição ou exclusão, e se aplica a algo que é considerado perigoso ou impuro.

NASCIMENTO E MORTE

Um recém-nascido está fisicamente vivo, mas em muitas culturas só é aceito pela família e pela comunidade depois de passar por certas cerimônias. A cerimônia pode consistir num único ato, como o batismo, a circuncisão ou a atribuição do nome. Entre os povos tribais, costuma ser um processo longo, que tem início já na época da concepção e termina pouco após o nascimento, quando a criança é admitida na tribo. A mãe, que se tornou impura com o ato de dar à luz, deve se submeter a uma série de ritos de purificação para poder ser recebida na comunidade.

Assim como um bebê não está "propriamente vivo" antes dos ritos associados com o nascimento, um cadáver, em determinadas sociedades, não está "propriamente morto" antes de ser enterrado. Os ritos de sepultamento são necessários a fim de que o falecido possa ser aprovado e acolhido pela comunidade dos mortos. Alguém que não seja enterrado de acordo com o costume está arriscado a ter uma existência errante, sem descanso, vagando entre o reino dos vivos e o dos mortos.

O significado de vários ritos de passagem se destaca nas comunidades cuja vida religiosa dá muita importância ao culto aos ancestrais. Um nascimento implica o prolongamento da linhagem familiar e a continuação do culto aos ancestrais. O casamento une um homem e uma mulher vindos de duas famílias distintas, e é preciso que os ancestrais de ambos os lados aprovem o casamento e a união das duas famílias.

Quando um indivíduo morre, a tribo perde um de seus membros e advém uma crise. A vida e a tribo são ameaçadas por forças hostis, e devem se realizar cerimônias para restabelecer o equilíbrio normal da vida. Ao mesmo tempo, os ritos de sepultamento ajudam o falecido a chegar são e salvo ao reino dos mortos, onde ele continuará a viver juntamente com seus antepassados.

RITOS DE PUBERDADE

A puberdade indica a transição da infância para a idade adulta, do menino para o homem, da menina para a mulher. Ser sexualmente maduro, porém, nem sempre basta para garantir ao indivíduo o pleno status de membro da sociedade adulta. A confirmação, ou crisma, que é de origem religiosa, muitas vezes é considerada, no mundo ocidental, uma iniciação na idade adulta.

Os ritos de puberdade propriamente ditos são praticados com mais frequência em sociedades tribais. A seguir, quatro aspectos relevantes desses ritos:

...

É comum a circuncisão dos órgãos sexuais, tanto masculinos como femininos. Não se sabe ao certo a origem desse rito, mas em alguns casos ele pode ser associado à crença de que o ser humano originalmente era hermafrodita. O rito realça a diferença entre os sexos, e mostra aos homens e às mulheres o lugar que devem ocupar na sociedade. Enquanto nos meninos a circuncisão pode prevenir certas doenças, nas mulheres reduz a capacidade de desfrutar da atividade sexual. Em consequência, existe hoje uma pressão para se banir a circuncisão feminina, mais corretamente chamada de excisão do clitóris, uma mutilação dos órgãos genitais femininos.

A iniciação implica o ensino de tradições tribais, leis religiosas, direitos e deveres, habilidades de caça e pesca, perícia na luta e nas tarefas práticas. O jovem deve aprender as narrativas sagradas e os ritos tradicionais. Homens e mulheres podem ter seus respectivos segredos religiosos, que não devem ser revelados para o sexo oposto.

Em muitas tribos, os garotos têm que passar por testes de resistência para demonstrar sua coragem e força física. Sofrem espancamentos e tormentos físicos e psicológicos. Às vezes se praticam mutilações, cortando dedos ou extraindo dentes.

Geralmente a iniciação é tida como um novo nascimento. De fato, o simbolismo dos ritos vai ainda mais longe: a iniciação se torna uma morte seguida de um renascimento. A infância terminou e a criança deve morrer, para que possa nascer novamente como adulto. Em al-

guns casos, os jovens são deitados em túmulos especiais ou são pinta-dos de branco para ficar parecidos com os mortos.

As torturas que os jovens devem suportar também podem simbo-lizar a morte, e há exemplos em que a circuncisão é vista como um fa-lecimento.

Do mesmo modo, o renascimento é simbolizado de várias manei-ras. Pode-se dar ao jovem um outro nome, indicando assim que ele agora é um indivíduo totalmente novo. Outras vezes ele aprende uma nova língua, isto é, palavras secretas que só são compreendidas pelos iniciados. Ou ainda é alimentado e tratado como se fosse um bebê.

Esse simbolismo do nascimento e da morte pode ser visto num contexto mais amplo: ele reitera a história da criação do mundo. A morte representa caos e confusão, enquanto um novo nascimento, ou nova criação, significa que a ordem, o equilíbrio e a harmonia foram restabelecidos. A transformação de um estado em outro, sempre uma fase crítica, foi realizada.

...

ÉTICA — A RELAÇÃO ENTRE OS HUMANOS

As religiões com frequência não fazem distinção entre o pla-no ético e o plano religioso. Os costumes da tribo, as regras ou os princípios morais da casta são tão religiosos quanto os sacri-fícios e as orações. Entre os dez mandamentos que Moisés deu aos judeus havia os que tratavam de religião — "Não terás ou-tros deuses diante de mim" — e os relativos à ética — "Não ma-tarás". Incluem-se nos cinco pilares dos muçulmanos tanto o orar a Deus como o dar esmolas aos pobres. Não há aqui distin-ção entre a ética e a religião. A noção do ser humano como uma criação divina implica que ele é responsável perante Deus por tudo o que faz, ritual, moral, social e politicamente.

Pregadores religiosos muitas vezes iniciaram debates sobre assuntos especificamente éticos. Os profetas do antigo Israel ata-cavam os ricos e poderosos que observavam fielmente os rituais, mas pisoteavam os pobres. O ponto de vista moral desses profetas tinha, porém, uma justificativa religiosa.

As sociedades onde coexistem várias religiões e vários pontos de vista consideram mais difícil vincular a ética exclusivamente à religião. A sociedade precisa ter suas linhas mestras éticas, e algumas delas são preservadas nas leis. Os romanos foram os primeiros a tentar de maneira sistemática criar um arcabouço legal que pudesse ser usado por todos os povos, independentemente da religião. O direito romano se tornou a base para todos os sistemas legais subsequentes nos Estados seculares modernos. Em certos países muçulmanos há dois sistemas agindo em paralelo: um baseado no Corão, outro no direito romano. Hoje muitos países aceitam a Declaração dos Direitos Humanos, proclamada pelas Nações Unidas, como uma afirmação ética comum, seja qual for a religião ou a perspectiva geral do país.

ORGANIZAÇÃO

Um aspecto importante em todas as religiões é a irmandade entre seus seguidores. Formam-se tipos específicos de comunidades regulamentadas e são nomeados representantes para dirigir o culto religioso.

No caso dos povos tribais, existe pouca, ou até mesmo inexiste, divisão funcional especificamente religiosa. A tribo constitui uma estrutura social, política e religiosa, e com frequência o próprio chefe é o sacerdote. Contudo, há sociedades sagradas das quais só podem participar pessoas selecionadas — em geral homens.

No Egito antigo, na Grécia clássica e na Noruega dos vikings, a relação era simples: a religião era parte de uma cultura comum. Situação semelhante se vivia na Europa medieval, quando a Igreja católica tinha poder absoluto, ou então, nos dias de hoje, em certos países muçulmanos, onde todo o poder religioso e político pertence a um líder nacional (por exemplo, o rei do Marrocos).

Nos lugares onde várias convicções religiosas devem conviver lado a lado, a questão da organização se torna mais complicada. Quando se funda uma nova religião, rompendo com as tradições locais de culto, forma-se uma nova congregação que estará em minoria, pelo menos no início. Foi essa a situação dos seguidores do Buda, de Maomé e de Jesus, e através da história tem sido o destino de todos os grupos que se libertaram das grandes religiões e criaram suas próprias igrejas ou seitas. Nessas comunidades o vínculo entre os membros por vezes é mais forte do que nas religiões estatais ou locais.

Uma cerimônia realizada logo após o nascimento é o passaporte para todas as religiões estatais. Há também religiões tradicionais, nas quais a pessoa já nasce, ou seja, é incluída sem nenhuma formalidade particular. Já em outras comunidades eclesiásticas, é necessário que o aspirante solicite sua admissão.

Muitas religiões têm ordens especiais que impõem regras estritas a seus membros. As mais comuns são as ordens de monges e freiras, cujos noviços e noviças devem prometer guardar o celibato e aceitar a pobreza pessoal.

Excetuando-se certas religiões primais, a maioria possui "funcionários" próprios, com responsabilidade exclusiva pelas formalidades do culto e por outras tarefas religiosas. Os padres, os líderes de culto e os curandeiros têm deveres religiosos diferentes, mas todos eles desfrutam de um status superior especial. Os sacerdotes também costumam agir como líderes da organização de seu rebanho e podem pertencer a uma entidade maior, comandada por um bispo ou arcebispo. Determinadas organizações (como a Igreja católica romana) são rigidamente estruturadas em linhas internacionais e contam com um líder absoluto. Outras igrejas podem atuar no plano nacional (como a da Noruega) ou no plano da congregação local (como o pentecostalismo).

EXPERIÊNCIA

A religião nunca é vinculada apenas ao intelecto. Ela envolve igualmente as emoções, que são tão essenciais na vida humana quanto o intelecto e a capacidade de pensar. A música, o canto e a dança apelam para as emoções. Na maioria das religiões, as pessoas extravasam a tristeza ou a alegria pela música instrumental e pelo canto; em algumas, também pela dança, que é um meio bastante antigo de expressão religiosa. Nos rituais cristãos, os hinos cantados em coro e a música de órgão são parte importante da experiência geral. Muitas igrejas e templos contêm, ainda, obras de arte — pinturas, esculturas e peças de altar — que acendem a imaginação e as emoções.

MISTICISMO

A EXPERIÊNCIA MÍSTICA

A experiência mística pode ser caracterizada, resumidamente, como uma sensação direta de ser um só com Deus ou com o espírito do universo. Apesar de a oração e o sacrifício implicarem uma grande distância entre Deus e o homem — ou entre Deus e o mundo —, o místico tenta transpor esse abismo. Em outras palavras: o místico não sente a existência desse abismo. Ele é "absorvido" em Deus, "se perde" em Deus, ou "desaparece" em Deus. Isso porque aquilo a que normalmente nos referimos como "eu" não é nosso eu real. O místico experimenta, pelo menos por instantes, a sensação de ser indivisível de um eu maior — não importa que ele dê a isso o nome de Deus, espírito universal, o eu, o vazio, o universo ou qualquer outra coisa. (Um místico indiano disse certa vez: "Quando eu existia, não existia Deus — agora Deus existe, e eu não existo mais". Ele "se perdeu" em Deus.)

No entanto, uma experiência dessas não acontece espontaneamente. O místico deve percorrer "o caminho da purificação e da iluminação" até seu encontro com Deus. E esse caminho —

que pode ter uma série de níveis ou estágios — muitas vezes inclui o ascetismo, exercícios respiratórios e técnicas complexas de meditação. É então que, de súbito, o místico alcança seu objetivo e pode exclamar: "Eu sou Deus!", ou: "Glória a mim! Como é grande minha majestade!".

O incentivo de um místico com frequência é um amor ardente por Deus. Assim como o amante se esforça para se unir com o objeto de seu amor, o místico se esforça para se tornar um só com Deus. Há um anseio que permeia o mundo todo. Essa radiância divina que se encontra no homem, anseia por se libertar de sua existência individual. Pois aquele que anseia por Deus, anseia simplesmente por aquilo que Deus anseia. É nesse êxtase místico — ou *união mística* — que se dá o encontro com Deus. "Eu sou aquilo que amo", exultava um místico persa, "e Aquele a quem amo sou eu!"

TENDÊNCIAS MÍSTICAS

Podemos encontrar tendências místicas em todas as grandes religiões do mundo. E as descrições que os místicos nos fornecem da experiência mística demonstram uma notável uniformidade, apesar das fronteiras sociais, culturais e religiosas, e de enormes diferenças cronológicas e geográficas. Isso nos permite falar de uma dimensão mística em todas as religiões, e foi por essa razão que o filósofo alemão Leibniz chamou o misticismo de *philosophia perennis*: a "filosofia perene".

CARACTERÍSTICAS DO ESTADO MÍSTICO

Com base nos relatos de místicos de várias épocas e culturas, normalmente são atribuídas as seguintes características à experiência mística:

• *O místico sente* uma unidade em todas as coisas. *Há apenas uma consciência — ou um Deus — que permeia tudo.*

• *Embora o místico já venha se preparando há muito tempo para seu encontro com Deus, ou com o espírito universal, sente-se* passivo *quando isso acontece. É como se ele fosse tomado por uma força externa.*

• *Essa condição se caracteriza pela* intemporalidade. *O místico se sente arrancado para fora da existência normal de quatro dimensões.*

• *O êxtase em si é* transitório, *e em geral não dura mais que alguns minutos.*

• *Mas ele possibilita um novo* insight, *que permanece com o místico depois da experiência.*

• *Essa compreensão é* inexprimível, *não pode ser comunicada a outros.*

• *Como a* experiência é paradoxal *em si mesma, o místico vai usar paradoxos ao tentar descrever o estado que experimentou. Assim, pode definir o ser encontrado como "abundância e vazio", "escuridão ofuscante" ou algo parecido.*

É somente quando o místico apresenta uma interpretação religiosa ou filosófica de sua experiência mística que o seu contexto cultural entra em foco. Especialmente no misticismo ocidental (cristianismo, judaísmo e islã), o místico irá ressaltar que seu encontro foi com um Deus pessoal. Mesmo que tenha sido "absorvido em Deus", ele costuma dar ênfase ao fato de que havia uma certa distância entre Deus e o mundo. Algo da relação eu-tu, ou eu-Deus, se mantém. Esse tipo de misticismo já foi chamado de *misticismo teísta*. No misticismo oriental (hinduísmo, budismo e taoísmo) é mais comum afirmar uma identidade total entre o indivíduo e a divindade, ou o espírito universal. Poderíamos dizer que esse encontro do místico com a divindade ocorre como uma relação eu-eu. Sim, pois Deus não está presente como uma mera centelha na alma do homem. O divino existe em todas as coisas deste mundo, é uma realidade imanente. Já se denominou esse tipo de misticismo de *misticismo panteísta*.

Também para o homem moderno a dimensão mística pode desempenhar um papel decisivo. Muitas pessoas reconhecem que tiveram experiências místicas, sem atribuí-las a nenhuma religião específica. É típico desses "místicos modernos" o fato de que, de modo geral, não tomaram nenhuma atitude ativa para se transportar a um estado místico. De repente, no meio da agitação rotineira da vida diária, experimentaram aquilo que chamam de "consciência cósmica", "sensação oceânica" ou "osmose mental".

TIPOS DE RELIGIÃO

RELIGIÕES E TIPOS DE SOCIEDADE

As ciências da religião tentam dividir as religiões em três categorias, que de certa forma coincidem com três tipos distintos de sociedade.

RELIGIÕES PRIMAIS

São aquelas que os estudiosos costumavam chamar de "religiões primitivas" e que se encontram, ou se encontravam, em culturas ágrafas, entre os povos tribais da África, Ásia, América do Norte e do Sul e Polinésia. A marca mais característica dessas religiões é a crença numa miríade de forças, deuses e espíritos que controlam a vida cotidiana. O culto aos antepassados e os ritos de passagem desempenham um papel importante. A comunidade religiosa não se separa da vida social, e o sacerdócio normalmente é sinônimo de liderança política da tribo.

RELIGIÕES NACIONAIS

Estas incluem grande número de religiões históricas que não são mais praticadas: germânica, grega, egípcia e assírio-babilônica. Hoje podemos encontrar vestígios delas, por exemplo, no xintoísmo japonês.

É típico das religiões nacionais adotar o politeísmo, uma série de deuses organizados num sistema de hierarquia e funções especializadas. Elas têm também um sacerdócio permanente, encarregado dos deveres rituais em templos construídos para esse fim. Há sempre uma mitologia bem desenvolvida, o culto sacrificial é básico, e os deuses é que escolhem o líder da nação (monarquia sacra).

AS RELIGIÕES MUNDIAIS

As religiões mundiais pretendem ter uma validade mundial, ou, em outras palavras, uma validade para todas as pessoas. São *para todos*. São conhecidas também como *religiões universais*. A principal característica das religiões universais surgidas no Oriente Médio é o monoteísmo: elas têm um só Deus. Dá-se grande peso à relação do indivíduo com Deus e à sua salvação. O papel do sacrifício é bem menos proeminente nelas do que nas religiões nacionais, ao passo que o da oração e da meditação é mais importante. As religiões universais foram criadas por profetas fundadores cujos nomes são conhecidos: Moisés, Buda, Lao-Tse, Jesus, Maomé.

Por último, devemos ressaltar que os limites entre esses três tipos de religião são fluidos. As religiões nacionais muitas vezes constituem evoluções que acompanharam o desenvolvimento geral da sociedade (ao passar de uma sociedade tribal para um Estado nacional). Assim também, certas religiões mundiais emergiram de religiões nacionais, como um protesto contra determinados aspectos de seu culto e de suas concepções religiosas.

RELIGIÕES ORIENTAIS E OCIDENTAIS

Já houve muitas tentativas de classificar as religiões mundiais em orientais e ocidentais. Consideram-se ocidentais o judaísmo, o islã e o cristianismo, enquanto as principais religiões orientais são o hinduísmo, o budismo e o taoísmo.

	OCIDENTAL	ORIENTAL
Visão da história	Visão linear da história, isto é, a história tem um começo e um fim; o mundo foi criado num certo ponto e um dia irá terminar.	Visão cíclica da história, isto é, a história se repete num ciclo eterno e o mundo dura de eternidade em eternidade.
Conceito de deus	Deus é o criador; Ele é todo-poderoso e é único. O monoteísmo é tipicamente ocidental.	O divino está presente em tudo. Ele se manifesta em muitas divindades (politeísmo), ou como uma força impessoal que permeia tudo e a todos (panteísmo).
Noção de humanidade	Há um abismo entre Deus e o ser humano, entre o criador e a criatura. O grande pecado é o homem desejar se transformar em Deus em vez de se sujeitar à vontade de Deus.	O homem pode alcançar a união com o divino mediante a iluminação súbita e o conhecimento.
Salvação	Deus redime o ser humano do pecado, julga e dá a punição. Existe a noção de vida após a morte, no céu ou no inferno.	A salvação é se libertar do eterno ciclo da reencarnação da alma e do curso da ação. A graça vem por meio de atos de sacrifício ou do conhecimento místico.
Ética	O fiel é um instrumento da ação divina e deve obedecer à vontade de Deus, abandonando o pecado e a passividade diante do mal.	Os ideais são a passividade e a fuga do mundo.
Culto	Orar, pregar, louvar.	Meditação, sacrifício.

RELIGIÕES COM ORIGEM NA ÍNDIA

O hinduísmo é uma religião da Índia, mas tem muitos adeptos também no Nepal, em Bangladesh e no Sri Lanka. Depois de muitos anos de domínio colonial britânico, em 1947 a Índia se tornou uma república independente: um Estado secular (não religioso), com uma constituição que garantia direitos iguais para todas as denominações religiosas e proibia qualquer forma de discriminação baseada em religião, raça, casta ou sexo. Hoje cerca de 80% da população da Índia é hinduísta, 10% muçulmana e 4% cristã.

Embora o budismo tenha se originado na Índia e sob esse aspecto possa ser considerado uma religião indiana, pouco resta do budismo na Índia de hoje; ele é mais difundido no Sri Lanka e no Sudeste da Ásia. Entretanto, o budismo também tem uma longa e importante história na China, na Coreia e no Japão. Excluindo a China, estima-se que quase 200 milhões de pessoas professam a fé budista.

Em 1947, a tensão entre hinduístas e muçulmanos em razão da independência da Índia resultou na criação do Paquistão como um Estado muçulmano separado, dividido em duas partes distintas, o Paquistão do Leste e o Paquistão do Oeste. Depois da guerra de 1971 entre a Índia e o Paquistão, o Paquistão do Leste se tornou um Estado independente com o nome de Bangladesh.

Outros países asiáticos dominados pelo islã são a Malásia e a Indonésia. Nas Filipinas, país que permaneceu colônia espanhola até o final do século XIX, predomina o catolicismo romano (cerca de 80% da população).

HINDUÍSMO

O QUE É O HINDUÍSMO?

Diferentemente das outras religiões mundiais (budismo, cristianismo e islã), o hinduísmo não tem fundador, nem credo fixo nem organização de espécie alguma. Projeta-se como a "religião eterna" e se caracteriza por sua imensa diversidade e pela capacidade excepcional que vem demonstrando através da história de abranger novos modos de pensamento e expressão religiosa.

A palavra *hinduísta* significa simplesmente "indiano" (da mesma raiz do rio Indo), e talvez a melhor maneira de definir o hinduísmo seja dizer que é o nome das várias formas de religião que se desenvolveram na Índia depois que os indo-europeus abriram caminho para a Índia do Norte, de 3 a 4 mil anos atrás. O cristianismo e o judaísmo também têm uma história que se estende por milhares de anos, mas o peculiar no hinduísmo é que todos os seus estágios históricos são visíveis simultaneamente. Apesar de sua complexidade, ainda se pode experimentar o hinduísmo como um todo. Assim, ele já foi comparado a uma floresta tropical, onde várias camadas de animais e de plantas se desenvolvem num grande meio ambiente.

A RELIGIÃO VÉDICA

As raízes do hinduísmo podem ser encontradas em algum ponto entre o ano 1500 a. C. e o ano 200 a. C., quando os chamados arianos (isto é, os "nobres") começaram a subjugar o vale do Indo. As crenças dessas pessoas tinham ligação com outras religiões indo-europeias, como a grega, a romana e a germânica. Sabemos disso pelos chamados hinos védicos (da palavra *Veda*, ou seja, "conhecimento"), que eram recitados por sacerdotes durante os sacrifícios a seus muitos deuses. O Livro dos Vedas consiste em quatro coletâneas, das quais certas partes datam de cerca de 1500 a. C.

O sacrifício era importante para o culto ariano. Faziam-se oferendas aos deuses a fim de conquistar seus favores e manter sob controle as forças do caos.

Achados arqueológicos no vale do Indo indicam que houve uma civilização avançada na Índia, *anterior* à chegada dos indo-europeus, e é certo que essa civilização também contribuiu para o hinduísmo moderno.

A época conhecida como período védico tardio, de 1000 a. C. até 500 a. C., marcou uma virada crucial no desenvolvimento religioso da Índia. Importância especial tiveram os *Upanishads*, que até hoje são os textos hinduístas mais lidos. Foram escritos sob a forma de conversas entre mestre e discípulo, e introduzem a noção de Brahman, a força espiritual essencial em que se baseia todo o universo. Todos os seres vivos nascem do Brahman, vivem no Brahman e ao morrer retornam ao Brahman.

AS CASTAS, AS VACAS E O CARMA

O hinduísmo moderno compreende uma grande variedade de ideias e formas de culto. Será que os hinduístas têm alguma coisa em comum? Sim. Uma boa definição seria: as castas, as vacas e o carma.

O SISTEMA DE CASTAS

Todas as sociedades têm várias formas de distinção e estratificação em classes, mas é difícil encontrar um país onde isso tenha sido praticado tão sistematicamente quanto na Índia. Desde os tempos antigos sempre houve quatro classes sociais (a palavra sânscrita empregada é *varna*, que significa "cor"):

- *sacerdotes (brâmanes);*
- *guerreiros;*
- *agricultores, comerciantes e artesãos, e*
- *servos.*

Porém, à medida que a sociedade indiana se desenvolveu, as pessoas foram sendo divididas em novas castas. No início do século XX havia em torno de 3 mil castas.

Não se sabe como surgiu o sistema de castas, e não há prova definitiva de que se trata de uma evolução do sistema de quatro classes. Seria mais verdadeiro dizer que esse sistema de classes se ajusta bem às castas.

A palavra inglesa *caste* vem do português *casta* (feminino de *casto*, "puro"); o termo usado na Índia é *jati*, que significa "nascimento" ou "tipo". As castas em geral se associam a profissões especiais. Uma aldeia indiana pode conter de vinte a trinta dessas castas, e com frequência cada uma ocupa um agrupamento especial de casas. Cada casta tem suas próprias regras de conduta e de prática religiosa, que determinam com quem a pessoa pode se casar, o que ela pode comer, com quem pode se associar e que tipo de trabalho pode realizar. A base religiosa desse sistema é a noção de *pureza* e *impureza*. O contraste entre o que é "limpo" e o que é "impuro" permeia todo o hinduísmo. Para um brâmane, tudo o que tenha a ver com as coisas corporais ou materiais é impuro. Se ele se tornou impuro como resultado do nascimento, da morte ou do sexo — ou por meio do contato com um indivíduo "sem casta", ou membro de uma casta inferior —, há diversas maneiras pelas quais ele pode se purificar. O método tradicional mais conhecido de purificação utiliza a água de um dos muitos rios sagrados da Índia, como o Ganges.

As regras que governam a pureza formam a base da divisão de trabalho na comunidade. Certas atividades e certos trabalhos são tão impuros que somente determinadas castas podem realizá-los. Essas castas têm o dever de ajudar os outros grupos a manter sua pureza. Por outro lado, apenas as castas que preencham os requisitos da pureza podem se aproximar dos deuses mais elevados. Para que isso ocorra com mais facilidade, outras pessoas devem ser impuras. Entretanto, todos se beneficiam da limpeza dos "puros", pois todos os hinduístas tiram proveito dos ritos que são praticados.

O sistema de castas deu um contexto à vida do indiano, assim como fez a tribo para o africano. Ser expulso de sua casta é o pior castigo imaginável, e só é usado para os crimes particularmente sérios. O nível mais baixo no sistema de castas é o dos "intocáveis" ou "sem casta" (também chamados "párias"); por exemplo, os criminosos, os lixeiros e os que trabalham curtindo o couro dos animais. Os cristãos e os muçulmanos ficam totalmente fora do sistema de castas.

As complexas regras que controlam o contato social entre as castas eram muito rígidas; mas a Constituição indiana, que entrou em vigor em 1947, introduziu certas medidas para banir a discriminação por casta. Como não basta mudar a legislação para acabar com antigas divisões sociais e religiosas, o sistema de castas continua tendo um papel importante, em especial nas aldeias.

A VACA SAGRADA

A vaca é um animal sagrado na Índia e é adorada durante certas festas religiosas. Isso provavelmente se relaciona com um antigo *culto de fertilidade*; nos Vedas há hinos à vaca, pois ela supre tudo o que é necessário para sustentar a vida. A vaca se tornou um símbolo da vida, e não é permitido matá-la. Muitos ocidentais têm uma visão bastante negativa desse fato. Segundo eles, as vacas deveriam ser mortas para fornecer alimento à legião de famintos da Índia. Entretanto, considerando o lugar que a vaca ocupa na agricultura indiana, vemos também aspectos positivos: 70% da população vive do cultivo da terra, e há uma grande falta de animais de tração num país em que o trator é pouco difundido. Além disso, o excremento das vacas é útil não só como fertilizante mas também como combustível.

Em termos de culto, a vaca é mais "pura" do que o brâmane. Assim, a pessoa que toca uma vaca está ritualmente limpa. Todos os produtos derivados da vaca — o leite e a manteiga — são utilizados em diversas cerimônias de purificação. Até mesmo o excremento e a urina da vaca são tão sagrados que podem ser usados como agentes de purificação.

Os hinduístas têm outros animais sagrados além da vaca, em

especial o macaco, o crocodilo e a cobra. De modo geral, eles não gostam de tirar a vida. Isso transformou muitos hinduístas em *vegetarianos* e também abriu caminho para o ideal da não violência, que ficou mais conhecido no Ocidente com a luta de Gandhi para tornar a Índia independente do colonialismo britânico.

CARMA E REENCARNAÇÃO

Um conceito-chave na filosofia dos Upanishads é que o homem tem uma alma imortal. "Ela não envelhece quando você envelhece, ela não morre quando você morre."

Um hinduísta acredita que, depois da morte de um indivíduo, sua alma renasce numa nova criatura vivente. Pode renascer numa casta mais alta ou mais baixa, ou pode passar a habitar um animal.

Há uma ordem inexorável nesse ciclo que vai de uma existência a outra. O impulso por trás dela, ou que a mantém sempre em movimento, é o *karma* do homem, palavra sânscrita que significa "ato". Porém, nesse caso, ato se refere a pensamentos, palavras e sentimentos, não apenas a ações físicas.

A ideia de que todas as ações têm consequências — e de que essas consequências podem aparecer depois da morte — não é, de modo algum, peculiar ao hinduísmo. Aqui, a originalidade está no conceito de que todas as ações de uma vida, e *somente elas*, formam a base para a próxima. Assim, o carma não é uma punição pelas más ações ou uma recompensa pelas boas. O carma é uma constante impessoal — como uma lei natural.

O hinduísmo não reconhece nenhum "destino cego" nem divina providência. A responsabilidade pela vida do hinduísta no dia de hoje — e por sua próxima encarnação — será sempre dele. O homem colhe aquilo que semeou. Os resultados das ações — ou frutos de uma vida — derivam dessas ações automaticamente. Poderíamos dizer que a transmigração está sujeita à lei da causa e efeito.

Em outras palavras, o que a pessoa experimenta nesta vida em termos de riqueza ou pobreza, alegria ou tristeza, saúde ou doença, é resultado de suas ações numa vida anterior. É desse modo que os hinduístas explicam as diferenças entre as pessoas. A doutrina do carma dá sustentação a um esquema de relações sociais como o sistema de castas.

Embora a pessoa deva se submeter ao carma que herdou de uma vida anterior, ela também exerce o livre-arbítrio no âmbito de sua existência atual. Portanto, o indivíduo sempre pode melhorar seu carma, e assim lançar as fundações para uma vida melhor na próxima encarnação.

TRÊS VIAS DE SALVAÇÃO

Durante o período védico, a doutrina do carma e a da reencarnação eram vistas como algo positivo. Por meio dos sacrifícios e das boas ações, o indivíduo podia garantir que iria viver várias vidas. Mais tarde, o hinduísmo passou a considerar esse ciclo como algo negativo, como um círculo vicioso a ser quebrado.

O hinduísmo não possui uma doutrina clara e não ambígua sobre a salvação que explique de que modo o homem pode escapar do interminável e cansativo ciclo das reencarnações. Dentro do hinduísmo há uma grande quantidade de movimentos e seitas com visões divergentes. Apesar disso, é possível distinguir três caminhos diferentes para a graça, que exerceram papel relevante na história da Índia — e continuam prevalecendo no hinduísmo moderno. São as vias do sacrifício, do conhecimento e da devoção.

É importante não pensar que essas vias sejam movimentos religiosos organizados. Trata-se, na verdade, de três tendências principais dentro do hinduísmo. O caminho escolhido pode depender do indivíduo. Mas um hinduísta também pode se inspirar nessas três vias.

A VIA DO SACRIFÍCIO

Como já vimos, a palavra indiana para "ato" é *karma*. Hoje ela é usada para denotar todos os atos humanos — ou o resultado coletivo desses atos. No período védico, o termo se referia basicamente a *atos religiosos ou rituais*, em especial aos atos sacrificiais. Estes eram necessários para incrementar a fertilidade e manter a ordem universal. Esse antigo costume sacrificial, minuciosamente descrito nos Vedas, continua a desempenhar um papel capital no hinduísmo. Fazendo sacrifícios e boas ações, muitos hinduístas tentam obter a felicidade terrena, boa saúde, riqueza e copiosa descendência. Em última análise, o objetivo permanece o mesmo de outras correntes do hinduísmo: libertar-se do círculo vicioso da transmigração do espírito.

A VIA DA COMPREENSÃO OU DO CONHECIMENTO

Segundo uma ideia central dos Upanishads, é a *ignorância* do homem que o amarra ao ciclo da reencarnação. Compreender a verdadeira natureza da existência — o oposto da ignorância — será, portanto, um caminho para a salvação. É apenas quando o homem adquire o reto conhecimento que ele é redimido da implacável roda da transmigração.

O conhecimento que traz a salvação é o de que a alma humana (*atmã*) e o mundo espiritual (*Brahman*) são uma coisa só. O atmã é uma parte integrante não só dos seres humanos, mas também se encontra nas plantas e nos animais. Isso é conhecido como *panteísmo* (veja página 23).

O *Brahman* é o princípio construtivo do universo, uma força que permeia tudo, uma divindade impessoal. Todas as almas individuais são reflexos dessa única alma universal. É como a lua, que se reflete em muitos lagos. Pode haver um número infinito desses reflexos, mas existe uma só lua.

O homem é libertado da transmigração ao adquirir plena compreensão da *unidade* entre atmã e Brahman. O objetivo é se dissolver no Brahman, assim como uma gota de chuva se dissolve no mar. O homem tem uma centelha divina em seu interior. E mesmo que ele seja obliterado como indivíduo, sua origem divina permanece e vai se unir novamente com o espírito universal.

A VIA DA DEVOÇÃO

Uma terceira rota para a salvação, proposta que começou a se difundir no Sul da Índia por volta de 600 a. C. e logo se espalhou por todo o subcontinente, é a *via da devoção*. Já no século III a. C. esse caminho para a graça encontrara sua expressão clássica no *Bhagavad Gita*, um poema catequético. Essa terceira tendência do hinduísmo é a que predomina na Índia moderna, e o Bhagavad Gita é o livro sagrado que ocupa o lugar supremo na consciência do indiano médio.

Todas as três vias de salvação se baseiam na *doutrina do carma*. A via do sacrifício realça o fato de que o homem pode encontrar a salvação agindo de maneira correta ritualmente. As tendências filosóficas com frequência representam o ponto de vista oposto. Com a ajuda da ascese ou da contemplação, as pessoas procuram suprimir todo carma pessoal — a fim de abandonar o ciclo de uma vez por todas. Sem rejeitar esses caminhos tradicionais para a salvação, o Bhagavad Gita aponta um caminho melhor e mais fácil. Se um homem se dedica a Deus e age *desinteressadamente*, isto é, sem pensar em ganhos e vantagens, ele será, pela graça de Deus, libertado da transmigração.

O Bhagavad Gita abre o caminho para uma associação mais pessoal com Deus do que os Vedas ou os Upanishads. Ela se caracteriza pelo amor e a devoção (*bhakti*) do homem para com Deus, num relacionamento eu-tu. Isso não significa que o Bhagavad Gita rejeite o sacrifício ou o conhecimento religioso. Muito pelo contrário — tanto o "sacrifício material" como o "sacrifício da compreensão" são vistos sob uma luz positiva, pois a divindade que recebe o sacrifício é o mesmo Brahman do filósofo. Mas nem os sacrifícios nem os exercícios de ioga devem ser realizados com o intuito de se ganhar algo em troca, pois nem uma coisa nem outra, isoladamente, é capaz de alcançar qualquer resultado. Em última análise, é a misericórdia divina que salva uma pessoa do ciclo — e não seus próprios esforços. Portanto, o caminho mais seguro para a salvação é o *bhakti*, a devoção a Deus e a crença nele. Outro ponto importante é que todas as pessoas, independentemente de sexo ou casta, podem conseguir a graça se se devotarem a Deus.

CRENÇA DIVINA

A multiplicidade do hinduísmo também se manifesta em seu conceito de Deus. Em sua forma mais filosófica, o conceito hindu de divindade é *panteísta*. A divindade não é um ser pessoal, mas uma força, uma energia que permeia tudo: os objetos inanimados, as plantas, os animais e os homens. No extremo menos filosófico do espectro há um *conceito politeísta*, que acredita num grande número de deuses. Quase todas as aldeias têm a sua própria divindade local.

A adoração divina se concentra em dois deuses em particular, ambos com raízes védicas. Um deles é *Vishnu*. É um deus suave e amigável, normalmente representado como um lindo jovem. Sua maior importância no hinduísmo moderno deriva de seus "avatares" ou revelações, como *Rama* e *Krishna*. Especialmente popular é Krishna, adorado como o onipresente senhor do mundo. Costuma ser retratado como um pastor de ovelhas, e suas aventuras eróticas com as pastoras são interpretadas simbolicamente como o amor de Deus pelo homem. O relacionamento de Krishna com sua amada, Rhada, é explicado da mesma maneira. O amor entre os dois, sua separação e reconciliação são uma metáfora para o anseio que a alma sente por Deus e por sua união final com ele.

O outro deus com grande significado para o culto é *Shiva*. Ele é o deus da meditação e dos iogues, e em geral o retratam como um asceta. É igualmente um deus do desvario e do êxtase, tanto criador como destruidor, o que o torna ao mesmo tempo aterrorizante e atraente. É ele quem traz a doença e a morte, mas é também o que cura. Na devoção *bhakti* ele é visto como um deus cheio de compaixão, que salva o homem da transmigração.

A filosofia religiosa indiana se baseia na crença num deus eterno, mas não especifica se esse deus é Vishnu, Shiva ou algum outro. Deixa-se a cargo do indivíduo decidir de que maneira esse deus deve ser adorado. Nos círculos acadêmicos é comum ver Vishnu e Shiva formando uma trindade com o deus Brahma. Brahma é o *criador*, quem faz o mundo. Vishnu é o *sustentador*, que protege as leis naturais e a ordem universal. E Shiva é o *destruidor*, que no final de cada época dança sobre o mundo até reduzi-lo a pedaços. Uma vez que isso acontece, Brahma tem de criar o mundo novamente. Assim, essas três personagens, ou "máscaras", representam três aspectos de Deus: o criador, o sustentador e o destruidor. Essa doutrina trinitária, no entanto, tem pouca relevância na devoção popular.

DEUSAS

O hinduísmo tem uma série de deusas. Alguns adotam a teoria de que essa abundância de deusas não passa da expressão de uma grande e poderosa divindade feminina, a "Rainha do Universo" ou "Deusa-Mãe". Sua manifestação mais conhecida é *Kali*, a deusa negra, adorada sobretudo no Leste da Índia e a quem se sacrificam animais. O alto status de Kali no mundo dos deuses é evidente pelas imagens que a mostram pisoteando o corpo de Shiva.

A importância das deusas na religião indiana é visível pela escolha da "Mãe Índia" (Bhárata Mata) como a divindade nacional do moderno Estado da Índia. Na cidade de Varanasi há um templo especial que lhe é dedicado. Ali, em vez de uma representação da deusa, está exposto um mapa da Índia.

DIVINDADES MENORES

A maioria das aldeias tem seu templo dedicado a Vishnu ou a Shiva. Esses deuses se concentram nas questões maiores, universais, e em geral são homenageados nos grandes festivais. Num nível mais terra a terra, as pessoas costumam visitar os pequenos templos dedicados a divindades menos importantes. Embora não sejam tão poderosas como Vishnu ou Shiva, é mais fácil se aproximar delas para assuntos de menor importância, tais como problemas pessoais.

Os deuses menores por vezes exercem influência em áreas especiais, por exemplo, em certos tipos de doença. Muitos deles têm origem humana: podem ser heróis que morreram em batalha, ou esposas que se ofereceram para ser queimadas na pira funerária do marido. Alguns deuses são espíritos malignos que foram deixados para trás por homens maus. Ao cultivar esses espíritos como deuses, é possível controlar e neutralizar seu mal.

VIDA RELIGIOSA

O CULTO NO LAR E NO TEMPLO

A maioria dos hinduístas devotos tem em casa uma sala ou um canto especial onde põem estampas e esculturas representando um ou mais deuses. Na frente das estampas e imagens costuma haver um pequeno altar para a família celebrar o serviço divino. Em alguns casos isso ocorre diversas vezes por dia; em outros, uma vez por semana, geralmente na sexta-feira.

O culto pode variar de casa para casa, mas com frequência compreende o sacrifício, a oração, a recitação de textos sagrados e a meditação. Antes de iniciá-lo, é importante estar ritualmente limpo. Quase sempre, um banho purificador é o primeiro passo. Prepara-se então o sacrifício, de acordo com certas regras. Pode-se pôr no altar arroz, frutas ou flores. Feito isso, o adorador se inclina até o chão, com as mãos unidas, diante das imagens divinas. É comum repetir o nome do deus e recitar textos sagrados; porém, também é habitual a oração espontânea, pessoal. Se foram postos frutos diante das imagens, estes serão comidos pela família ou oferecidos às visitas que chegarem.

Não é obrigatório que o hinduísta vá ao templo, mas nos templos há muitos serviços populares, e existe um templo em cada aldeia da Índia. O dia no templo começa com música para despertar os deuses; depois disso, são lavadas as imagens divinas. Durante o dia os deuses são alimentados várias vezes. As pessoas que chegam ao templo rezam para o deus, oferecem sacrifícios de flores e outros presentes, ou escutam a interpretação das escrituras dada pelo sacerdote.

O COSTUME CORRETO

Segundo os hinduístas, o que a pessoa faz é mais importante do que aquilo em que ela acredita. O costume correto é mais importante do que a ortodoxia; o rito religioso é mais importante do que o conteúdo religioso.

Embora a vida religiosa na Índia seja variada e multifacetada, a maioria dos indianos poderia concordar quanto a um *darma* comum, ou seja, uma lei ou ética comum. Isso não implica uma igualdade entre as pessoas. *Darma* significa que todas as pessoas têm responsabilidades para com sua família, sua casta e a comunidade como um todo — e que essas responsabilidades, desde o nascimento, variam de um indiano para outro. Tanto no contexto religioso como no social, a homogeneidade que o hinduísmo apresenta está na divisão do trabalho. Assim como o pássaro e o peixe obedecem a leis diferentes, o membro de uma casta segue regras diferentes das que regem outra casta. Dessa forma, o que é bom para um não é necessariamente bom para o outro. A boa moral consiste em adotar os preceitos e deveres de sua própria casta.

OS QUATRO ESTÁGIOS DA VIDA

O Bhagavad Gita realça o valor das três vias de salvação e ao mesmo tempo destaca que cada pessoa deve cumprir seus deveres para com a família e a comunidade. Mas como conciliar as duas coisas? Desde os tempos antigos a vida do homem foi dividida em quatro estágios diferentes, que servem à compreensão, à adoração e aos deveres da casta. Essa divisão é relevante sobretudo para os brâmanes do sexo masculino. Os homens da classe dos guerreiros e dos agricultores também podem segui-la, em maior ou menor grau. Entretanto, "os quatro estágios da vida" representam um ideal, que nem todos praticam.

Em seu oitavo ano de vida o menino brâmane realiza um rito de passagem, no qual recebe o "fio sagrado", simbolizando que ele "nasceu pela segunda vez". O menino agora se torna um *discípulo* e é entregue a um mestre (*guru*), com quem estuda os textos sagrados (primeiro estágio).

Quando o jovem completa seu primeiro estágio de vida como discípulo, ele se torna um *pai de família* (segundo estágio). Casa-se, tem filhos, cumpre os deveres de casta e as obrigações sacrificiais, e desfruta dos prazeres da vida. Essa fase dura até que seus netos comecem a crescer.

O homem entra no *estágio contemplativo* da vida (terceiro estágio). Sozinho, ou em companhia de sua esposa, ele se retira para um local tranquilo. Antigamente, muitas vezes ele ia para a floresta; hoje, em geral ele se dirige a um monastério ou um centro religioso (*ashram*).

Alguns prosseguem até o quarto estágio da vida e se tornam *santos andarilhos*. Nessa fase, o homem idoso fica perambulando, sem ter posses nem moradia fixa. Sobrevive com o pouco que recebe de esmola e passa o tempo inteiro em busca do autoconhecimento. Todos os deveres de casta e os laços externos foram rompidos, e o divino faz dele a sua morada.

O LUGAR DAS MULHERES

A Índia também é um continente de grandes contrastes no que se refere ao papel da mulher e ao modo como ela é considerada, tanto espiritual como socialmente. O Livro dos Vedas afirma que o homem e a mulher são iguais "como as duas rodas de uma carroça". Entretanto, a aceitação prática dessa ideia tem sido bem mais difícil. Um livro indiano de normas, com 2 mil anos de idade, tem o seguinte a dizer sobre o papel da mulher: "Assim como o estudo e o serviço doméstico na casa de seu mestre são para o menino, assim deve ser para a menina viver com seu marido; ela deve ajudá-lo em seus deveres e ser ensinada por ele. Cuidar do fogo sagrado, como seu esposo lhe ensina, é comparável ao serviço do menino junto ao fogo sacrificial de seu mestre".

As mulheres na Índia são frequentemente encaradas como "propriedade" do marido. Uma mulher solteira em geral tem um status baixo, e uma mulher casada sem filhos pode se encontrar numa situação bem precária. Por outro lado, a Índia foi um dos primeiros países a ter uma mulher como primeiro-ministro (Indira Gandhi). Muitas mulheres desfrutam de notável influência pública, e em nenhum outro país do Terceiro Mundo há tantas mulheres trabalhando fora de casa. Nesse contexto, ser membro de uma casta pode constituir um fator decisivo na situação feminina. O culto das numerosas deusas mulheres também pode contribuir para elevar a consciência das mulheres.

BUDISMO

A VIDA DO BUDA

O fundador do budismo foi o filho de um rajá, *Sidarta Gautama* (*c.* 560-480 a. C.), que viveu no Nordeste da Índia. Sobre sua vida há várias histórias, mais ou menos lendárias, mas os pontos de maior destaque são os seguintes:

O PRÍNCIPE SIDARTA

O príncipe Sidarta cresceu no seio da fortuna e do luxo. O rajá ouvira uma profecia de que seu filho ou se tornaria um poderoso governante ou tomaria o caminho oposto e abandonaria o mundo por completo. Esta última opção aconteceria se lhe fosse permitido testemunhar as carências e o sofrimento do mundo. Para evitar que isso ocorresse, o rajá tentou proteger o filho contra o mundo que ficava além das muralhas do palácio, ao mesmo tempo que o cercava de delícias e diversões. Ainda jovem, Sidarta se casou com sua prima e mantinha também um harém de lindas dançarinas.

A VIRADA

Aos 29 anos Sidarta experimentou algo que haveria de ser o ponto crucial de sua vida. Apesar da proibição do pai, ele se arriscou a sair do palácio e viu, pela primeira vez, um velho, um homem doente e um cadáver em decomposição. Entretanto, depois dessas impressões desanimadoras, avistou um asceta com a expressão radiante de alegria. Percebeu então que uma vida de riqueza e prazer é uma existência vazia e sem sentido. E se perguntou: haverá alguma coisa que transcenda a velhice, a doença e a morte? Sidarta também se sentiu tomado por uma grande compaixão pela humanidade e um chamado para livrá-la do sofrimento. Imerso em pensamentos, voltou ao palácio e na mesma noite renunciou à sua agradável vida de príncipe. Sem se despedir, abandonou esposa e filho, e partiu para uma vida de andarilho.

A ILUMINAÇÃO

As narrativas relatam que Sidarta, depois de uma vida de abundância, passou para o extremo oposto: os exercícios ascéticos. Obrigou-se a comer cada vez menos, até que finalmente, segundo a lenda, conseguia sobreviver com um único grão de arroz por dia. Dessa maneira ele esperava dominar o sofrimento; mas nem os exercícios de ascetismo nem a ioga lhe deram o que procurava. Assim, ele adotou o "caminho do meio", buscando a salvação por meio da meditação. E, aos 35 anos, após seis anos de vida ascética, alcançou a *iluminação* (*bodhi*), enquanto estava sentado em meditação sob uma figueira, à margem de um afluente do rio Ganges. Sidarta agora se transformara num *buda*, ou seja, um "iluminado": alcançou a percepção de que todo o sofrimento do mundo é causado pelo desejo. É apenas suprimindo o desejo que podemos escapar de outras encarnações.

Durante sete dias e sete noites o Buda ficou sentado debaixo de sua árvore da iluminação. Ganhou dessa forma a compreensão de uma realidade que não é transitória, uma realidade absoluta acima do tempo e do espaço. No budismo isso se chama *nirvana*. Ao dominar seu desejo de viver, que antes o atava à existência, o Buda parou de produzir carma e, portanto, não estava mais sujeito à lei do renascimento. Conseguira alcançar a salvação para si mesmo, e o caminho estava aberto para abandonar o mundo e entrar no nirvana final. O deus Brahma, porém, instou com ele para que difundisse seus ensinamentos. E então, mais uma vez, o Buda sentiu compaixão pelos outros seres humanos e por todos os seres vivos. Ele "contemplou o mundo com um olhar de Buda" e decidiu "abrir o portão da eternidade" para aqueles que o quisessem ouvir. O Buda decidira se tornar um guia dos seres humanos.

BUDA E SEUS DISCÍPULOS

Buda seguiu então para Benares, que já naquela época era um centro religioso. Ali deu sua primeira palestra — o famoso sermão de Benares, que contém os elementos mais importantes de seus ensinamentos. As "rodas da instrução" tinham sido postas em movimento.

Diversos monges mendigos seguiam Buda, e durante mais de quarenta anos ele e seus discípulos vagaram pela região nordeste da Índia.

Desde o início os seguidores de Buda se dividiram em dois grupos, os leigos e os monges, cada um com seus próprios deveres.

Quando Buda tinha por volta de oitenta anos, de repente adoeceu e decidiu se despedir dos discípulos. Antes de morrer, voltou-se para o triste rebanho dos discípulos a seu redor e disse: "Talvez alguns de vós estejam pensando: 'As palavras do mestre pertencem ao passado, não temos mais mestre'. Mas não é assim que deveis ver as coisas. O *darma* (instrução) que vos dei deve ser o vosso mestre depois que eu partir".

OS ENSINAMENTOS DE BUDA

A LEI DO CARMA

O budismo cresceu dentro do hinduísmo como um caminho individual para a salvação. As duas religiões têm muitos conceitos em comum: as doutrinas do renascimento, do carma e da salvação.

Para Buda, um ponto de partida óbvio é que o ser humano é escravizado por uma série de renascimentos. Como todas as ações têm consequências, o princípio propulsor por trás do ciclo nascimento-morte-renascimento são os pensamentos do homem, suas palavras e seus atos (carma).

Também nós podemos passar pela experiência de ver que certas coisas que pensamos ou fizemos em determinada época da vida nos afetaram mais tarde. Podemos sentir que nosso passado nos alcançou. É essa mesma ideia que percorre o hinduísmo e o budismo. A diferença é que os orientais veem essa relação como algo estritamente regulado — e que se estende de uma vida a outra. O tipo de vida em que o indivíduo vai renascer depende de suas ações em vidas anteriores. O homem colhe aquilo que plantou. Não existe "destino cego" nem "divina providência". O resultado flui automaticamente das ações. Portanto, é tão impossível fugir de seu carma quanto escapar de sua própria sombra. Enquanto o ser humano tiver um carma, ele está fadado a renascer.

Embora se possa dizer que a lei do carma possui um certo grau de justiça, ela é vista, no hinduísmo e no budismo, como algo um tanto negativo, algo de que se deve escapar. Assim, a *salvação* consiste em ser libertado do círculo vicioso dos renascimentos. A eterna série de reencarnações costuma ser comparada a um rio que separa o homem do nirvana. O objetivo do budismo, comum com os outros caminhos indianos para a salvação, é encontrar a "passagem" por onde se pode atravessar para a outra margem.

VISÃO DA HUMANIDADE

Num aspecto importante, porém, os ensinamentos de Buda são diferentes do consenso indiano em geral. O hinduísmo acredita que o homem tem uma *alma individual eterna* (*atmã*), a qual sobrevive de uma existência para outra. Assim como uma pessoa descarta suas roupas velhas e gastas, a alma vai se revestindo de outros corpos, sempre renovados. É a *alma* do homem — seu *eu* mais íntimo — que está acorrentada à reencarnação. A alma do homem também é considerada idêntica, total ou parcialmente, ao *espírito universal* (*Brahman*).

Buda rompe radicalmente com essa doutrina ao negar que o ser humano tenha alma e ao rejeitar a existência de um espírito universal. De acordo com o budismo, a alma é tão fugaz como tudo o mais neste mundo. O fato de um homem achar que é um "eu", ou uma alma, baseia-se na ignorância, e essa ignorância tem consequências graves, uma vez que promove o desejo, e é o desejo que cria o carma do indivíduo.

O budismo vê a vida humana como uma série ininterrupta de processos mentais e físicos que alteram o homem de momento a momento. O bebê não é a mesma pessoa que o adulto, e o adulto não é a mesma pessoa que era ontem. É como as imagens numa tela de cinema: movem-se muito depressa e não conseguimos perceber que o filme é "artificial", que não é algo "vivo". Na realidade, o filme é a soma das imagens individuais — ou de uma série de instantes.

"De nada mais posso dizer: 'Isto é meu'", ensinava Buda, "e de nada posso dizer: 'Isto sou eu'." Ambas as coisas são ilusões. Não há um núcleo imutável da personalidade, não existe um "eu", um ego. Tudo é constituído de fatores existenciais impessoais que formam combinações fadadas a decair. Tudo é transitório.

AS QUATRO NOBRES VERDADES SOBRE O SOFRIMENTO

Depois de experimentar sua iluminação debaixo da figueira, Buda fez o sermão de Benares, em que apresentou as quatro nobres verdades sobre o sofrimento. Elas demonstram que tudo é sofrimento; que a causa do sofrimento é o *desejo*; que o sofrimento cessa quando o desejo cessa; e que isso se consegue seguindo o caminho das oito vias. Em outras palavras: Buda faz primeiro um diagnóstico, mostrando que a condição do homem é de doença (primeira nobre verdade). Ele então indica a causa da doença (segunda nobre verdade). Afirma, no entanto, que a doença é curável (terceira nobre verdade), e por fim dá uma descrição detalhada de como a doença deve ser tratada, receitando uma cura de oito pontos (quarta nobre verdade). Assim, Buda assume o papel de médico; é por isso que os textos budistas o chamam de "o grande médico".

...

A primeira nobre verdade *determina que tudo no mundo é sofrimento. "Nascer é sofrer, envelhecer é sofrer, morrer é sofrer, estar unido com aquilo de que não gostamos é sofrer, separarmo-nos daquilo que amamos é sofrer, não conseguir o que queremos é sofrer." Em termos budistas o sofrimento implica algo mais do que mero desconforto físico e psicológico. Pode-se dizer que a existência como um todo é manchada pelo sofrimento, pois tudo é passageiro. A pessoa que não consegue perceber que o mundo, do ponto de vista do ser humano, é inadequado, é uma pessoa cega. Mas isso não significa que o budismo negue toda felicidade material e mental. Ele reconhece que existe alegria tanto na família como no mosteiro. Todavia, tudo aquilo que amamos e a que nos apegamos simplesmente não vai durar.*

Na segunda nobre verdade, *Buda afirma que o sofrimento é causado pelo desejo do ser humano. O desejo implica sobretudo desejar com os sentidos, a sede de prazeres físicos. Como essa ânsia nunca pode ser plenamente saciada, ela sempre irá acarretar um sentimento de desprazer. Até mesmo o* desejo de sobrevivência *do ser huma-*

no contribui para manter o sofrimento. Enquanto ele se apegar à vida — e continuar acreditando que tem uma alma —, irá perceber o mundo como sofrimento. O budismo também rejeita o extremo oposto. O desejo de anulação — ou desejo de morrer — igualmente amarra o ser humano à existência. Em primeiro lugar, um tal desejo pressupõe que o ser humano tem uma alma que pode ser eliminada; em segundo, não leva em consideração o carma, que impõe o renascimento. Tirar a própria vida não resolve nada no budismo. Isso não irá libertar a pessoa do eterno ciclo.

A terceira nobre verdade é que o sofrimento pode ser levado ao fim. Isso acontece quando o desejo cessa. E quando o desejo cessa, começa o nirvana. Um pré-requisito necessário para suprimir o desejo é que a ignorância do homem deve ser enfrentada, pois ela é a causadora do desejo. Assim, só o homem que não enxerga sente desejo. A ignorância leva ao desejo, o desejo leva à atividade, a atividade traz consigo o renascimento, e o renascimento origina mais ignorância. Aqui se descreve um círculo vicioso, e para que este círculo vicioso — ou "corrente da causalidade" — seja rompido, o homem deve atacar a raiz do problema: sua própria ignorância.

A quarta nobre verdade afirma que o homem pode ser libertado do sofrimento — e do renascimento — seguindo o caminho das oito vias.

...

O CAMINHO DAS OITO VIAS

Com base em sua própria experiência, Buda acreditava que o homem deve evitar os extremos da vida. Não se deve viver nem no prazer extravagante, nem na autonegação exagerada. Ambos os extremos acorrentam o homem ao mundo e, assim, à "roda da vida". O caminho para dar fim ao sofrimento é o "caminho do meio", e Buda o descreveu em oito partes: (1) perfeita compreensão; (2) perfeita aspiração; (3) perfeita fala; (4) perfeita conduta; (5) perfeito meio de subsistência; (6) perfeito esforço; (7) perfeita atenção, e (8) perfeita contemplação.

Perfeita compreensão e perfeita aspiração. É a ignorância do homem que põe a roda da vida em movimento. Portanto, o homem deve construir sua compreensão sobre como o mundo funciona. Isso significa, entre outras coisas, compreender as verdades acerca do sofrimento e o ensinamento de Buda de que o homem não tem alma. Em seguida, o homem deve se dedicar a lutar contra o desejo, que é a raiz do sofrimento. Deve também evitar o ódio e a luxúria, ambos causados pela crença equivocada num "eu" distinto e separado do ambiente em torno. Por último, o homem deve olhar para o Buda como um ideal.

Perfeita fala, perfeita conduta, perfeito meio de subsistência. Esses pontos estabelecem a ética do budismo, seu código moral. *Perfeita fala* significa que o homem deve se abster de contar mentiras, fazer intrigas e ter conversas vazias, e que deve falar com seus semelhantes de um modo verdadeiro, amigável e carinhoso. Para o budista, ficar em silêncio também está incluído na fala perfeita. *Perfeita conduta* significa seguir os *cinco mandamentos* que se aplicam a todos os budistas: não matar nenhum ser vivo, não roubar, não ser sexualmente promíscuo, não mentir e não tomar estimulantes. Mais tarde, foram acrescentados outros mandamentos enunciados na forma positiva. Diversos textos budistas ressaltam a utilidade de dar presentes e realizar serviços para os outros. Estudar a doutrina e disseminá-la também faz parte da perfeita conduta. Um aspecto do *perfeito meio de subsistência* é que se deve escolher um trabalho que não contrarie os cinco mandamentos. Por exemplo, um açougueiro, um comerciante de vinhos, um fabricante de armas ou um soldado profissional teriam de encontrar uma profissão alternativa se quisessem permanecer budistas.

Perfeito esforço, perfeita atenção e perfeita contemplação. Esses três pontos finais se relacionam com a maneira como o ser humano pode melhorar a si mesmo e purificar sua mente. *Perfeito esforço* significa que o budista não deve deixar que pensamentos ou estados de espírito destrutivos intervenham; e se já estão presentes, deve tentar expulsá-los antes que tenham efeitos palpáveis. *Perfeita atenção* é um precursor do último item. A autocontemplação é o meio pelo qual o budista alcança pleno controle sobre o corpo e a mente. Uma vez conseguido isso, ele está pronto para iniciar a meditação propriamente dita.

O budismo tem uma doutrina abrangente sobre os vários níveis e estágios da meditação. Durante a meditação, todos os músculos se relaxam, possivelmente também pelo fato de o praticante sentar numa posição especial de ioga. Toda a concentração deve focalizar uma só coisa. Esta pode ser um objeto, uma palavra ou a própria respiração. A psicologia budista hoje ensina que a mente humana se compõe de duas partes: uma superficial, que é excitada pelos sentidos, e as profundezas da mente, que são tranquilas e imóveis. O objetivo da meditação é acalmar a superfície perturbada. Quando isso acontece, o budista perde todo sentido do tempo e do espaço, e todas as ilusões sobre "eu" e "meu" desaparecem. É nesse ponto que ele pode ter esperança de alcançar a plena *iluminação* (*bodhi*), na qual atinge uma compreensão perfeita das "quatro nobres verdades", deixando de enganar a si mesmo sobre a existência e se libertando da lei do carma. O budista agora se tornou um *arhat* (isto é, "venerável"), o que significa que não irá mais renascer. E quando morrer, atingirá o eterno nirvana.

NIRVANA

Qual foi a verdade que Buda alcançou debaixo de sua figueira? Suas ideias fundamentais eram profundamente pessimistas, como já vimos. Tudo o que existe no mundo é (a) sem autonomia, (b) transitório, e, em consequência, (c) pleno de sofrimento. Assim, ele não via esperança enquanto o homem estivesse preso nesse ciclo. Contudo, existe algo eterno, algo fora do sofrimento. O budista chama a isso de *nirvana*. Essa palavra significa, na verdade, "apagar", uma referência ao fato de que o desejo "se extingue" quando se atinge o nirvana. A imagem representa o desejo como uma chama que se apaga quando o combustível termina — o combustível é a luxúria humana, o ódio e a ilusão.

As descrições do nirvana em textos budistas costumam ser expressas em termos negativos. Uma vez que o nirvana é o oposto direto do ciclo do renascimento, uma vez que ele não pode ser comparado a nada em nossa vida diária, só é possível dizer o que o nirvana *não é*. Poderíamos talvez descrever o nirvana como uma quinta dimensão, divorciada de nossa existência quadridimensional. Poucos textos budistas, porém, descrevem o nirvana em termos positivos.

Uma condição para alcançar o nirvana é que o budista encontre a iluminação (*bodhi*), exatamente como ocorreu com o Buda debaixo de sua figueira. Logo, as boas obras por si sós não bastam para o nirvana. Entretanto, um estilo de vida irreprochável pode levar a bons renascimentos, que mais tarde poderão possibilitar o encontro da iluminação. Buda, segundo se conta, nasceu 547 vezes antes de finalmente chegar lá.

Um estado em que todo o carma já foi esgotado e a lei do renascimento foi rompida — é isso que o nirvana descreve. Assim, o nirvana é uma condição que se pode experimentar aqui e agora. Pode ser tão intensa que o budista sente que ela está queimando o mundo inteiro. E quando ele enfim volta para o mundo, tudo o que encontra são cinzas frias.

O nirvana final, que a pessoa atinge quando morre, é irreversível. Por vezes ele é designado no budismo por um termo especial, *parinirvana*, isto é, "extinção absoluta", ou "extinção última".

ÉTICA

Quando o Buda alcançou a iluminação depois de sua meditação, o deus Brahma foi até ele e lhe pediu que levasse seus ensinamentos para outras pessoas. E mais uma vez Buda sentiu compaixão pelos seres humanos e por todos os outros seres vivos. "Contemplou o mundo com olhar de Buda" e decidiu "abrir o portão da eternidade" para os que quisessem ouvir. Buda decidiu se tornar guia do ser humano.

Essa atitude serve de exemplo para outros budistas, pois a vida de Buda é um ideal que os exorta a se comportar eticamente. A compaixão e o amor são centrais na ética budista. Não só as ações, mas também os sentimentos e afetos são importantes. A caridade que fazemos não apenas afeta os outros, mas contribui para enobrecer nosso próprio caráter.

OS CINCO MANDAMENTOS

Para a vida diária o budismo tem cinco regras de conduta:

1. Não fazer mal a nenhuma criatura viva.
2. Não tomar aquilo que não lhe foi dado (não roubar).
3. Não se comportar de modo irresponsável nos prazeres sensuais.
4. Não falar falsidades.
5. Não se entorpecer com álcool ou drogas.

Essas regras de conduta costumam ser chamadas de cinco mandamentos, porém o budismo não reconhece nenhum ser superior capaz de dar ordens à humanidade sobre como viver. Assim, as regras não dizem "farás isso" ou "não farás aquilo". Elas são formuladas da seguinte maneira: "Tentarei ensinar a mim mesmo a não fazer mal a nenhuma criatura viva".

1. NÃO FAZER MAL A NENHUMA CRIATURA VIVA.

Esta é considerada a mais importante das cinco virtudes. Nem um outro ser humano nem os animais devem ser prejudicados.

O ser humano é o mais importante, já que é superior aos animais. Os budistas consideram o pacifismo um ideal, embora nem todos os budistas sejam pacifistas. Também os países budistas já travaram guerras, e muitas pessoas acreditam que essa regra pode ser quebrada quando se trata de autodefesa. Entretanto, um texto budista afirma que o soldado profissional que morrer em batalha renascerá no inferno ou então como animal.

Para o budista, a vida começa na concepção; desse modo, o aborto infringe essa primeira regra. Só que os métodos anticoncepcionais normalmente são permitidos.

O suicídio também é uma violação da regra, mas não se a pessoa sacrificou sua vida por outra vida. Durante a Guerra do Vietnã, vários monges budistas atearam fogo às próprias vestes para despertar a consciência internacional.

Não há um vegetarianismo coerente no budismo, ainda que muitos monges excluam a carne de sua dieta. Supõe-se que Buda também concordou que se comesse carne, desde que a pessoa estivesse certa de que o animal não fora morto especialmente para ela. Matar uma mosca com um tapa é pior. Como vemos, o motivo e a intenção são relevantes.

2. NÃO TOMAR AQUILO QUE NÃO LHE FOI DADO.

Isso não se refere simplesmente ao roubo, mas também à trapaça de todos os tipos. Podemos considerar que é uma regra acerca da correção nos negócios e da ética no trabalho.

3. NÃO SE COMPORTAR DE MODO IRRESPONSÁVEL
NOS PRAZERES SENSUAIS.

Essa regra se refere às atividades sexuais que podem prejudicar os outros: estupro, incesto e adultério. A atitude para com o adultério varia segundo os costumes locais. O budismo não abrange apenas sociedades monogâmicas, mas também culturas cuja tradição engloba a poligamia e a poliandria. Já a homossexualidade é sempre considerada uma quebra dessa regra.

Essas três primeiras regras se relacionam às atividades humanas e se incluem no item "perfeita conduta" do caminho das oito vias. O item "perfeita fala" abrange a próxima regra.

4. NÃO FALAR FALSIDADES.

A verdade é extremamente importante no budismo, mas essa regra não trata apenas da mentira. Ela também alerta contra as respostas maldosas, a fofoca, a ira e as conversas fúteis. O homem deve falar com seus semelhantes de modo verdadeiro, amigável e devotado. Até mesmo ficar em silêncio faz parte da perfeita fala.

5. NÃO SE ENTORPECER COM ÁLCOOL OU DROGAS.

Ficar entorpecido ou embriagado implica não poder se concentrar nas regras que devem ser seguidas. O budismo não é tão rigoroso contra o álcool quanto o islã.

OUTRAS REGRAS MAIS ESTRITAS

Em certos períodos, alguns leigos se submetem a uma disciplina mais estrita. Alguns vão mais longe, seguindo as mesmas regras que se aplicam aos monges e monjas noviços. Nesse caso, as cinco regras passam a incluir, por exemplo, a abstinência sexual (celibato). Além disso, há outras cinco regras:

- *Não comer em horas proibidas (por exemplo, após o meio-dia).*
- *Afastar-se de todos os divertimentos mundanos.*
- *Abdicar de todos os luxos (como joias, perfumes etc.).*
- *Não dormir numa cama macia nem larga.*
- *Não aceitar nem possuir ouro, prata ou dinheiro.*

O PERFEITO MEIO DE SUBSISTÊNCIA

O quinto estágio do caminho das oito vias é o perfeito meio de subsistência. Significa, entre outras coisas, que se deve escolher um meio de vida que não obrigue à infração das cinco regras de conduta. Embora um budista possa comer carne, não deve ser açougueiro. Embora possa tomar um copo de vinho, não deve ser comerciante de vinhos. Embora sirva ao exército de seu país, não deve ser um negociante de armas.

A melhor de todas as vidas é a do monge, pois ele pode se devotar inteiramente ao caminho das oito vias.

O VALOR DA DOAÇÃO

As cinco regras de conduta estão expressas na forma negativa, mas quando são seguidas, seus aspectos positivos aparecem. O oposto de fazer mal é demonstrar amor e compaixão. O oposto de roubar é dar. Uma das coisas mais positivas que um budista pode fazer é dar presentes. Isso significa sobretudo fazer doações para as sociedades monásticas, que dependem totalmente da caridade dos leigos. Tais presentes elevam o carma da pessoa. Mas dar com a intenção de obter algo em troca não basta. Quanto mais puro o motivo para dar, melhor carma trará.

Buda exortava os que desejavam lhe querer bem a querer bem aos doentes. Muitos mosteiros se empenham em trabalhos humanitários. Os budistas se preocupam especialmente em cuidar dos moribundos. A morte é um momento decisivo em relação ao nascimento; portanto, o objetivo é ter uma boa morte.

A COABITAÇÃO E O PAPEL DAS MULHERES

O casamento não é sagrado para os budistas, mas apenas um tipo de acordo entre as partes. Por esse motivo os monges não celebram casamentos. No Japão, quando os budistas se casam, procuram um sacerdote xintoísta. O divórcio, embora ainda pouco comum na maioria das culturas budistas, também não é uma questão religiosa.

O marido deve mostrar respeito para com sua mulher, e esta, por sua vez, deve cumprir seus deveres domésticos. Apesar de várias mulheres em países budistas desfrutarem de uma posição elevada, normalmente se considera menos vantajoso renascer como mulher do que como homem.

A VIDA RELIGIOSA

MONGES, MONJAS E LEIGOS

Buda criou uma nova ordem, a *sociedade monástica*, independente do sistema de castas. Para seguir à risca os ensinamentos do Buda, era necessário deixar para trás todos os cuidados e as preocupações relativas à família e à vida social. Até hoje a ordem monástica constitui a espinha dorsal da vida religiosa na maioria das terras budistas.

Dessa maneira, ao considerar a vida religiosa budista, é importante distinguir entre os monges e as monjas, por um lado, e, por outro, os leigos. Monges e monjas têm regras de conduta muito mais estritas do que os leigos. Em primeiro lugar, há as dez regras, que também se aplicam aos noviços; além disso, há várias centenas de outros mandamentos e injunções que definem tais regras com mais precisão.

Como já vimos, os monges e as monjas levam uma vida de simplicidade e pobreza. Desde os dias do Buda, costumam obter o pouco de que necessitam para sobreviver pedindo esmolas, o que não é tido, de modo nenhum, como degradante. Pelo contrário: para o leigo, é uma honra dar esmolas aos monges. Em alguns lugares os monges esmolam nas ruas, de porta em porta. Monges vestidos com seu hábito cor de açafrão pedindo comida (em geral arroz) pelas ruas é uma cena comum nos países budistas do Sudeste asiático. Em outras regiões, a tarefa de esmolar adquire uma forma mais organizada; por exemplo, cada casa de família é responsável pela comida do mosteiro em certos dias da semana.

Um mosteiro budista não fica isolado da vida da cidade ou da aldeia. Não são apenas os leigos que têm deveres para com os monges; estes também têm suas responsabilidades para com os leigos. Em determinados dias, instruem os leigos sobre os ensinamentos do Buda. As pessoas comuns podem ainda passar temporadas em retiro num mosteiro, a fim de meditar ou receber instrução especial. Isso costuma acontecer na época das monções. Em países devotamente budistas, como Birmânia e Tailândia, é comum todos os meninos permanecerem algum tempo num mosteiro, aprendendo budismo.

Assim, podemos dizer que os dois grupos — monges e leigos — são interdependentes. Mesmo que um budista não venha a se tornar um monge em sua vida atual, se ele ajudar a sustentar um mosteiro, pode aspirar a ser um monge na próxima encarnação.

O CULTO

Em tempos antigos o culto religioso consistia inteiramente em venerar as relíquias do Buda ou de outros homens santos. Originalmente as relíquias eram guardadas em pequenos montes de terra (*stupas*). Aos poucos estas se transformaram naquelas construções características, em forma de sino ou de domo, que hoje chamamos de pagodes.

A partir do século I a. C., tornou-se comum produzir imagens e estátuas do Buda. Elas podem ser vistas por toda parte nos países budistas, tanto nos templos como nos lares. E seja onde for, o budista devoto fará sua confissão — a fórmula tripla do refúgio, também chamada "As Três Joias":

- *Procuro refúgio no Buda.*
- *Procuro refúgio nos ensinamentos.*
- *Procuro refúgio na comunidade monástica.*

Apesar de os budistas venerarem as imagens do Buda queimando incenso e pondo flores e outras oferendas diante delas, para o budista ortodoxo isso não é propriamente uma adoração formal. Buda foi apenas o guia da humanidade, foi o mestre "glorificado", e como já entrou no nirvana, não pode ver nem recompensar as ações de um budista. Por isso, suas imagens não devem ser adoradas; estão ali para lembrar os ensinamentos do Buda e auxiliar o budista em sua meditação e em sua vida religiosa.

FERIADOS RELIGIOSOS

A festa religiosa mais importante para os budistas é o aniversário do nascimento do Buda, comemorado em abril ou maio, na lua cheia. Também se acredita que foi esse o dia da iluminação do Buda e de sua entrada no nirvana. Além dessa data, cada país tem várias festas religiosas, muitas vezes celebradas com peregrinações em massa aos mosteiros ou pagodes mais conhecidos. Para a maioria dos leigos, as festas e outras manifestações devocionais externas desempenham um papel bem mais relevante do que a meditação praticada pelos monges.

DEUSES

Buda não negou a existência dos deuses. Como já vimos, foi um deus que o exortou a proclamar sua mensagem para a humanidade. Ele não era um ateu no sentido ocidental. Todavia, acreditava que a existência dos deuses era transitória, assim como a existência humana. Embora eles vivam mais tempo que os seres humanos, em última análise também estão atrelados ao ciclo do renascimento. Ainda não alcançaram a "outra margem" e, portanto, não podem redimir o homem de tal ciclo. Por isso, o papel dos deuses é insignificante na literatura monástica budista.

Não obstante, nos países budistas há uma adoração generalizada de demônios, espíritos e várias outras divindades. Diferentemente do próprio Buda, todos estes são seres vivos e ativos, os quais — se cultuados de modo correto — podem trazer vantagens mundanas. Os templos budistas muitas vezes contêm estátuas de deuses como *Vishnu, Indra* e *Ganesha*, mas sempre dispostas de maneira subserviente a Buda.

O budismo tem espaço para um amplo espectro de cultos e sentimentos religiosos. Essa é uma importante razão pela qual o budismo ganhou tão ampla aceitação em toda a Ásia.

A DIFUSÃO DO BUDISMO

Não muito depois da morte do Buda ocorreu uma divergência entre seus discípulos acerca da maneira como os ensinamentos dele deviam ser interpretados. Um século mais tarde (por volta de 380 a. C.) foi realizado um concílio. Como diversos monges expressaram o desejo de moderar a disciplina monástica, o encontro terminou numa divisão entre uma facção conservadora e outra mais liberal.

Na época moderna é costume distinguir entre duas tendências principais: *Theravada* ("a escola dos antigos"), predominante no Sul da Ásia (Birmânia, Tailândia, Sri Lanka, Laos e Camboja), e *Mahayana* ("o grande veículo"), predominante no Norte da Ásia (China, Japão, Mongólia, Tibet, Coreia e Vietnã).

THERAVADA — O CAMINHO DA AUTORREDENÇÃO

Como sugere o nome *Theravada* ("a escola dos antigos"), essa escola acredita representar o budismo em sua forma original. De acordo com os ensinamentos do Buda, enfatiza a salvação individual por meio da meditação. Como não existe nenhum deus para redimir o homem do ciclo dos renascimentos, ela ressalta que o indivíduo deve salvar a si mesmo. Assim, podemos dizer que o budismo Theravada é uma religião de autorredenção.

Aqui, o Buda é visto como mestre e guia dos seres humanos. Ele não é adorado como um deus, nem pode salvar as pessoas, mas indicou o caminho para a salvação, que pode ser seguido pelo indivíduo.

Na prática, só os monges podem imitar o exemplo do Buda até atingir o nirvana, e mesmo entre eles, muito poucos o alcançam nesta vida. Um monge que pertença a esse pequeno grupo é chamado *arhat* (venerável). O arhat, como o Buda, já extinguiu seus desejos e venceu o mundo. É um exemplo resplandecente para os leigos e o ideal que todos os budistas perseguem, pois mesmo que um budista não consiga deixar este mundo definitivamente em sua vida atual, ele pode conseguir um bom carma para si mesmo e talvez se tornar um monge numa existência futura.

Podemos dizer que a ideia mais importante do budismo Theravada é que o próprio indivíduo deve assumir responsabilidade por seu desenvolvimento ético e religioso. Não há atalho para a salvação nem para a perfeição ética. Cada pessoa deve começar por si mesma. Isso se aplica aos leigos, bem como aos monges.

MAHAYANA — O CAMINHO DA AJUDA MÚTUA

Até agora, baseamos na escola Theravada a representação da vida e dos ensinamentos do Buda, assim como a descrição da vida religiosa budista. A seguir vamos nos afastar dessa abordagem do "budismo comum" e nos concentrar nas características do budismo Mahayana.

Mahayana significa "o grande veículo", ou "a grande nave", e seu nome reflete a crença, predominante no budismo do Norte da Ásia, de que é possível levar todas as pessoas à redenção. O budismo Theravada é chamado de Hinayana, ou seja, "o pequeno veículo", já que leva apenas alguns (os monges) à salvação.

Também na visão que têm de Buda, existem grandes diferenças entre o budismo Mahayana e o budismo Theravada. Enquanto o Theravada considera o Buda apenas um ideal e um raio de salvação, o Mahayana acredita no Buda como o *salvador*. Isso é importante porque implica que os monges não são os únicos que podem ser salvos. Os leigos podem igualmente se devotar ao Buda e, por sua graça, alcançar a redenção.

OS BODHISATTVAS

O objetivo do budismo inicial era que o indivíduo atingisse a salvação por seus próprios esforços. O ideal do indivíduo consistia em se tornar um *arhat*, ou seja, alguém que deixou o mundo para trás e entrou no nirvana. Esse objetivo, porém, era muito estreito para o Mahayana. Interessar-se apenas pela própria salvação é considerado egoísmo. O objetivo deve ser a redenção de *todos*. Em consequência, o ideal religioso do budismo Mahayana é o *bodhisattva*, o qual, depois de alcançar a iluminação (*bodhi*), abdica do nirvana a fim de ajudar outras pessoas a alcançar a salvação. Aqui muitas vezes se ressalta que o próprio Buda abdicou do nirvana imediato por causa da compaixão por seus semelhantes.

Um bodhisattva ("existência iluminada") pode ser qualquer pessoa que resista a se tornar um Buda. No entanto, esse termo se aplica sobretudo a uma longa lista de etéreas figuras de salvador, às quais os seres humanos podem recorrer em busca de ajuda. A única coisa que as distingue de um Buda é que elas não entram no nirvana até que todas as criaturas vivas tenham sido redimidas do renascimento.

Características típicas de um bodhisattva são a *compreensão* e a *compaixão*. Hoje em dia é a compaixão do bodhisattva que é mais realçada. A bondade para com as outras criaturas vivas não é considerada simplesmente um ideal, mas o caminho para a iluminação e a redenção.

Com sua doutrina do bodhisattva, o budismo Mahayana se afastou muito dos ensinamentos do budismo Theravada. Assim como o cristão "põe sua vida nas mãos de Deus", o muçulmano "se submete" a Alá e os vaishnavitas "se dedicam" a Vishnu — o budista mahayana pode compartilhar do amor salvador de um divino bodhisattva.

A DOUTRINA DO CARMA E A ILUSÃO DO EU

Como já vimos, o budismo Mahayana discorda do Theravada na doutrina de que o homem deve salvar a si mesmo. Isso também implica um rompimento com a doutrina estrita do carma. A ideia de que uma pessoa pode ser salva de seu carma pelos méritos alheios é impensável no budismo do Sul. Porém, o Mahayana tem um conceito próprio de carma: uma vez que há uma relação de dependência recíproca entre todos os seres vivos, não é o carma do indivíduo que é importante.

Nesse ponto, muitos budistas mahayana se referem ao fato de que a experiência do eu, de ser algo separado do mundo ao redor, é simplesmente resultado da cegueira do homem. E apenas os que fizeram pouco progresso rumo à iluminação é que sofrem dessa cegueira. O bodhisattva, por outro lado, já superou a ilusão do eu e não distingue mais entre si mesmo e os outros. Assim, um bodhisattva pode transferir algo de seu bom carma para os que procuram a ajuda dele na luta para atingir o nirvana.

DIVERSIDADE RELIGIOSA

O hinduísmo e o budismo sempre demonstraram um nível de abertura e tolerância em questões religiosas bem diferente daquele a que estamos acostumados no Ocidente. A diversidade religiosa não é considerada uma fraqueza. Muitos budistas diriam até que o oposto é que é verdade. A força do budismo se revela nos numerosos frutos que ele traz.

O objetivo de todos os budistas é se redimir do ciclo dos renascimentos. A questão consiste em saber que métodos ou recursos devem ser procurados para se atingir esse objetivo. As pessoas são muito diferentes. Os povos asiáticos, em particular, são provenientes de formações culturais bastante variadas. Assim, os métodos utilizados precisam refletir esse fato. Em consequência, costuma-se destacar que a experiência é o princípio que deve guiar a escolha dos métodos.

Entre os muitos movimentos dentro do Mahayana, dois atraíram mais interesse nas últimas décadas. São a tendência tibetana *Vajrayana* (o veículo de diamante) e o zen-budismo japonês. Esses movimentos se destacam do budismo Mahayana de várias maneiras.

BUDISMO TIBETANO

No Tibet, o budismo se incorporou à religião local, denominada *Bon*. Esta se caracterizava pela crença em deuses e espíritos, que eram cultuados com sacrifícios sangrentos, encenações de mistérios e danças rituais. Vários desses deuses originais continuam sendo cultuados como guardiães dos ensinamentos budistas. Contudo, sob a superfície prevalece a doutrina budista. Os budistas tibetanos acreditam que eles representam a doutrina original, não adulterada.

Algumas características externas mais aparentes do budismo tibetano são as rodas de oração e as bandeiras de oração — objetos que contêm diversas orações e fórmulas escritas. Quando a roda de oração gira — impulsionada ou pela mão de alguém ou pelo vento ou pela correnteza de uma cachoeira — ou a bandeira tremula ao vento, ela põe em movimento "a roda do ensinamento".

O *mantra* (fórmula mágica ou enunciação sagrada) mais comum no budismo tibetano é *Om Manipadme Hum*, que significa "Ó tu, que tens a joia no teu lótus", ou "Seja louvada a joia no lótus". Essa fórmula é encontrada por toda parte no Tibet: nas rodas de oração, nas paredes, nas rochas e, naturalmente, nos lábios das pessoas. Para aumentar sua eficiência, usa-se um rosário de 108 contas (108 é um número sagrado).

O LAMAÍSMO

No Tibet o budismo muitas vezes é chamado *lamaísmo*, do termo *lama* ("professor" ou "mestre"), nome dado aos líderes espirituais, em geral monges.

Em nenhum outro país do mundo o budismo permeia tão completamente o tecido da sociedade como no Tibet. Grandes parcelas da população se integraram às ordens religiosas de monges e monjas, e os mosteiros sempre tiveram íntimo contato com os leigos. Vários desses mosteiros já abrigaram mais de mil monges e são considerados as maiores instituições monásticas que já existiram.

A originalidade do lamaísmo reside em sua estrutura social. Desde o século XVII o Tibet é governado por um lama principal, ou dalai-lama (oceano de sabedoria), que tem sua sede na capital, Lhassa. O dalai-lama é o líder religioso e político do país. Acredita-se que ele seja a reencarnação de um famoso bodhisattva.

Ao morrer um dalai-lama, os sacerdotes buscam uma criança

que tenha sua marca. Quando, depois de vários testes, é encontrada a criança certa, ela é consagrada como o novo dalai-lama.

BUDISMO TIBETANO CONTEMPORÂNEO

Em virtude de sua cultura muito distinta e de sua localização inacessível entre as montanhas mais altas do mundo, o Tibet por um longo tempo foi considerado uma espécie de "terra de contos de fada". Porém, em 1959 o conto de fada teve um fim súbito: a China assumiu o controle total do país e o dalai-lama foi obrigado a fugir para a Índia, onde obteve asilo político. Desde essa época, dezenas de milhares de tibetanos se refugiaram na Índia e no Nepal, lugares em que o budismo tibetano continua vivo.

Mosteiros budistas seguindo os padrões tibetanos surgiram na maioria dos países da Europa Ocidental e nas Américas.

ZEN-BUDISMO

A maior ambição de todos os budistas é atingir algum dia a *iluminação* (*bodhi*), como aconteceu com o Buda debaixo de sua figueira em Bodh Gaya, há 2 500 anos. Dentro do budismo, porém, existem consideráveis diferenças de opinião sobre o que essa iluminação implica e como se chega a ela. Dentro da tradição do budismo Mahayana, surgiu na China uma escola especial de meditação que, mais do que qualquer outro movimento, realçava a iluminação como o verdadeiro núcleo do budismo. Esse movimento aos poucos se espalhou para a Coreia e o Japão, e ficou conhecido no Ocidente por seu nome japonês, *Zen*, que significa "meditação". Como hoje em dia é mais fácil estudar o zen no Japão do que na China, vamos nos concentrar no zen-budismo japonês. No Japão essa vertente budista conta hoje com cerca de 20 mil templos e 5 milhões de adeptos, entre monges e leigos.

"VISÃO DIRETA"

O zen-budismo se baseia na iluminação do Buda. Os ensinamentos do Buda, tal como foram passados para os textos budistas, não recebem tanta prioridade. Isso reflete a profunda desconfiança do zen quanto à palavra e sua capacidade de transmitir conhecimento. Não obstante, aquilo que não pode ser transmitido pela palavra pode ser transmitido pela "visão direta". Diz-se que o Buda trouxe a iluminação para seu discípulo mais promissor simplesmente segurando uma flor diante dele, sem nada dizer. Assim, a iluminação vem sendo comunicada de geração em geração pela transmissão não verbal.

Ensina o zen que a iluminação deve vir de dentro, deve ter sua origem no coração do indivíduo. Conta-se que um famoso mestre zen jogou todas as imagens do Buda na lareira a fim de aquecer a sala em que ele e seus discípulos se encontravam.

Os ensinamentos do Buda só podem nos levar até uma parte do caminho. Podem ensinar o rumo certo, mas o importante é vislumbrar aquilo para onde apontam, a iluminação em si. Nós, seres humanos, muitas vezes nos comportamos como crianças; estamos mais interessados no dedo que aponta do que naquilo que ele mostra. É fácil manifestar mais preocupação com as ideias ou os rituais religiosos do que com a experiência religiosa que é objeto dessas ideias e desses rituais. Aqui o método de "apontar diretamente" pode ajudar a obter uma compreensão espontânea da realidade, uma percepção sem restrições, que não precisa de palavras.

Uma vez que a iluminação deve vir de dentro, o zen-budismo não tem nenhuma fórmula fixa para alcançá-la. Mas ela pode chegar quando menos se espera e atingir a pessoa como um raio. É como uma piada que de repente se compreende. De súbito, a pessoa "desperta" — e fica consciente de que faz parte do infinito, de uma maneira inteiramente nova. Isso não vem gradualmente, com o tempo. Quando ela chega de fato, é total. Sua manifestação não está ligada nem mesmo à meditação. Uma experiência mundana qualquer também pode acabar levando, com igual facilidade, ao objetivo desejado.

A "TERAPIA DE CHOQUE" ZEN-BUDISTA

Alguém já disse que o budismo Theravada busca abrir a porta do nirvana à força, ao passo que o Mahayana quer ficar mexendo a chave até que a porta se abra por vontade própria. Essa descrição talvez seja mais típica do zen-budismo que de outros movimentos mahayanas.

Como vimos, as noções fixas podem ser um obstáculo para a iluminação; portanto, um pré-requisito é a mente se esvaziar de palavras e ideias. O importante no zen é romper com a lógica do discípulo e com seus processos conceituais de pensamento. Desde a era chinesa do zen, a mais antiga, isso sempre foi feito pelos mestres ao apresentar a seus discípulos perguntas e respostas totalmente surpreendentes. A seguinte conversa entre mestre e discípulo serve de exemplo dessa técnica:

> *DISCÍPULO: Qual é o caminho para a libertação?*
> *MESTRE: Quem está te acorrentando?*
> *DISCÍPULO: Ninguém está me acorrentando.*
> *MESTRE: Então, por que queres ser libertado?*

Semelhante a esses diálogos é o uso de charadas que parecem absurdas e sem sentido. O mestre zen pode fazer a seu discípulo perguntas como: "Como era seu rosto antes de você nascer?". Ou: "Que som se produz quando se bate palma com uma só mão?". Ao ponderar esses enigmas, o discípulo zen é levado a experimentar um "sentimento de dúvida" avassalador. E esse "sentimento de dúvida" é vital para a captação direta da realidade.

O ZEN NA VIDA COTIDIANA

Uma característica do zen é sua atitude positiva para com as tarefas mundanas. Isso deriva da visão zen sobre o que é a iluminação.

Se se pedisse a um zen-budista que explicasse a iluminação, ele poderia talvez dizer: "O cipreste no jardim!". Ou, se ele realmente estivesse disposto a responder à pergunta em nossos termos, poderia dizer que a iluminação é perceber que não existe iluminação. Como não há nenhuma "verdade" para a qual se deva acordar, e nenhuma "ilusão" da qual se deva acordar, a iluminação é compreender que o mundo é tal qual nós o vemos.

Mas nós estamos agora empregando palavras e conceitos, e assim fazendo, estamos nos distanciando dos ensinamentos do Buda. Talvez devêssemos dizer que não há nenhuma outra maneira de compreender o significado da vida a não ser vivê-la. Em consequência, muitos zen-budistas destacam que o trabalho rotineiro pode ser usado como um exercício de meditação. A prática consciente de uma rotina manual pode ser tão favorável para a iluminação quanto a meditação e os rituais religiosos. Por esse motivo, ocupações aparentemente triviais como tomar chá, fazer arranjos de flores e cuidar do jardim passaram a ter grande importância no zen-budismo. No Japão, certos esportes e formas de arte também receberam forte influência do zen: arco e flecha, luta corporal, esgrima, teatro, poesia (haicai), música e pintura.

O REAVIVAMENTO BUDISTA

Em épocas recentes, e em especial desde a última guerra mundial, o budismo passou por um reavivamento, sobretudo entre os budistas com mais treino filosófico. Aspectos importantes desse reavivamento são o trabalho pela unidade do budismo, maior empenho missionário e maior atividade social.

MAIOR UNIDADE

Diversos concílios mundiais budistas tentaram iniciar uma cooperação budista internacional. Isso inclui um esforço para se obter maior unanimidade de doutrina entre as várias seitas budistas. Os concílios passam a desempenhar, assim, um papel semelhante ao do Conselho Mundial de Igrejas dentro da religião cristã.

MISSÃO

Outro aspecto desse reavivamento budista é a atividade missionária, que começou também no Ocidente. Hoje há milhares de budistas nas Américas e na Europa Ocidental, e várias capitais têm centros missionários. Por outro lado, o budismo perdeu terreno em países da Ásia depois da Segunda Guerra Mundial, sobretudo em razão da ascensão do comunismo.

ATIVIDADE SOCIAL

Houve ainda uma grande mudança no terreno ético. O ideal budista original era trabalhar por sua própria salvação se valendo da meditação, algo que pouco incentiva a atividade social. Mas o budismo também realça a abnegação de si e a caridade, o que tem levado a uma participação ativa nas questões sociais e políticas contemporâneas.

RELIGIÕES DO EXTREMO ORIENTE

O culto aos antepassados é um ponto comum à vida religiosa da China e do Japão. Trata-se de um dos elementos básicos tanto do confucionismo como do xintoísmo, ou xintó (do japonês *shinto*, "caminho dos deuses").

Outra característica comum é a pluralidade religiosa. Várias religiões não só coexistem lado a lado, como também se influenciam umas às outras. Não é raro alguém seguir diversas religiões ou tirar inspiração de diversas religiões.

Desde tempos antigos os chineses falam nos "três caminhos": *taoísmo, confucionismo* e *budismo*. O budismo veio da Índia e, além da China, propagou-se também no Japão, onde teve grande influência sobre a religião nacional, o xintoísmo.

O Japão já foi chamado de laboratório religioso. Desde a Segunda Guerra surgiram ali inúmeras novas seitas e comunidades religiosas, com raízes no xintoísmo, no budismo e no cristianismo.

Na China, por outro lado, a religião passou a exercer um papel cada vez menor nos anos do pós-guerra. Quando os comunistas e Mao Tsé-Tung assumiram o poder em 1949, a liberdade de expressão religiosa foi fortemente reprimida. Destruíram-se templos e se confiscaram propriedades religiosas comunitárias. Após a morte de Mao, em 1976, houve uma pequena liberalização do campo religioso, assim como em outras áreas da esfera pública.

CONFUCIONISMO

DADOS HISTÓRICOS

Até 1911 a China foi uma potência imperial, onde o imperador reinava acima de tudo. O imperador era considerado o representante do país diante do supremo deus *Céu*. Ao mesmo tempo, era também o filho do Céu na Terra. O próprio imperador realizava o sacrifício ao Céu no Templo do Céu, situado na capital, Pequim. Fazia ainda sacrifícios às montanhas e aos rios sagrados da China.

O Império chinês era uma sociedade hierárquica, com líderes permanentes. À frente da administração havia uma elite de funcionários altamente letrados, os mandarins. Sua ideologia era o confucionismo, um conjunto de pensamentos, regras e rituais sociais desenvolvidos pelo filósofo K'ung-Fu-Tzu (ou, na forma latina, Confucius) cujas doutrinas prevaleceram na China até a queda do imperador. Confúcio também formulou normas para a vida religiosa, para os sacrifícios e os rituais. O confucionismo era, na verdade, uma religião estatal praticada pela elite e pelas classes dominantes, a qual, no entanto, nunca se disseminou muito entre as massas, as camadas mais amplas da população. Da mesma forma que o imperador, em seu palácio em Pequim, ficava remotamente afastado das pessoas comuns, o Céu era remoto e impessoal para a grande massa dos chineses pobres, trabalhadores e camponeses. A religião dos pobres era a adoração dos espíritos, particularmente dos antepassados, religiosidade carregada de magia e traços de outras religiões. As grandes potências da Europa constituíam uma ameaça para a independência econômica e política do país. Isso explica, em parte, a tendência isolacionista e o ceticismo em face dos impulsos vindos do exterior. Os intelectuais atacavam a religião popular, acreditando que esta era um obstáculo para a ciência moderna e o moderno pensamento político. Isso levou alguns a tentarem um reavivamento e uma modernização das antigas religiões, ao passo que outros desenvolveram um interesse maior por ideias não religiosas vindas do Ocidente.

Em 1911 os incompetentes governantes imperiais foram derrubados e a China se tornou uma república. Porém, as condições políticas se mantiveram instáveis por causa de uma guerra civil e da guerra contra o Japão. Em 1949 os comunistas tomaram o poder.

CONFÚCIO (551-479 a. C.)

Há alguma incerteza quanto às origens de Confúcio, mas é provável que ele tenha nascido numa família aristocrática empobrecida. Recebeu uma boa educação e se tornou um sábio, atraindo muitos discípulos. Algumas de suas interpretações da filosofia antiga e das tradições, em especial quando ele tocava em assuntos relacionados a ética e filosofia social, foram inovadoras. Confúcio acreditava que o *Céu* o escolhera para revitalizar a cultura e a moralidade estabelecidas pelos sagrados imperadores em tempos antigos. Só que ele não organizou suas ideias em nenhum sistema simples, nem as registrou ele mesmo, motivo por que elas chegaram até nós apenas por meio dos escritos de seus discípulos.

A TRADIÇÃO CONFUCIANA

Confúcio teve um efeito decisivo no desenvolvimento da China. Após sua morte, os discípulos começaram a difundir e ampliar suas ideias. O confucionismo acabou se tornando uma espécie de religião estatal da China, chegando muitas vezes a atacar outras religiões, como o budismo e o taoísmo. Foram construídos templos em honra a Confúcio e se ofereciam sacrifícios a ele na primavera e no outono, assim como se ofereciam sacrifícios ao Céu. Apesar disso, deve-se enfatizar que o confucionismo nunca havia sido uma religião independente. Falando-se mais precisamente: o termo abrange uma série de ideias filosóficas e políticas que formavam os pilares do governo e da burocracia da China imperial, muito embora a ética do confucionismo também permeasse amplas camadas da população chinesa. É típica dessa tradição sua *visão política pragmática* e seu interesse pelas questões sociológicas reais, como a educação dos filhos, o papel do indivíduo na sociedade, as regras corretas de conduta etc. Seu interesse pelas questões religiosas e metafísicas é muito menor.

ATITUDE SOCIAL E HUMANA

Uma das ideias fundamentais de Confúcio era que a natureza e o universo estão em *harmonia*, e que isso deve se aplicar também ao homem. Para esse fim, Confúcio adotou alguns antigos conceitos chineses e os moldou a seus próprios objetivos. O *tao* é a harmonia predominante no universo; em outras palavras, o relacionamento bom e equilibrado entre todas as coisas. Essa harmonia é um modelo para a sociedade, na qual, da mesma forma, o indivíduo deve tentar viver em compreensão e harmonia. Isso pode ser atingido se seu ser interior estiver em consonância com o *tao*, pois então ele encontrará o incentivo necessário, o *te*, ou o caminho certo para a ação.

A fim de alcançar a harmonia com o tao, o homem precisa de conhecimento e compreensão, o que ele pode obter estudando o passado, a *tradição*. Esta ensina ao indivíduo as regras de comportamento correto, a celebração fiel dos rituais e das cerimônias religiosas, e qual é seu devido lugar na sociedade.

Confúcio via o homem como naturalmente *bom* e pensava que todo mal brota da falta de conhecimento. A educação, portanto, implica transmitir os conhecimentos corretos.

O lugar do indivíduo na sociedade é regulado por cinco relações: entre senhor e servo, entre pai e filho, entre mais velho e mais jovem, entre homem e mulher, e entre amigo e amigo. Isso significa que o soberano deve ser bom e o servo deve ser leal, uma relação que tornou o confucionismo politicamente conservador e dificultou os desafios à autoridade. Isso significa também que o pai deve ser amoroso e o filho respeitador, uma ideia ligada ao culto dos antepassados. E significa que o homem deve ser justo e a mulher obediente, o que diz bastante sobre o papel da mulher nesse sistema. O ideal para todos os homens e os conceitos mais importantes para Confúcio são: *piedade filial*, *respeito* e *reverência*.

CONFÚCIO E AS COISAS RELIGIOSAS

Confúcio não se opunha, de modo nenhum, à religião popular, e não duvidava que os deuses e os espíritos existissem. Acreditava que um ser sobrenatural o inspirava: "O Céu deu à luz a virtude dentro de mim". Só que o Céu para ele não era um Deus pessoal. Ainda que este lhe desse inspiração e direção, Confúcio não fundamentou sua ética em mandamentos morais transmitidos por Deus.

O mais importante para Confúcio era que os deuses deviam ser cultuados adequadamente, que os rituais, os sacrifícios e as cerimônias deviam ser realizados corretamente, pois isso demonstrava a piedade filial da pessoa. Mas ele não estava interessado em assuntos religiosos ou metafísicos. Consta que ele disse: "Mostre respeito pelos deuses, mas mantenha-os à distância". E quando lhe perguntaram sobre a vida após a morte, respondeu: "Quando não se compreende nem sequer a vida, como se pode compreender a morte?".

TAOÍSMO

O taoísmo se baseia num livro chamado Tao Te Ching, "O livro do Tao e do Te". *Tao* (ordem do mundo) e *te* (força vital) são antigos conceitos chineses aos quais Confúcio deu uma interpretação um pouco diferente.

O Tao Te Ching é um livrinho de apenas vinte ou 25 páginas, dividido em 81 capítulos. Ninguém sabe ao certo quem o escreveu, mas diz a lenda que foi o filósofo Lao-Tse, que viveu no século VI a. C., tendo sido mais ou menos contemporâneo de Confúcio. As histórias sobre a vida de Lao-Tse são muitas e variadas, e os historiadores não têm certeza sequer se ele de fato existiu. Feita essa advertência, abaixo vamos nos referir a Lao--Tse como autor do Tao Te Ching.

TAO — O GRANDE PRINCÍPIO

Para Confúcio, o tao era a suprema ordem do universo, que o homem tinha de seguir. Lao-Tse também concebia o tao como a harmonia do mundo, especialmente do mundo natural. Só que ele foi mais além: o tao é a verdadeira base da qual todas as coisas são criadas, ou da qual elas jorram. Várias vezes o tao é descrito como o "Céu", isto é, como algo divino, embora não seja um deus pessoal.

A diferença mais importante entre a concepção de Lao-Tse sobre o tao e as outras é que Lao-Tse acreditava ser impossível descrever o tao de maneira direta e racional. "O tao que pode ser descrito não é o tao real", disse ele. Isso significa que o homem não pode investigar ou estudar a verdadeira natureza do tao, não pode usar o intelecto para compreendê-lo. Ele deve meditar, imerso numa tranquilidade sem nexos e esquecer todos os seus pensamentos a respeito de coisas externas, como o lucro e o progresso na vida. Só então irá alcançar a união com o tao e será preenchido pelo te, a força vital.

VIDA SOCIAL

O taoísmo implica *passividade* e não atividade. Para um sábio taoísta, a ação mais importante é a "não ação". Isso obviamente tem uma grande influência em sua visão da vida comunitária. Enquanto Confúcio desejava educar o homem por meio do conhecimento, Lao-Tse preferia que as pessoas permanecessem ingênuas e simples, como crianças. Enquanto Confúcio ansiava por regras e sistemas fixos na política, Lao-Tse acreditava que o homem deveria interferir o mínimo possível no desdobramento natural dos fatos. Confúcio queria uma administração bem-ordenada, mas Lao-Tse acreditava que qualquer administração é má. "Quanto mais leis e mandamentos existirem, mais bandidos e ladrões haverá", diz o Tao Te Ching.

O Estado ideal de Lao-Tse era a pequena comunidade (a aldeia ou a cidade pequena) que, segundo ele, existia já nos tempos antigos. Ali as pessoas tinham vivido em paz e contentamento, sem interesse em guerrear contra seus vizinhos, como fizeram mais tarde as províncias chinesas. O líder devia ser um filósofo, e sua única tarefa era que sua passividade e seu distanciamento servissem de exemplo para os outros.

A caridade ativa não faz sentido para um taoísta. Mas ele tem uma boa vontade sem limites para com todos os outros, sejam eles bons ou maus.

O TAOÍSMO COMO UMA RELIGIÃO POPULAR

Alguns discípulos de Lao-Tse direcionaram o misticismo natural para aspectos mais mágicos. Foram esses elementos de *magia* que encontraram maior ressonância entre as massas, ao se incorporarem às crendices e feitiçarias de tempos mais antigos. Por exemplo, Lao-Tse acreditava que quando um indivíduo permanece passivo, preserva sua força vital por longo tempo, mantendo-a saudável e pura. Mais tarde, algumas pessoas começaram a interpretar essa ideia como a possibilidade de alcançar uma *longevidade* cada vez maior, e passaram a se interessar em se tornar imortais. Filósofos taoístas, além de meditar, exercitavam práticas mágicas e tentavam descobrir o elixir da vida eterna. Lado a lado com o taoísmo filosófico, foi se desenvolvendo uma religião popular baseada em Lao-Tse mas que também tinha seus próprios deuses, templos, sacerdotes e monges. Havia rituais complexos, em parte inspirados pela prática budista, com procissões, oferendas de alimentos aos deuses e cerimônias em honra dos vivos e dos mortos.

XINTOÍSMO

No Japão, a antiga religião nacional é o *xintoísmo*. A partir de 500 d. C., o xintoísmo enfrentou dura competição com o budismo, e as duas religiões acabaram por influenciar uma à outra. Não é raro, no Japão, o uso alternado de várias religiões. Uma criança pode ser abençoada pelos deuses num ritual xintoísta e ser enterrada num ritual budista. O casamento pode se realizar numa igreja cristã. Essa mistura de religiões encontrou expressão modernamente numa série de novas seitas, cultos e comunidades religiosas, o que levou o Japão moderno a ser chamado de laboratório religioso.

CARACTERÍSTICAS DO XINTOÍSMO

Diferentemente do cristianismo e do islã, o xintoísmo não tem um fundador. É tipicamente uma religião nacional, que ao longo dos séculos adotou tradições de várias outras religiosidades. Ela não conta com nenhum credo ou código de ética expressamente formulado. A essência do xintoísmo são a *cerimônia* e o *ritual*, que mantêm o contato com o divino.

Costuma-se dizer que o xintoísmo possui diversos milhões de deuses, ou *kamis*, que se manifestam sob a forma de árvores, montanhas, rios, animais e seres humanos. Só que a palavra japonesa *kami* também pode ser traduzida como "espírito". O culto aos espíritos naturais e ancestrais sempre foi fundamental para o xintoísmo, desde os dias em que o Japão ainda era uma sociedade agrária. O culto aos antepassados se difundiu particularmente sob a influência do confucionismo chinês.

ORIGEM DIVINA DOS JAPONESES

No princípio, segundo a mitologia japonesa, um casal divino, *Izanagui* e *Izanami*, desceu do céu e gerou as ilhas japonesas, depois o resto do mundo e tudo o que há nele, e por último uma série de deuses, os kamis. Destes, o mais importante era a deusa do sol, *Amaterasu*. Os outros kamis se estabeleceram na terra e conceberam os primeiros seres humanos. Mas a sociedade humana precisava de ordem e comando, e por isso o neto de Amaterasu foi enviado à terra. Um de seus descendentes se tornou o primeiro imperador do Japão. Assim, todos os japoneses têm origem divina, mas em especial o imperador, que é descendente da própria deusa do sol.

RELIGIÃO ESTATAL E CULTO IMPERIAL

Aos poucos foi ocorrendo uma mudança: em vez de adorar os kamis do falecido imperador, passou-se a adorar o próprio *imperador*. Ele era um kami vivo.

A origem do culto ao imperador se explica, em parte, pelas condições políticas do século passado. O Japão estava ameaçado pelo expansionismo ocidental e sentiu necessidade de reforçar no povo o caráter nacional. Ao mesmo tempo, a autoridade do imperador tinha sido solapada por líderes militares, os *xoguns*, que detinham o poder.

Em 1867, um golpe de Estado deu ao imperador Meiji o controle do país; ele iniciou então uma renovação política e religiosa. O xintoísmo se tornou a religião estatal, ao passo que templos budistas foram derrubados e vários elementos budistas foram expurgados da cultura xintoísta.

Retratos do imperador foram pendurados em todos os edifícios oficiais, nas escolas e nas fábricas, e as pessoas tinham de se curvar respeitosamente diante deles.

Juntamente com o culto ao imperador veio à tona um forte nacionalismo. Essa foi a base para o crescente expansionismo japonês, que culminou na Segunda Guerra Mundial, quando o Japão se alinhou com a Alemanha.

A religião ficou então totalmente vinculada ao nacionalismo. Um exemplo: o xintoísmo era a ideologia dos pilotos suicidas japoneses (*kamikaze* quer dizer "vento divino").

Cada soldado que morria na guerra era imediatamente transformado num kami, e em sua honra se realizavam cerimônias nos templos xintoístas.

Após a derrota do Japão na guerra, em agosto de 1945, o imperador fez uma declaração renunciando a sua condição divina. O xintoísmo deixou de ser religião estatal; porém, o xintoísmo popular, que sempre havia coexistido com o culto imperial, sobreviveu e passou a experimentar um certo reavivamento.

O culto é observado tanto no lar como nos templos, dos quais há cerca de 20 mil. Antes administrados pelo governo imperial, os templos são hoje organizados em associações, com líderes eleitos pelo voto.

O TEMPLO — MORADA DOS KAMIS

O templo xintoísta não é um local para pregações. É a morada de um kami, o lugar onde este é cultuado segundo certos rituais prescritos.

No santuário interno do templo há um objeto que simboliza a proximidade do kami. É esse símbolo que torna o templo um lugar sagrado. Os três símbolos mais importantes são: um espelho, uma joia ornamental e uma espada, que ficam guardados em três dos maiores templos xintoístas. O espelho, a joia e a espada estão ligados a um mito relativo à deusa do sol, Amaterasu, e ao primeiro imperador do Japão.

Segundo um dos antigos mitos divinos, Amaterasu certa vez foi provocada e se escondeu numa caverna. Mas ela foi atraída para fora por um espelho e convencida a brilhar novamente.

O SACERDÓCIO

Originalmente, as cerimônias eram realizadas pelo chefe da família ou do clã; num nível mais alto na escada social, por um príncipe ou pelo próprio imperador.

Aos poucos foi se desenvolvendo o sacerdócio como função mais especializada, em geral passada de geração em geração em determinadas famílias. Esse sacerdócio hereditário foi abolido quando o imperador elevou o xintoísmo à condição de religião estatal e transformou os sacerdotes em funcionários públicos.

Hoje, os sacerdotes em tempo integral ou parcial são nomeados pela organização dos templos. A maioria deles é casada e tem também um emprego secular. Após a guerra, as mulheres passaram a ser elegíveis para o sacerdócio.

Os deveres do sacerdote são acima de tudo rituais: ele deve saber conduzir as cerimônias diárias e as grandes festividades religiosas.

OS QUATRO PRINCIPAIS ASPECTOS DO CULTO

Parte essencial do xintoísmo, as cerimônias religiosas ajudam a evitar acidentes, promovem a cooperação e o contato com os kamis, e geram o contentamento e a paz para o indivíduo e a sociedade.

As cerimônias variam desde as mais simples, realizadas no lar, até as grandes festas anuais dos templos. Quatro elementos, porém, estão sempre presentes.

PURIFICAÇÃO

O objetivo da purificação é banir tudo o que seja mau ou injusto, tudo o que possa pôr em perigo a relação do indivíduo com os kamis. A impureza é associada principalmente à doença e à morte, mas todas as funções carnais também geram impureza.

Todo serviço divino começa com uma purificação, que pode consistir apenas em lavar a boca e despejar um pouco de água na ponta dos dedos. No templo, ela é realizada pelo sacerdote, que agita um cajado especial diante dos indivíduos ou objetos a serem purificados. Na ponta desse cajado da purificação se encontram amarradas fitas de papel ou fios de linho, que o tornam semelhante a uma vassoura.

SACRIFÍCIO

Se as oferendas prescritas não são feitas, o indivíduo pode perder contato com os kamis e sofrer infortúnios. A oferenda pode consistir em dinheiro, alimentos ou bebidas. As diversas atividades artísticas ou esportivas associadas às festividades do templo também têm um significado religioso e devem ser consideradas uma espécie de sacrifício. Dança, teatro, luta e arco e flecha são atividades que se realizam em honra aos deuses.

ORAÇÃO

A oração em geral começa com uma expressão de louvor ao kami a quem se dirige e uma expressão de gratidão por sua benevolência. Também se faz frequente alusão à origem mítica relacionada com a oração, em outras palavras, seu fundamento místico. Depois se especificam as oferendas, com o nome da pessoa que está fazendo o sacrifício; a seguir, pode-se incluir um pedido em forma de oração.

REFEIÇÃO SAGRADA

Na conclusão da cerimônia há um *naorai* — uma refeição com os kamis. O sacerdote dá a cada um dos presentes uma pequena quantidade de vinho de arroz.

O CULTO NO LAR

Em quase todos os lares existe um pequeno altar chamado *kamidana*. Neste, há objetos simbólicos, como um amuleto para o kami, um pequeno espelho, uma vela, um vaso contendo galhos da árvore sakaki.

Dá-se início ao ritual lavando a boca e as mãos. Em seguida, põe-se um sacrifício diante do altar; pode ser algo tão comum como uma tigela com água ou alguns grãos de arroz. O suplicante senta ou fica em pé sobre um tapetinho, com a cabeça respeitosamente curvada. Após uma pequena oração, ele inclina a cabeça duas vezes, bate palmas duas vezes com as mãos erguidas e inclina mais algumas vezes a cabeça para finalizar o culto. Todos os alimentos que foram oferecidos são depois retirados e comidos à mesa.

TENRI-KYO

A *tenri-kyo* tem suas raízes na religião nacional japonesa, o xintoísmo, mas sofreu influências de várias outras. Foi iniciada em 1838 por uma mulher, *Miki Nakayama*. O deus *Oya-gami* lhe fez muitas revelações divinas e passou a habitar dentro dela.

Essas revelações estão registradas em escritos sagrados, um dos quais afirma: "Meus atuais pensamentos são expressos pela boca de Miki Nakayama. É verdade que é uma boca mortal que fala, mas são os pensamentos de um deus que formam as palavras".

A tenri-kyo é uma religião monoteísta. O deus Oya-gami é o único deus verdadeiro: criou o mundo e tudo o que há nele. O homem foi criado para a alegria e a realização plena na vida. O pecado implica que a pessoa é ingrata para com Deus e seus dons, e o caminho da salvação é viver uma vida contente aqui e agora. Como diz uma das revelações: "O deus da criação fez o homem para que este se deleite em sua feliz existência".

O lado criacional é fundamental na tenri-kyo. Isso se evidencia em seu culto, no qual se representa a criação numa dança ritual. Nessa dança, pede-se a Deus que abençoe tudo o que criou. Como ocorre no xintoísmo, é importante que Deus garanta a renovação de todas as coisas vivas, da vida humana e da vida natural.

Um aspecto da renovação da vida é a ênfase especial posta pela tenri-kyo na cura do sofrimento e da doença. Uma bênção dada durante o serviço diário do templo diz: "Atenda ao serviço divino diligentemente todos os dias, pois isso irá protegê-lo contra todos os infortúnios. Tomando parte ativa no serviço divino, até as doenças mais sérias serão curadas".

O objetivo da tenri-kyo é que todo mundo ouça a mensagem. Então, um estado de perfeita felicidade passará a existir na Terra.

A cidade em que Miki Nakayama recebeu sua revelação se chama Tenri. Ali se encontra a sede desta religião, um enorme edifício que pode abrigar 25 mil pessoas. Essas sedes imensas — muitas delas construídas em belo estilo arquitetônico — também são típicas de algumas das outras novas religiões do Japão. A tenri-kyo está envolvida em ampla atividade missionária nas Américas e em vários países da Ásia.

96

RELIGIÕES AFRICANAS

Três religiões dominam a África moderna. O *cristianismo* se encontra sobretudo no Sul e ao longo dos litorais leste e oeste. O centro do *islã* fica na África setentrional árabe, mas historicamente essa religião sempre teve penetração também ao sul do Saara. Há, por fim, as *religiões primais*, ou tribais, ou tradicionais, as mais difundidas antes da invasão cultural ocidental e árabe. Na África moderna, a estrutura tradicional baseada na aldeia está desaparecendo e, juntamente com ela, o fundamento das antigas religiões, que era a vida familiar e tribal.

As religiões africanas tradicionais não têm textos escritos, o que torna seu estudo difícil para os pesquisadores. Boa parte do conhecimento que temos sobre essas religiões, reunido durante os últimos séculos, apoia-se nos relatos de observadores europeus, sejam eles mercadores, colonizadores ou missionários. Tais descrições são muito influenciadas pelas constantes comparações entre a vida religiosa e cultural do local e o cristianismo e a cultura ocidental. Mais recentemente, etnólogos e antropólogos sociais vêm se utilizando de métodos científicos modernos para estudar as religiões africanas, porém mesmo eles as veem de uma perspectiva externa.

Uma fonte de conhecimento sobre as religiões africanas são os mitos que sobreviveram por meio da tradição oral, mas também se deve considerar que o conteúdo das histórias contadas pode ter se alterado ao longo das gerações. As religiões primais, assim como todas as outras, são influenciadas por fatores externos, e muitas adotaram elementos do islã ou do cristianismo. Uma característica das religiões africanas mais recentes são os milhares de movimentos sincretistas que surgiram em torno das missões cristãs.

Ao agrupar as religiões africanas sob um só rótulo, deve-se ter em mente que seu número equivale ao de povos existentes na África. Cada uma tem seu próprio nome para Deus, seus próprios rituais de culto, suas idiossincrasias. Por outro lado, elas apresentam também muitos traços em comum, pois os africanos não viveram uma existência estática, isolada. Sua história fala de diversas migrações, dos contatos que cruzaram as divisões tribais e da formação de grandes Estados. É necessário notar ainda que a maioria dos africanos não urbanos são agricultores e criadores de gado. Há apenas alguns grupos de caçadores-coletores.

PAPEL ESSENCIAL DA TRIBO E DA FAMÍLIA

O termo *tribal*, quando associado às religiões africanas, oferece-nos uma chave para compreender algo essencial sobre elas.

A tribo — ou o clã, grupo de parentesco ou família extensa — forma o arcabouço para a existência diária do africano. O respeito por essa instituição é mais importante do que o respeito pelo indivíduo.

O que é especial no conceito que esses africanos têm de família (ou tribo) é que ela compreende, além dos vivos, os mortos. O ancestral permanece próximo à tribo; torna-se uma espécie de espírito vivendo num mundo à parte, ou pairando sobre o lar para garantir que seus descendentes observem os costumes.

O costume, ou a organização da sociedade, ou ainda a "constituição", para usar um nome mais moderno, foi estabelecido quando a tribo passou a existir, numa época que os mitos chamam de "o princípio dos tempos". O dever dos vivos é assegurar a preservação dessa organização, o que se consegue obedecendo cuidadosamente a todas as regras e, acima de tudo, fazendo sacrifícios aos espíritos dos ancestrais.

Entretanto, a família não consiste apenas nos vivos e nos mortos, mas também nos ainda não nascidos, nos descendentes. É dever do indivíduo dar continuidade à família. Um dos piores infortúnios pessoais é morrer sem deixar filhos.

Quando uma família se extingue, a conexão dos espíritos ancestrais com a Terra é cortada, pois não sobra ninguém para manter contato com eles. Assim, se um homem tem mais de uma esposa e gera muitos filhos, sua alma fica em paz. Ele sabe que depois da morte sua alma não será forçada a vagar pelo espaço vazio, desconectada da Terra, pois estará sempre ligada a alguém.

Uma das tarefas mais importantes do homem é tomar conta do território que foi outorgado à tribo por seus pais fundadores, terra que, por sua vez, será passada aos descendentes dele. Em outras palavras, não há propriedade privada da terra e ela não pode ser vendida aos pedaços.

O CHEFE TRIBAL

A tribo é liderada por um chefe ou rei. O papel do rei e seu poder variam de tribo para tribo e sofreram mudanças no decorrer da história, em particular depois da colonização da África pelas potências europeias.

O rei não é apenas um líder político, mas também um juiz em exercício, o guardião da justiça e da lei. Com muita frequência, é ele também o sacerdote responsável pelos sacrifícios da tribo.

O motivo por que o rei acumula todas essas diferentes funções é que não há uma demarcação clara entre política, religião, lei e moral. Cada uma dessas formas é parte do princípio — o costume — sobre o qual aquela sociedade tribal está construída.

O rei é o guardião cotidiano desses preceitos; ele personifica o contato com os antepassados, com a tradição. É também o representante dos deuses na Terra, bem como porta-voz dos homens perante os deuses.

DEUSES E ESPÍRITOS

Baseando-se nos mitos, que nunca eram escritos, mas passados oralmente de geração em geração, os estudiosos já tentaram descobrir o que caracteriza a crença divina dos africanos.

Na maioria das tribos existe a crença num *deus supremo*, embora este receba muitos nomes. Normalmente associado ao céu, é ele que concede a fertilidade, e em alguns mitos é representado ao lado da deusa associada à terra.

Foi esse deus supremo que criou todas as coisas vivas, os animais e o ser humano. Foi ele ainda o responsável pelos decretos que regulam a sociedade, pelos costumes a que a tribo tem o dever de obedecer. Com frequência ele é também o *deus do destino*, que governa a vida dos seres humanos e controla a boa ou má fortuna da tribo.

Às vezes, esse ser supremo é chamado de "deus em repouso", por estar remotamente afastado da vida cotidiana. Certos mitos relatam que havia um contato íntimo entre o deus e o homem no início dos tempos, quando tudo era bom; só que houve um desentendimento e o deus se afastou. É apenas em circunstâncias excepcionais, quando as pessoas estão passando por graves necessidades, que elas recorrem ao deus supremo. De modo geral, não precisam perturbá-lo, preferindo se voltar para *deuses e espíritos menores*.

Esses outros deuses, forças e espíritos se encontram nas florestas, nas planícies e nas montanhas, nos rios e nos lagos. São intimamente associados a fenômenos naturais distintos: o raio e o trovão, as grandes cachoeiras, uma primavera quente, alguma árvore enorme ou uma rocha com formato estranho. A religião ganda, praticada pelo povo Baganda, de Uganda, tem um *deus supremo* chamado Katonda, porém o culto mais importante se dirige a uma constelação de divindades menores. Uma delas é o *deus da água*, Mukasa, o qual governa a fertilidade e a saúde. Há ainda o *deus da guerra*, Kibuka, que no passado exigia sacrifícios humanos. Também é costumeiro tratar os espíritos dos mortos com respeito; o culto aos antepassados é um dos aspectos mais típicos da religião africana.

CULTO AOS ANTEPASSADOS

Os antepassados são invisíveis, mas acredita-se que mantenham a aparência que tinham em vida, ou talvez sejam um pouco menores.

Os africanos não têm nenhum conceito de divisão entre corpo e alma e não creem que é a alma que sobrevive. Os espíritos já foram comparados a sombras ou duplos dos mortos, capazes de estar em vários lugares ao mesmo tempo: no túmulo, no mundo dos mortos ou em fenômenos próximos ao homem.

Uma noção comum é que os mortos vivem no mundo deles da mesma maneira que viviam neste. Até seu status social é mantido. Eles se revelam aos vivos sobretudo em sonhos, mas também como animais e outros objetos naturais.

Cada homem adulto que morre se torna um *espírito ancestral* ou um *deus ancestral* para os que ficaram vivos, mas nem todos exercem o mesmo papel, nem constituem objetos do mesmo culto. Os mais importantes são os espíritos dos pais de família, dos patriarcas e dos chefes da tribo. O homem que é considerado o *pai fundador* de uma linhagem de chefes com frequência é cultuado como um deus acima de todos os outros, uma divindade nacional.

Culto aos antepassados é uma expressão que implica interação entre os vivos e os mortos. Os vivos obtêm força e socorro de seus ancestrais; ao mesmo tempo, os mortos dependem das oferendas de seus descendentes: é por meio desses sacrifícios que adquirem sua força e potência. Se não receberem oferendas, irão "morrer", isto é, cessar completamente de existir.

Fazer um sacrifício a um ancestral pode ser algo bastante simples. Um membro da tribo vai até o túmulo de seu pai, por exemplo, oferece uma pequena quantidade de comida e bebida, e pede ajuda para resolver uma situação difícil.

Mais comum é a oferenda familiar coletiva. Esta é comandada pelo chefe da família e presta homenagem aos pais já falecidos, os espíritos mais proeminentes. Ter status é fundamental, e o chefe da família é o único que tem o direito de fazer esse sacrifício; só que ele o faz em nome de toda a sua família.

O *chefe da tribo* é responsável pelos sacrifícios do grupo mais extenso. Em nome de toda a tribo, ele se dirige aos espíritos de antigos chefes e faz orações pedindo uma boa caça ou uma boa safra. Na época da colheita, os primeiros frutos são oferecidos aos espíritos dos chefes. Selecionam-se os melhores produtos em honra dos espíritos, e com o acompanhamento de orações, cantos e danças, as pessoas — em geral usando máscaras e outros adornos — expressam sua gratidão e oram para continuar tendo proteção.

OS ESPECIALISTAS EM RELIGIÃO

O papel do chefe ou rei muitas vezes inclui as funções de sacerdote, mas há também uma série de outros especialistas religiosos: curandeiros, adivinhos, oráculos, profetas e magos fazedores de chuva.

CURANDEIROS

Nganga é uma palavra empregada entre os povos de idioma banto, no Sul da África, e pode ser traduzida simplesmente por "médico" ou "doutor". O nganga é bastante familiarizado com muitas das causas físicas das doenças, e utiliza ervas e plantas da medicina popular em sua prática médica. O tratamento, porém, costuma ser acompanhado de amuletos e fórmulas mágicas para controlar os espíritos maus. É uma crença comum a existência de "bruxas" e "feiticeiros", pessoas que tentam fazer mal aos outros usando, por exemplo, a *magia negra*. A tarefa do curandeiro é anular o feitiço, possivelmente empregando os mesmos métodos mágicos.

MAGIA

A magia é definida como "a capacidade de influenciar os acontecimentos aliciando os seres espirituais ou ativando forças naturais ocultas". Muitas sociedades tribais africanas têm fazedores de chuva. Eles usam a chamada *magia homeopática* quando querem que chova ou quando querem que a chuva cesse. Se querem chuva, podem, por exemplo, imitar seu ruído despejando água numa peneira. Podem também saltitar agachados, coaxando, como fazem os sapos quando chove. Ou ainda podem cobrir a cabeça com uma folha de palmeira, fingindo que está chovendo. Se, por outro lado, querem que a chuva cesse, podem acender uma fogueira imitando o sol. A magia homeopática se baseia no princípio "semelhante atrai semelhante". Acredita-se na existência de uma conexão entre dois fenômenos que se parecem. Se se cria uma situação de chuva, a chuva necessariamente tem que cair.

Outro tipo é a *magia de contágio*, a qual age segundo o princípio de que há uma *conexão entre as partes e o todo*. Se, por exemplo, alguém possui algo — uma peça de roupa, alguns fios de cabelo ou um fragmento de unha — que pertence a um inimigo, terá poder sobre este. Se qualquer uma dessas coisas for agredida, seu possuidor também sofrerá. É igualmente comum considerar que o nome é parte da pessoa. Assim, em muitos lugares as pessoas receiam dizer seu nome, temendo que alguém possa utilizá-lo para fazer mal a elas.

ADIVINHAÇÃO E PROFECIA

Os adivinhos são especialistas em interpretar as mensagens dos espíritos. Alguns curandeiros são adivinhos e empregam suas técnicas para fazer diagnósticos. Mas os adivinhos também podem aconselhar sobre o que fazer numa determinada situação ou sobre como apaziguar a ira dos deuses.

Eles possuem muitas técnicas. O adivinho pode usar, por exemplo, um cesto contendo vários objetos. Cada um deles tem um significado simbólico; cada um indica certa situação ou característica humana. Quando se sacode a cesta, os objetos saem do lugar; o adivinho então examina quais objetos ficaram por cima e suas posições relativas.

Atirar objetos para o ar e ver de que maneira caem também é uma prática comum. Os adivinhos pertencentes ao povo Chona, do Zimbábue, utilizavam quatro pedaços de osso ou de madeira, que representavam um velho, uma velha, um rapaz e uma moça, e tinham marcas mostrando seu lado de cima e seu lado de baixo. Com base nas posições relativas desses objetos ao caírem ao chão, o adivinho tirava suas conclusões.

103

Não se trata apenas de algo como tirar a sorte com números ou jogar cara ou coroa. O adivinho considera que a resposta obtida é uma mensagem vinda dos espíritos ou dos deuses. Mas eles também podem se manifestar diretamente, por intermédio de certos indivíduos especiais. Usando a música e a dança, esses indivíduos entram em transe e ficam "possuídos" por um espírito, que se faz conhecer e pode ser interrogado pela pessoa que está possuída. Tais indivíduos são valiosos conselheiros na comunidade e desfrutam de um status elevado no culto. Outros atuam como profetas independentes.

RITOS DE PASSAGEM

Alguns especialistas religiosos são responsáveis pela *vida ritual*. De especial importância são os ritos de passagem associados com o nascimento, a morte, a puberdade e o casamento.

Quando os meninos da tribo passam da infância para a idade adulta, devem se submeter aos chamados *ritos da puberdade*. Os Baluba, um povo banto, começam isolando os meninos do resto da comunidade e sobretudo das mulheres, até mesmo de suas mães. Eles são então *circuncidados* e enviados à floresta para um duro teste de várias semanas durante o qual aprenderão também as crenças e os costumes de seus antepassados. Quando por fim retornam à aldeia, são considerados homens adultos, prontos para casar e ter filhos.

RELIGIÕES SURGIDAS NO ORIENTE MÉDIO: MONOTEÍSMO

O Abraão dos judeus:
Olhai para Abraão, vosso pai,
e para Sara, aquela que vos deu à luz.
Ele estava só quando o chamei,
mas eu o abençoei e o multipliquei.

Isaías 51,2

O Abraão dos cristãos:
Responderam-lhe: "Nosso pai é Abraão".
Disse-lhes Jesus:
"Se sois filhos de Abraão,
praticai as obras de Abraão.
Vós, porém, procurais matar-me,
a mim, que vos falei a verdade
que ouvi de Deus.
Isso, Abraão não fez".

João 8,39-40

O Abraão dos muçulmanos:
Eles dizem: "Aceita a fé judaica ou cristã e terás a
orientação correta". Dizei então: "De maneira ne-
nhuma! Nós cremos na fé de Abraão, o correto. Ele
não era idólatra".

Corão, sura 2,129

Três das grandes religiões mundiais tiveram início no Oriente Médio: o *judaísmo*, o *cristianismo* e o *islã*. As três são monoteístas. São também chamadas "abraâmicas", por sua fé no Deus Único, que teria se revelado ao primeiro dos patriarcas bíblicos: Abraão (*c.* 1800 a. C.). (Releia as epígrafes deste capítulo.) As três exerceram influência na região do Mediterrâneo, mas o cristianismo e o islã se difundiram muito mais que o judaísmo. Atualmente, elas são as duas maiores religiões do mundo.

Enquanto o cristianismo é sobretudo a religião do Ocidente (três quartos de todos os cristãos vivem na Europa e nas Américas), o islã se tornou uma religião importante na Ásia (três quartos de todos os muçulmanos vivem nesse continente). Na África, essas duas religiões têm mais ou menos a mesma força. O islã continua firmemente enraizado na cultura árabe e é dominante nos países do Oriente Médio. Apesar disso, hoje em dia os árabes abrangem somente uma pequena parcela dos muçulmanos.

O judaísmo está deixando sua marca no Estado de Israel, que foi fundado em 1948, porém apenas 5 milhões dos 14 milhões de judeus do mundo vivem ali. Quase a metade deles vive nos Estados Unidos.

JUDAÍSMO

A palavra *judeu* deriva de *Judeia*, nome de uma parte do antigo reino de Israel. *Judaísmo* reflete essa ligação. A religião é chamada ainda de "mosaica", já que se considera Moisés um de seus fundadores.

O Estado de Israel define o judeu como "alguém cuja mãe é judia e que não pratica nenhuma outra fé". Aos poucos essa definição foi ampliada para incluir o cônjuge.

O judaísmo não é apenas uma comunidade religiosa, mas também étnica. Historicamente, o termo *judeu* tem conotações raciais, porém estas são inexatas. Existem judeus de todas as cores de pele.

O PACTO DE DEUS COM O POVO ESCOLHIDO

Uma das características do judaísmo é ser uma religião intimamente ligada à história. As narrativas da Bíblia se baseiam numa crença bem definida de que Deus fez uma *aliança* especial, um *pacto* com seu povo escolhido, o povo hebreu.

As narrativas bíblicas começam com Adão e Eva e uma série de relatos dramáticos que ilustram as consequências da inclinação pecaminosa do ser humano e de seu desejo de se rebelar contra Deus. Adão e Eva são expulsos do paraíso. Mais tarde, o mundo inteiro é destruído por um grande dilúvio, do qual se salvam apenas Noé e sua família, juntamente com todos os animais da Terra. Sodoma e Gomorra, cidades sem Deus, são aniquiladas, e a torre de Babel é derrubada, pois representa a tentativa humana de chegar até o céu.

Cada evento histórico é visto pelos autores da Bíblia como uma expressão da vontade de Deus.

DE ABRAÃO A MOISÉS

A fase histórica seguinte teve início quando Abraão saiu da cidade de Ur, localizada no atual Sul do Iraque, por volta de 1800 a. C. O Gênesis relata que Deus disse a Abraão: "Sai da tua terra, da tua parentela e da casa de teu pai, para a terra que te mostrarei. Eu farei de ti um grande povo". Esse povo ganhou um nome após a dramática batalha de Jacó, neto de Abraão, com um anjo de Deus. O anjo então lhe deu o nome de Israel (o que venceu a Deus). Mais tarde, os doze filhos de Jacó geraram as doze tribos de Israel.

A história de José, um dos filhos de Jacó, narra como os israelitas foram parar no Egito, onde foram escravizados pelos faraós. A Bíblia conta de que maneira Moisés os tirou dali e, depois de quarenta anos errando no deserto, levou-os a Canaã, a Terra Prometida.

Durante a travessia do deserto Deus — Javé — deu a Moisés, no monte Sinai, as duas tábuas da Lei com os dez mandamentos a que os israelitas deveriam obedecer. Dessa forma, fez-se um pacto segundo o qual os israelitas deveriam reconhecer a existência de um só Deus, e em troca se tornariam o povo escolhido de Deus. Receberiam sua ajuda e seu apoio, desde que cumprissem o que lhes cabia no acordo e obedecessem às leis de Deus.

Por volta do ano 1200 a. C., os israelitas conquistaram parte de Canaã e por muito tempo viveram lado a lado com os habitantes não israelitas. Seus líderes políticos e religiosos eram os chamados "juízes", que procuravam cuidar de que o povo respeitasse as leis dadas por Deus. Foi também por causa da guerra contra os filisteus que surgiu a necessidade de um poder político centralizado.

O REINO DE ISRAEL

Saul introduziu a monarquia por volta do ano 1000 a. C., mas ela alcançou o apogeu durante os reinados de Davi e Salomão, quando Israel se tornou uma grande potência política. Davi, nascido em Belém, foi o grande rei que lutou contra os inimigos e uniu as doze tribos, sob sua liderança, em Jerusalém. A Arca da Aliança — uma arca contendo os dez mandamentos e que, segundo a tradição, os israelitas haviam trazido consigo do Sinai — foi então transportada para a nova capital. Ali, puseram-na no santuário interno do novo Templo, quando Salomão, filho e sucessor de Davi, o construiu no século X a. C.

O grande Templo de Jerusalém incluía um recinto fechado, o Santo dos Santos, contendo oferendas de incenso e os pães da proposição, e um vestíbulo externo onde se faziam os sacrifícios. Os sacerdotes do Templo estavam encarregados desses sacrifícios, que poderiam ser oferendas de animais ou frutos da colheita. O culto era acompanhado por canções e hinos — os chamados Salmos de Davi, que podemos ler na Bíblia. Os sacrifícios, que eram em parte uma oferenda a Deus, em parte uma expiação pela culpa, deviam ser feitos segundo regras estritas.

É possível que aos poucos as pessoas tenham começado a sentir tais sacrifícios como mecânicos, ao mesmo tempo que a liderança do país dava sinais de decadência moral e política. Isso provocou a severa condenação dos *profetas*. Entre eles, destaca-se Amós, profeta que viveu por volta de 750 a. C. Em suas prédicas ele atacava os males sociais, como, por exemplo, a opressão dos pobres pelos ricos. Além de Amós, vários outros profetas deram mais peso à justiça e aos ideais éticos do que às práticas rituais do culto sacrificial.

O EXÍLIO NA BABILÔNIA

Os profetas advertiam o povo do juízo e da punição de Deus, porque as pessoas não estavam vivendo de acordo com as leis divinas. Muitos profetas viam o declínio e a destruição do poder do país como um justo castigo para isso. O reino foi então dividido em dois, um reino do Norte (Israel) e um do Sul (Judá), tendo Jerusalém como capital. Em 722 a. C., o reino do Norte foi devastado pelos assírios e a partir daí deixou de ter significado político e religioso.

O reino do Sul foi conquistado pelos babilônios em 587 a. C. Grande parte da sua população foi deportada para o exílio na Babilônia. Entretanto, em 539 a. C. os que desejavam voltar para a terra natal obtiveram permissão para isso, e daí em diante se tornaram conhecidos como *judeus* (palavra derivada de *Judá* e *Judeia*).

O JUDAÍSMO E A SINAGOGA

Foi depois do retorno da Babilônia que começou a se desenvolver a religião que costumamos chamar de *judaísmo*. O núcleo do judaísmo era a vida na *sinagoga*, local de culto onde os fiéis se reuniam para orar e ler as escrituras. Esse tipo de serviço religioso surgira por necessidade durante o exílio babilônico, uma vez que ali os judeus não tinham um templo onde orar. Ao voltar do exílio, eles continuaram praticando esse serviço nas sinagogas, que foram construídas em diversas cidades. Nestas, uma função relevante era exercida pelos leigos versados nas escrituras, os quais zelavam por elas, e buscavam interpretá-las e explicá-las. Não tardou que a maioria desses homens instruídos passasse a vir das fileiras dos fariseus.

Os fariseus davam muita importância à Lei escrita nos cinco primeiros livros de Moisés — o Pentateuco —, e também às normas relativas à limpeza e ao asseio; procuravam interpretar a

Lei segundo as novas condições que prevaleciam. Nessa época, o papel do Templo já se tornara secundário.

O grande Templo de Jerusalém, destruído durante a conquista babilônica de 587 a. C., foi reerguido em 516 a. C. O sumo sacerdote, os demais sacerdotes e os levitas a eles subordinados eram responsáveis pelo culto, que compreendia o sacrifício diário de um cordeiro em expiação pelos pecados do povo. Após o exílio babilônico, o sumo sacerdote se tornou líder do Sinédrio, o conselho dos anciãos, que mais tarde incluiu ainda representantes dos homens mais instruídos.

Nessa época, os judeus caíram seguidas vezes sob o domínio político estrangeiro. No ano 70 d. C., uma revolta contra os romanos levou ao saque de Jerusalém. O Templo, que recentemente fora ampliado e transformado num esplêndido edifício pelo rei Herodes, foi outra vez arrasado; isso selou o fim do papel desempenhado pelos antigos sacerdotes. Dessa época em diante, foi o novo formato de judaísmo, centrado nas sinagogas, que passou a predominar. Muitos judeus estavam agora dispersos pelas terras do Mediterrâneo ou ainda mais longe. Eram chamados de judeus da *Diáspora*, palavra grega que quer dizer "dispersão".

UM POVO CULTO, PORÉM PERSEGUIDO

Em várias ocasiões os judeus assumiram um papel de liderança nos países onde se estabeleceram. A cultura judaica conheceu um apogeu na Espanha dos séculos XII e XIII. Aí um de seus maiores filósofos foi o rabino Moisés ben Maimón (Maimônides), que escreveu várias obras e resumiu os ensinamentos judaicos nos *Treze princípios da fé judaica*. Nesse país floresceu também o misticismo judaico, a *cabala* (ou "tradição").

Contudo, desde a Baixa Idade Média até hoje os judeus vêm sofrendo perseguições. Em diversos períodos a sociedade cristã os acusou pelo assassinato de Jesus e considerou o destino desse povo uma punição. Os judeus foram deportados da Inglaterra e da França nos séculos XIII e XIV; na Espanha, começaram a ser perseguidos no século XV e acabaram expulsos em 1492. Na Noruega, uma lei aprovada em 1687 negava a qualquer judeu o acesso ao país sem permissão especial, e a Constituição norueguesa de 1814 conservou esse embargo. A "cláusula judaica" só foi anulada em 1851.

Sem dúvida, a pior de todas as perseguições sofridas pelos judeus ocorreu na Alemanha entre 1933 e 1945. Acredita-se que 6 milhões de judeus foram exterminados durante o regime nazista. Fazia muito tempo que os judeus vinham tendo uma participação proeminente na vida cultural da Europa Central, como artistas, cineastas, escritores e cientistas. Também havia jornais e livros, filmes e peças de teatro que circulavam em iídiche, língua semelhante ao alemão mas escrita com caracteres hebraicos, falada por muitos judeus.

Mesmo nos períodos em que não havia perseguição direta, com frequência os judeus eram tratados como párias sociais. Eles eram forçados a adotar nomes facilmente reconhecíveis e a morar em áreas especiais da cidade, os chamados *guetos*. Numa época em que a agricultura consistia no meio mais comum de subsistência, era-lhes proibido possuir terras, o que os impeliu a se destacar no comércio. Diferentemente dos muçulmanos e dos católicos, sua religião lhes permitia ganhar juros emprestando dinheiro, e muitos deles se tornaram importantes banqueiros.

AS EXPECTATIVAS MESSIÂNICAS E O SIONISMO

Durante milhares de anos os judeus esperaram um Messias que viria criar um reino de paz na Terra. As raízes históricas dessa expectativa datam da idade de ouro de Israel, no reinado de Davi, quando os reis eram ungidos ao subir ao trono. Na verdade, a palavra *Messias* significa "o ungido". Desde a época do exílio babilônico os judeus alimentaram a esperança e a crença de que chegaria um Messias, um novo rei saído da linhagem de Davi. Esse rei ideal iria restabelecer Israel como uma grande potência, e seu povo passaria a viver em eterna felicidade.

Até hoje a expectativa da chegada do Messias continua viva em muitos judeus. Mas nem todos pensam no Messias como uma pessoa; falam, em vez disso, numa futura "era messiânica": um estado de paz na Terra, no qual Israel assumiria um papel de destaque. Alguns judeus acreditam que a fundação de Israel, em 1948, cumpriu as expectativas messiânicas que seu povo conservou de geração em geração.

A fundação do Estado de Israel constituiu a culminância de um longo processo cujos primeiros passos foram dados no final do século XIX, quando muitos judeus começaram a falar sobre a possibilidade de voltar para sua antiga pátria. Isso representou o reforço palpável de um antigo desejo, que é repetido pelos judeus todos os anos na Páscoa: "No ano que vem em Jerusalém". O escritor e jornalista Theodor Herzl (1860-1904), em seu influente livro *O Estado judaico*, argumentava que, como nem a integração e assimilação dos judeus aos países onde viviam conseguira acabar com a perseguição a eles, a única solução seria lhes dar um Estado próprio. Essa ideia foi chamada de *sionismo*, palavra vinda de *monte Sião*, colina sobre a qual Jerusalém foi parcialmente construída.

Naquela época havia apenas cerca de 25 mil judeus vivendo na Palestina; a partir daí, porém, iniciou-se uma considerável onda de imigração, em especial de judeus russos. Mas os planos para fundar um país próprio progrediam devagar, em parte porque na época a Palestina era uma colônia britânica. Entretanto, a perseguição nazista aos judeus durante a Segunda Guerra Mundial gerou uma situação inteiramente nova. Terminada a guerra, a nova República de Israel foi proclamada em 1948. Muitos antigos sionistas desejavam criar um Estado laico, secular, mas os judeus ortodoxos conseguiram realizar seu desejo de que o país fosse fundado com base na religião judaica.

Esse novo Estado tem vivido em contínuo conflito com o mundo árabe, também por causa dos milhares de palestinos que foram deslocados na época da fundação de Israel.

Desde sua criação, Israel já recebeu imigrantes judeus vindos de todos os cantos do mundo, que trouxeram ao país uma variedade de ideias e tradições.

112

AS SAGRADAS ESCRITURAS

O livro sagrado dos judeus é a Bíblia, uma coleção de textos de natureza histórica, literária e religiosa. A Bíblia judaica equivale ao Antigo Testamento, porém é organizada de maneira um pouco diferente. O cânone judaico foi fixado por um concílio em Jabne por volta de 100 d. C. Compreende 24 livros, divididos em três grupos:

- *A Lei (Torá)* — *o Pentateuco, ou os cinco livros de Moisés*
- *Os profetas* (Neviim) — *os livros históricos e proféticos*
- *Os escritos* (Ketuvim) — *os demais livros*

Se tomarmos as letras iniciais dessas três partes, veremos que formam o acrônimo *Tenakh*, que é o nome judaico comum para a Bíblia. Na verdade, a palavra *Bíblia* vem do termo grego que significa "livros".

A LEI (TORÁ)

Na época de Cristo, *os cinco livros de Moisés* (ou Pentateuco) eram considerados pelos judeus uma só entidade e chamados de "A Lei", pois continham as normas judaicas legais e morais, assim como as regras relativas ao culto. A divisão em cinco livros data de sua tradução para o grego, que foi feita com base no original hebraico por volta de 200 a. C.

Os cinco livros de Moisés não foram escritos por um único autor do início ao fim. A miríade de histórias que neles se encontram foi, por muito tempo, transmitida sobretudo oralmente. Os livros de Moisés compreendem, portanto, um complexo conjunto de textos escritos durante um longo período, num processo que se completou por volta de 400 a. C.

OS LIVROS HISTÓRICOS E PROFÉTICOS

É típico desses livros considerar os acontecimentos políticos uma expressão das relações entre Deus e os israelitas, sob circunstâncias variadas. Toda a história de Israel é apresentada como um exemplo da lei da justa retribuição: a conformidade com a vontade de Deus traz bênçãos para seu povo, com tanta certeza como a desobediência e a apostasia (o abandono da religião) levam a um julgamento severo e à dor. O destino de Israel é constantemente interpretado à luz das exigências divinas. Assim, tais livros podem ser lidos como uma justificativa para a destruição do Templo de Jerusalém e para o exílio de grande parte da população na Babilônia.

Trata-se da mais antiga história escrita de que há registro no mundo. Esses livros surgiram muito antes de haver algo como a história comparada ou a análise das fontes.

No entanto, o objetivo dos livros históricos do Antigo Testamento não era propriamente registrar a história, e sim dar a ela uma interpretação religiosa.

Dois dos livros históricos receberam nomes de mulher. Os livros de *Rute* e de *Ester* são histórias curtas e belas, com mulheres no papel principal.

Os livros proféticos são *Isaías, Jeremias, Ezequiel* e os *Doze Profetas Menores*, assim chamados por causa da brevidade de suas obras; Oseias, Joel, Amós, Abdias, Jonas, Miqueias, Naum, Habacuc, Sofonias, Ageu, Zacarias e Malaquias.

Segundo seu próprio testemunho, os profetas foram chamados para proclamar a vontade de Deus. Muitas vezes eles usam a fórmula "Diz o Senhor".

Ao transmitir uma mensagem, por exemplo, vinda de um rei, o mensageiro a iniciava com as palavras "Diz o rei". Desse modo, deixava claro que não estava falando por si mesmo. Esse preâmbulo funcionava como uma assinatura ou o carimbo de uma carta na época moderna. Da mesma forma, os profetas acreditavam que tinham sido enviados por Deus para levar a mensagem dele ao povo.

Se as pessoas não vivessem segundo as exigências feitas por esse Deus justo, ele iria, segundo os profetas, distribuir seu julgamento e aplicar seu castigo.

Um bom exemplo da pregação desses profetas é a de Amós, o profeta mais antigo da Bíblia, que viveu por volta de 750 a. C.

Seu ataque contra o abandono da maneira correta de adorar a Deus, bem como suas críticas à desigualdade social e à opressão dos ricos sobre os pobres, continua despertando interesse até hoje. Amós chega a ponto de mostrar os pobres e oprimidos como os verdadeiros justos, em oposição aos ricos.

Na verdade, vários profetas davam mais ênfase à justiça e aos ideais éticos do que às demonstrações externas do culto sacrificial. "Que me importam vossos inúmeros sacrifícios?, diz Iahweh." "Basta de trazer-me oferendas vãs: elas são para mim um incenso abominável." "Tirai da minha vista as vossas más ações! Cessai de praticar o mal, aprendei a fazer o bem" (de Isaías 1).

Assim como as profecias prediziam que haveria um julgamento severo sobre Israel, elas previam também a salvação. Essas promessas, palavras de *consolação*, afirmavam que Deus haveria de salvar do julgamento e da destruição alguns "remanescentes" de seu povo, e enviar um príncipe ou rei da paz, vindo da linhagem de Davi, que faria Israel reviver e o conduziria a um futuro feliz. Tais profecias são particularmente numerosas em *Isaías*, nos capítulos 7, 9 e 11: "O povo que andava nas trevas viu uma grande luz, uma luz raiou para os que habitavam uma terra sombria como a da morte".

Um terceiro tipo de voz profética é a *exortação*, representando algo intermediário entre os dois outros tipos de profecia. Aqui, o caminho está aberto para que as pessoas se salvem do julgamento divino, desde que se arrependam e vivam de acordo com a vontade de Deus: "Procurai o bem e não o mal para que possais viver, e, deste modo, Iahweh, Deus dos Exércitos, estará convosco, como vós o dizeis! Odiai o mal e amai o bem, estabelecei o direito logo à porta; talvez Iahweh, Deus dos Exércitos, tenha compaixão do resto de José" (Amós 5,14-15).

OS ESCRITOS POÉTICOS

Entre os textos poéticos do Antigo Testamento, foram os *Salmos* que tiveram maior significado histórico. A maioria dos 150 salmos foi escrita na época dos reis, isto é, antes da destruição de Jerusalém em 587 a. C. Foram compostos sobretudo para os serviços do Templo e as grandes festas do Templo em Jerusalém. Mas também há exemplos de salmos que os israelitas dizem em suas orações individuais. Com base em seu conteúdo, podemos dividir os salmos em vários tipos. Os três mais importantes são os cânticos de *louvor* (hinos), de *lamentação* (orações) e de *ação de graças*.

O fato de cerca de metade dos salmos serem atribuídos a Davi não quer dizer que tenha sido realmente ele o autor. Vários salmos são mais recentes. A expressão "de Davi" também pode significar "pertencente a Davi" ou "para o rei Davi". Mesmo assim, é possível que alguns dos salmos mais antigos tenham sido escritos pelo próprio rei Davi.

O *Livro de Jó* é considerado por muitos uma "joia da literatura mundial". Com seu suspense e sua construção quase novelesca, ele aborda o significado do sofrimento e da justiça de Deus. Jó é um homem justo e temente a Deus, que é posto à prova por Satã, com o consentimento de Deus. Ele então perde tudo o que possuía, e sua vida fica em ruínas. Em seu infortúnio, Jó clama contra Deus. Por que um homem justo como ele haveria de sofrer um destino tão terrível? Deus responde que o homem não tem o direito de ir contra a vontade de seu Criador; na verdade, não tem direito algum em relação a Deus. O livro termina com Jó aceitando seu destino e se submetendo a Deus — levando dessa maneira a que o vencedor da "aposta" seja Deus, e não Satã. No final, Jó não só consegue reaver todas as suas posses, como vê que elas foram "redobradas" por Deus.

A mais recente das escrituras do Antigo Testamento é o *Livro de Daniel*, escrito por volta de 165 a. C. Faz parte da literatura *apocalíptica* característica daquele período. A palavra *apocalíptico* vem de um termo grego que significa "descobrir" ou "revelar". Aqui, indica uma literatura que irá desvelar ou revelar o plano de Deus para o mundo.

O TALMUD — COMENTÁRIOS SOBRE A LEI

Além da Torá escrita, os judeus também tinham regras e mandamentos transmitidos oralmente. Segundo a tradição judaica, no monte Sinai, Moisés recebeu não apenas a "Lei escrita" de Deus, mas também a "Lei falada". Era proibido escrever a Lei falada, pois esta deveria ser adaptada às condições reais de vida em diferentes lugares e épocas. Porém, depois que os judeus se dispersaram pelo mundo, surgiu o medo de que a Lei falada se perdesse. Assim, decidiu-se registrá-la por escrito, o que foi feito nos séculos que se seguiram à destruição de Jerusalém. Esse material se chama *Talmud*, palavra hebraica que significa "estudo". O Talmud contém leis, regras, preceitos morais, comentários e opiniões legais, mas também histórias e lendas que discutem esse conteúdo. É bem sabido que o Talmud não é, em si, um livro de ensinamentos, e sim um texto usado pelos rabinos em seus ensinamentos, para orientação dos fiéis em situações concretas.

A NOÇÃO DE DEUS

O credo judaico é: "Ouve, ó Israel: Iahweh nosso Deus é o único Iahweh!" (Deuteronômio 6,4).

Esse credo, que é repetido pelos judeus devotos todas as manhãs e todas as noites de sua vida, mostra que o judaísmo é uma religião monoteísta. Deus, o Deus único, é o criador do mundo e o senhor da história. Toda vida depende dele, e tudo o que é bom flui dele. É um Deus pessoal, que se preocupa com as coisas que criou.

Quem é Deus — ou o que é Deus — é algo que não pode ser expresso em palavras. O nome de Deus é representado pelas letras IHVH, um acrônimo que em hebraico significa "eu sou quem sou". Esse acrônimo costuma ser lido como "Jeová" ou "Javé", porém o nome real é tão sagrado que sempre se usa algum sinônimo, como "o Senhor" ou "o nome".

Jeová é o criador e sustentador do mundo. A ideia de que Deus possa não existir é alheia a um judeu. *Elie Wiesel*, que re-

117

cebeu o prêmio Nobel da Paz, sintetizou: "Você pode ser *a favor de* Deus ou *contra* Deus, mas não pode ser *sem* Deus".

O fato de que Deus é um e apenas um se reflete também na existência humana. Toda a vida de um homem deve ser consagrada. Não há linha divisória que separe o sagrado do profano. Honra-se ao Senhor também na vida secular. A tarefa mais importante do homem é cumprir todos os seus deveres para com Deus e para com seus semelhantes.

A SINAGOGA E O SHABAT

Numa sinagoga não há imagens religiosas nem objetos no altar, pois as imagens são proibidas (é o segundo mandamento). O ponto focal de uma sinagoga judaica é, pois, a Arca, uma espécie de armário que fica na parede oriental, na direção de Jerusalém. Ali se guardam os rolos da Torá, escritos em pergaminho. Como sinal de respeito, esses rolos costumam ser envoltos numa capa de seda, veludo ou outro material nobre, e decorados com sinos, uma coroa e um escudo de metal precioso. Mantém-se sempre uma lâmpada ardente diante da Arca.

No serviço da sinagoga das manhãs de sábado há um grande cerimonial em torno da leitura da Torá. Abre-se a Arca, e os rolos são levados ao redor da sinagoga até o altar. Ali se lê um trecho do texto em hebraico. A leitura da Torá também é feita às segundas e quintas-feiras; desse modo, no decurso de um ano se lê o cânone inteiro.

Além da leitura da Torá, o serviço contém orações, salmos e bênçãos, todos contidos num livro especial chamado Sidur. A oração mais importante são as Dezoito Bênçãos, que tem mais de 2 mil anos. Outro foco importante é o credo, o Shemá.

Um cantor sacro, membro leigo da congregação, dirige o serviço. No entanto, o sermão e o ensino da Lei são responsabilidades do rabino, sempre um homem instruído e de alta escolaridade, que cada congregação nomeia separadamente.

Os serviços da sinagoga podem ser realizados diariamente, três vezes por dia, contanto que dez homens adultos estejam presentes. O status de adulto é concedido pela cerimônia do Bar Mitsvá, quando o menino faz treze anos. As mulheres não desempenham parte ativa no serviço e são segregadas nas congregações ortodoxas, ficando em geral numa galeria separada, juntamente com as crianças.

As três orações diárias também são ditas em casa. A religião ocupa lugar de relevo num lar judaico, e aí as mulheres assumem um papel ativo, particularmente no Shabat (sábado) e nas grandes festas.

O Shabat dura desde o pôr do sol de sexta-feira até o pôr do sol de sábado. A base para a observância do Shabat se encontra na história da criação do mundo: no sétimo dia Deus descansou. Por isso, o homem também deve descansar nesse dia. O sábado se tornou uma festa semanal de renovação, a festa do lar e da família. A esposa, que sempre foi um fator decisivo na preservação dos costumes judaicos, abençoa e acende as velas do Shabat na mesa já posta. O marido abençoa o vinho e corta o pão especial do Shabat. A participação no jantar de Shabat é sagrada e tem grande importância para a união da família judaica.

KOSHER — REGRAS ALIMENTARES ESTRITAS

Os judeus têm regras detalhadas para a alimentação, normas cujas origens se encontram na Bíblia. Os alimentos que podem ser comidos são chamados *kosher*, palavra que originalmente significava "adequado" ou "permitido".

A carne só pode provir de animais que ruminam e têm o casco partido, o que exclui o porco, o camelo, a lebre, o coelho e outros. Das aves, podem-se comer as não predatórias. Dos peixes, são *kosher* apenas os que possuem escamas e barbatanas; logo, estão eliminados polvos, lagostas, mariscos, caranguejos, camarões etc.

Os animais e as aves que não podem ser comidos são denominados impuros; tampouco se podem comer seus ovos ou beber seu leite.

Toda comida feita de *sangue* também é proibida, já que a vida está no sangue. Assim, é importante que ao abater os animais, seja extraído deles o máximo de sangue possível. O restante é retirado com água e sal. Os animais devem ser abatidos por um especialista, sob superintendência rabínica, da maneira mais rápida e indolor. É proibido comer qualquer carne que não tenha sido obtida de um animal abatido segundo as regras.

As frutas e verduras são todas *kosher*, bem como a maioria das bebidas alcoólicas e não alcoólicas. A exceção são as bebidas feitas de uva (vinho e conhaque), que devem vir de produtores judeus e ser cuidadosamente rotuladas.

Além dessas regras, os judeus têm um costume especial que proíbe comer derivados de leite juntamente com derivados de carne. Se o cardápio contém bife, o molho não deve conter manteiga, nem se deve terminar a refeição com café com leite, creme ou sorvete. Para garantir que esses dois tipos de alimentos não se misturem, os judeus ortodoxos usam dois conjuntos de utensílios de cozinha, um para leite e outro para carne. Eles devem ser lavados em bacias separadas e enxutos com diferentes panos e toalhas. Algumas pessoas chegam a ter duas geladeiras e duas lavadoras de louça.

ÉTICA JUDAICA

Os judeus não fazem distinção nítida entre a parte ética e a parte religiosa de sua doutrina. Tudo pertence à Lei de Deus. Existem 248 ordens afirmativas e 365 proibições, totalizando 613 mandamentos. Além desses mandamentos, a vida do judeu é regulada por muitos costumes e práticas que surgiram ao longo da história. Diz-se que um costume judaico é tão obrigatório quanto uma lei.

O judaísmo dá destaque a uma série de qualidades eticamente boas: *generosidade, hospitalidade, boa vontade para ajudar, honestidade* e *respeito pelos pais*. Um princípio fundamental é não fazer mal aos outros, ou, de maneira afirmativa: "Amarás o teu próximo como a ti mesmo" (Levítico 19,18).

Muitos judeus dão um dízimo (10%) de sua renda para causas dignas, mas as doações podem ser grandes ou pequenas. A

Bíblia exige que sejam dados de presente aos pobres os frutos da terra. Desde os tempos antigos era hábito não colher o que desse nos cantos dos campos, para que os pobres pudessem ali entrar e colher para si. Do mesmo modo, parte das azeitonas e das uvas era deixada nas árvores e nos vinhedos para ser apanhada pelos pobres.

A palavra usada na Bíblia para se referir a ajuda aos pobres é *justiça*. Dar esmolas não é fazer caridade, e sim cumprir o dever de combater a pobreza, baseado nas palavras de Deus: "Jamais haverá nenhum pobre entre vós". A exigência de justiça tem lugar proeminente na ética e inclui, além dos pobres, também os fracos (viúvas e órfãos) e os estrangeiros: "O estrangeiro que habita convosco será para vós como um compatriota, e tu o amarás como a ti mesmo, pois fostes estrangeiros na terra do Egito" (Levítico 19,34).

Como há muitos mandamentos, é natural que em certas circunstâncias eles entrem em conflito. Quando isso acontece, a *vida humana* está acima de tudo. Por exemplo, uma vida humana deve ser salva mesmo que isso quebre as leis do Shabat.

FASES DA VIDA

Os judeus têm costumes muito antigos relativos ao ciclo da vida: nascimento, juventude, casamento e enterro.

CIRCUNCISÃO

Oito dias após o nascimento os meninos são circuncidados, conforme o mandamento da Torá: "Deveis circuncidar a pele do prepúcio, e este será o sinal da aliança entre nós. Cada varão dentre vós, em cada geração, será circuncidado no oitavo dia". A circuncisão é feita por um especialista. Os padrinhos levam a criança até o "representante", que a segura durante a cerimônia. Esta é acompanhada de orações, e a criança recebe formalmente seu nome. É uma cerimônia religiosa realizada numa atmosfera de alegria e celebração. Costuma ser seguida por uma refeição festiva.

A menina também recebe seu nome formalmente na sinagoga uma semana depois do nascimento. Seu pai é chamado até a Torá, e se faz uma oração pela mãe e pelo bebê.

BAR MITSVÁ E BAT MITSVÁ

Aos treze anos o menino judeu se torna um Bar Mitsvá, expressão em hebraico que significa "filho do mandamento". Isso acontece na sinagoga, no primeiro sábado após seu 13º aniversário. Durante o ano precedente ele deve ter aulas com um rabino ou outra pessoa instruída, para aprender as leis e os costumes judaicos. Deve também aprender o trecho da leitura da Torá que será feita no sábado em questão. Quando chega o dia, ele deve se levantar e ler alto seu texto, cantando-o conforme o costume. Isso confirma que ele passou a ser um membro pleno da congregação, com todas as responsabilidades que daí decorrem. Depois da cerimônia é hábito oferecer uma festa para a família e os amigos.

Uma menina se torna automaticamente Bat Mitsvá (filha do mandamento) quando completa doze anos. Costuma-se celebrar esse fato no primeiro sábado após seu 12º aniversário. Para isso ela prepara algumas palavras que deve dizer com a bênção (o *kidush*) depois do serviço. Por volta dos quinze anos as meninas aprendem o principal da história e dos costumes judaicos, particularmente as regras alimentares, que são responsabilidade da mulher.

CASAMENTO

A família desempenha um papel muito especial no judaísmo. É dela que os judeus recebem sua identidade cultural e sua educação básica. O casamento é considerado o modo de vida ideal, instituído por Deus, e é o único tipo de coabitação permitido. Um judeu tem por obrigação casar com uma pessoa judia, porém os casamentos mistos estão se tornando cada vez mais comuns, o que vem causando certos problemas na comunidade judaica.

Alguns dias antes do casamento a mulher deve tomar um banho ritual. No dia do casamento, o noivo e a noiva ficam em jejum até o final da cerimônia. O casamento pode ser celebrado em qualquer lugar, mas normalmente acontece na sinagoga, debaixo de uma espécie de toldo (*hupá*) que simboliza o céu. Em geral é um rabino que realiza a cerimônia e lê as bênçãos e exortações. Os noivos então compartilham de um mesmo copo de vinho, como sinal de que irão dividir tudo o que a vida lhes trouxer. Em seguida, o noivo põe a aliança no dedo da noiva, dizendo em hebraico: "Eis que tu és consagrada a mim por esta aliança, segundo a Lei de Moisés e de Israel".

Nesse ponto a *ketubá* é lida e entregue à noiva. A *ketubá* consiste no contrato de casamento, que é assinado pelo noivo antes da cerimônia e reúne todos os seus deveres para com a noiva.

Até aí a cerimônia não passou da formalização de um compromisso, mas tradicionalmente a formalização do compromisso já está incluída na própria cerimônia. O casamento propriamente dito começa com a leitura de sete bênçãos especiais; depois disso o casal toma vinho mais uma vez. O noivo então quebra um copo com o pé, em memória da destruição do Templo. Após o casamento os noivos são levados a um quarto particular, onde podem quebrar o jejum e ficar a sós. Nos círculos estritamente ortodoxos, esta será a primeira vez que isso acontece. No fim da cerimônia, costuma-se oferecer uma grande festa e uma refeição comemorativa.

O divórcio é permitido, mas para que seja legítimo, deve ser sancionado por um tribunal rabínico e selado pelo marido, que dá à esposa a carta de divórcio.

ENTERRO

O enterro deve ocorrer o mais rápido possível depois da morte, em consideração às condições do corpo. A cremação não é permitida. O corpo do falecido é lavado, vestido com uma roupa branca simples e colocado num caixão de madeira sem ornamentos. Os homens são enterrados com seu xale de oração.

Não se usam flores nem música na cerimônia, que é realizada pelo cantor sacro. Ele joga três pás de terra sobre o caixão enquanto recita: "O Senhor dá e o Senhor tira — bendito seja o nome do Senhor". O rabino faz um discurso em memória do morto, e os filhos homens, ou o parente mais próximo do sexo masculino, recitam uma oração — o Kadish. Após o funeral, a família fica de luto por uma semana. No aniversário da morte, todos os anos, os parentes mais próximos acendem uma vela na sepultura e leem o Kadish.

Os judeus têm muito apreço por seus cemitérios e os tratam com grande respeito. É aí que os mortos irão descansar até a ressurreição.

FESTIVAIS ANUAIS

As festas judaicas são associadas ao calendário judaico e em geral têm uma base histórica. Os judeus contam o tempo em relação à criação do mundo, a qual, segundo nosso calendário, ocorreu em 3761 a. C. O calendário se apoia no ano lunar e tem doze meses de 29 ou trinta dias, com 354 dias ao todo. Acrescenta-se um mês extra sete vezes durante cada ciclo de dezenove anos, para alinhar o ano lunar pelo ano solar; com esse arranjo, as datas festivas mudam de ano em ano, do mesmo modo que a Páscoa cristã. Três delas são festas de peregrinação, com raízes no antigo Israel. Eram ocasiões em que todos os homens deviam fazer uma peregrinação ao Templo de Jerusalém, levando seus sacrifícios. Algumas outras festas se fundamentam em acontecimentos históricos.

O *Ano-Novo* (*Rosh ha-Shaná*, em hebraico) é celebrado em setembro ou outubro. No mês anterior, todos os judeus procuram cuidar especialmente bem de suas obrigações religiosas e praticar atos de caridade. É uma data em que cada um deve se concentrar na autoanálise e no arrependimento, refletindo sobre suas ações e tentando melhorá-las. Mas os festejos do Ano-Novo também comemoram Deus como criador e rei. O serviço religioso do Ano-Novo contém orações em que predomina o arrependimento. Uma parte do ritual consiste em tocar um chifre de carneiro. Este simboliza o carneiro que Abraão sacrificou no lugar de Isaac e lembra, portanto, a compaixão divina. Uma grande refeição festiva é preparada nas casas, com diversos pratos simbólicos. É hábito comer maçãs mergulhadas no mel, enquanto os convivas fazem votos de que todos tenham "um ano bom, um ano doce".

O *Dia do Perdão*, ou Iom Kipur (dia da expiação), encerra o período de dez dias de arrependimento iniciado no Ano-Novo. Tradicionalmente, no antigo Israel, o Dia da Expiação era o único dia do ano em que o sumo sacerdote entrava no Santo dos Santos, o recinto mais sagrado do Templo. Isso se dava após o sacrifício de um carneiro, como sinal de expiação pelos pecados do povo. Hoje em dia os pecados são confessados na sinagoga e o indivíduo pede perdão a Deus depois de ter se reconciliado com seus semelhantes. O serviço é finalizado com o toque do chifre de carneiro e com os votos: "No ano que vem em Jerusalém". Essa é a comemoração mais importante e mais pessoal para os judeus.

A *Festa dos Tabernáculos*, ou *Sukot* (festa das tendas), acontece poucos dias depois do Dia do Perdão. Nela se constroem cabanas de folhas, no jardim da casa ou próximo à sinagoga. Isso é feito em memória das tendas onde os judeus moraram durante sua peregrinação no deserto e do cuidado que Deus dedicou a eles. Mas essa festa é também uma alegre ação de graças pela colheita. No último dia se conclui o ciclo anual da leitura da Torá, e um novo ciclo se inicia, recomeçando a leitura a partir do Gênesis. Os rolos da Torá são tirados de sua arca e levados numa procissão cerimonial.

A *Festa da Inauguração* (*Chanuká*) é comemorada em novembro ou dezembro durante um período de oito dias. A cada dia se acende uma vela, num candelabro de oito ramificações típico de Chanuká. Essa festa comemora uma grande vitória dos judeus ocorrida em 165 a. C., quando inauguraram novamente o Templo de Jerusalém, depois que os invasores sírios o haviam profanado e proibido o culto judaico. Essa festa vem adquirindo características semelhantes às do Natal cristão, com troca de presentes e muita atenção às crianças.

A *Páscoa* em hebraico é chamada *Pessach*, que significa "passar por cima". É uma referência ao relato da Torá sobre o anjo do Senhor que, ao levar a décima praga ao Egito, "passou por cima" das casas dos israelitas e, desse modo, só os primogênitos egípcios morreram. O Pessach é celebrado em março ou abril e comemora o êxodo dos judeus da escravidão do Egito. Antes do início do Pessach, os judeus devem fazer uma limpeza ritual na casa. Devem usar ainda um serviço especial de pratos para a comida e não podem comer nem beber nada que contenha grãos ou farinha fermentada. A Páscoa também é denominada "festa do pão ázimo", pois celebra a ocasião em que os judeus saíram do Egito às pressas, sem tempo de esperar o pão fermentar e crescer. Assim, durante os oito dias da Páscoa se come apenas *matsá*, que é pão ázimo, ou sem fermento.

Quando a família senta para fazer a refeição de Pessach, uma criança pergunta: "Por que esta noite é diferente de todas as noites?". E o pai então explica como os judeus saíram do Egito e se tornaram um povo.

A refeição da Páscoa é chamada *seder*, palavra hebraica que quer dizer "ordem", pois segue um ritual fixo, com pratos tradicionais de significado simbólico. Devem-se mergulhar ramos de salsa numa tigela com água salgada, simbolizando as lágrimas dos judeus no Egito. As ervas amargas lembram a infelicidade da escravidão sob o domínio do faraó. Uma mistura de maçã ralada, nozes, vinho e mel representa o cimento que os judeus utilizavam para fazer tijolos. Um osso de carneiro assado simboliza o sacrifício pascal. Ovos cozidos recordam os sacrifícios feitos no Templo. Bebe-se também vinho, o símbolo da alegria.

A *Festa das Semanas* (*Shavuot*), ou o Pentecostes judaico, cai em maio ou junho e comemora a ocasião em que a Torá foi dada ao povo no monte Sinai. Na sinagoga são lidos os dez mandamentos e o Livro de Rute. A história do livro de Rute se passa durante a colheita de trigo, e no antigo Israel os peregrinos chegavam ao Templo com cestas carregadas das primeiras espigas de trigo. Hoje, as decorações com flores e ramos lembram a área em torno do Sinai. A refeição é composta sobretudo de frutas, peixe e alimentos leves feitos de leite: bolos de queijo, panquecas etc. Isso porque quando os judeus receberam a Torá no Sinai, com a proibição de comer carne e leite na mesma refeição, decidiram se afastar da carne.

ISLÃ

O QUE SIGNIFICA A PALAVRA ISLÃ?

O islã teve origem na Arábia e ainda hoje está intimamente relacionado à cultura árabe. Entre outras razões, porque o livro sagrado dos muçulmanos, o *Corão* ou *Alcorão*, foi escrito em árabe. Em consequência, o elemento árabe é importante no islã, embora hoje só uma minoria dos muçulmanos seja árabe. O islã está amplamente difundido em vastas regiões da África e da Ásia, e é praticado por uma sétima parte da população do mundo (por volta de 15%). Atualmente é a segunda maior religião do planeta depois do cristianismo, e grandes levas de imigrantes asiáticos e africanos o transformaram também na maior religião de minorias étnicas na Europa.

A palavra árabe *íslam* significa "submissão". É um significado forte. Percebe-se na raiz do nome algo essencial nessa religião: o homem deve se entregar a Deus e se submeter a Sua vontade em todas as áreas da vida. Trata-se da condição para ser *muçulmano*, palavra árabe que tem a mesma raiz que *íslam*.

Como religião, o islã não compreende apenas a esfera espiritual, mas todos os aspectos da vida humana e social. A interpretação da lei, o direito, sempre ocupou um lugar relevante na história do islã. Na maioria dos países islâmicos, os que têm conhecimentos jurídicos costumam atuar como líderes religiosos. Não existe um sacerdócio organizado.

Uma descrição geral do islã se divide em três tópicos principais:

- *credo (monoteísmo e revelação)*;
- *deveres religiosos (os cinco pilares)*, e
- *relações interpessoais (ética e política)*.

Antes de examinar esses aspectos, porém, é indispensável dizer algo acerca do fundador do islã: Maomé, Mohammed ou Muhammad.

MAOMÉ

Por muito tempo o islã foi conhecido no Ocidente como "maometanismo", em razão da forte influência do profeta Maomé sobre o islã.

O islã, a mais recente das grandes religiões mundiais, remonta a Maomé, que nasceu em Meca, na Arábia, no final do século VI, por volta de 570 d. C. Filho de uma das principais famílias da cidade — importante centro comercial e posto de parada para as caravanas que transitavam pela península Arábica —, Maomé ficou órfão ainda criança. Um de seus tios, Abu Talib, cuidou dele e o sustentou quando ele começou a fazer suas prédicas. Foi esse mesmo tio que levou Maomé a trabalhar como condutor de camelos para Khadidja, a rica viúva de um mercador, de excelente família, que embora quinze anos mais velha que ele, mais tarde se tornou sua esposa. Khadidja foi a primeira a seguir Maomé quando ele lhe falava das revelações que tinha; ela exerceu bastante influência em seu desenvolvimento religioso. Maomé nunca teve outra esposa.

A FORMAÇÃO RELIGIOSA DE MAOMÉ

Meca era não apenas um importante centro comercial, mas também um dos centros religiosos da Arábia. As tribos nômades que viviam próximas à cidade já consideravam sagrada a *pedra negra* de Meca, que recebia peregrinações bem antes da época de Maomé. Porém, tanto em Meca como entre os beduínos, cultuavam-se e se adoravam muitos deuses e seres sobrenaturais. Com frequência, tratava-se de deuses tribais, já que a tribo e a família eram centrais para o modo de vida dos nômades. Não existia nenhum sistema legal fora da tribo. Se um indivíduo transgredisse as leis e os costumes desta, era expulso como fora da lei.

A tribo era unida pelos laços de sangue. Se um de seus membros fosse assassinado, a linhagem da tribo sofria. Essa perda tinha de ser compensada por uma vingança, prática bastante difundida, que resultou em diversas rixas sangrentas entre as tribos beduínas.

Na época de Maomé, em muitos lugares a transição da sociedade beduína nômade para uma sociedade urbana mais fixa ia causando a extinção da religião tradicional. Em decorrência disso, aumentou a influência das duas grandes religiões, o judaísmo e o cristianismo. Maomé foi particularmente influenciado pelo monoteísmo e pela noção de fim do mundo acompanhado do Juízo Final.

Os judeus se estabeleceram em toda a Arábia depois da queda de Jerusalém e da destruição do Templo, no ano 70 d. C., e aos poucos passaram a adotar a língua e o estilo de vida árabes, ao mesmo tempo que mantinham sua própria crença e seu culto mosaico.

Também o cristianismo se espalhou rapidamente por todo o Oriente Médio durante os primeiros séculos da nossa era. Havia Estados cristãos como a Abissínia (atual Etiópia). Muitas tribos beduínas se converteram ao cristianismo, e era possível encontrar cristãos entre os escravos e as camadas inferiores em Meca.

Provavelmente foram os monges e eremitas cristãos, os quais viviam isolados do mundo no deserto da Arábia, que exerceram a maior influência sobre Maomé. A atitude do Corão para com esses cristãos, que estimavam mais a comunhão com Deus do que o comércio, é uma atitude positiva. Devotos e generosos, eles ajudavam os viajantes no deserto.

É necessário que compreendamos o panorama religioso extremamente complexo da Arábia para podermos apreciar o crescimento do islã.

DEUS SE REVELA A MAOMÉ

Todo ano, Maomé se retirava para uma caverna numa montanha dos arredores de Meca, onde meditava. Esse também era o hábito dos monges e eremitas cristãos, que, diferentemente de Maomé, fundamentavam suas meditações em algum texto ou passagem selecionada, em geral dos evangelhos. Ao completar quarenta anos, Maomé teve uma revelação na caverna. O anjo Gabriel de repente lhe apareceu com um pergaminho e ordenou a ele que o lesse. Maomé respondeu que não sabia ler, e o anjo disse:

Recita em nome do teu Senhor, que criou, criou o homem a partir de
[coágulos de sangue.
Recita! Teu senhor é o Mais Generoso, que pela pena ensinou ao homem
[o que ele não sabia.

Em árabe, a palavra *recitar* tem a mesma raiz que *Curan*, que significa "ler", ou "ler alto". O Corão é o livro sagrado dos muçulmanos e reúne as revelações de Maomé. Assim, os muçulmanos, do mesmo modo que os judeus e os cristãos, passaram a ter um texto sagrado. O Corão só foi escrito depois da morte de Maomé. Seus 114 capítulos (suras) foram arranjados de maneira tal que os mais longos vêm primeiro, mesmo os que Maomé recebeu numa data posterior aos mais curtos. A exceção é a sura 1, no início do Corão.

DE MECA A MEDINA

Depois de sua revelação, Maomé começou a pregar em Meca. Ele se proclamou profeta ou mensageiro de Deus, o que foi visto pelas famílias poderosas de Meca como uma tentativa de usurpar a autoridade política da cidade. Grupos importantes também se opuseram a suas afirmações de que Alá era o único e verdadeiro Deus. Se fossem jogar fora todos os velhos deuses e deusas que seus antepassados adoraram, estariam reconhecendo que estes tinham sido pagãos.

130

A oposição a Maomé cresceu. Após a morte de seu tio e de sua esposa, as coisas pioraram cada vez mais para o profeta e seus seguidores em Meca. Nesse ínterim, Maomé havia atraído outros seguidores na cidade de Medina, os quais estavam prontos para aceitá-lo como um dos seus. Assim, em 622, ele saiu de Meca em segredo e alguns dias depois chegou a Medina, onde seus seguidores já o esperavam.

A emigração de Maomé é conhecida em árabe como a *Hijra* (Hégira), que significa "rompimento" ou "partida". Maomé rompeu com a própria comunidade, os parentes e sua cidade natal. Não se tratou de uma fuga, mas o fato foi comparado à história bíblica de Abraão que, atendendo à ordem de Deus, deixou seu lar em Ur, na Mesopotâmia.

MAOMÉ COMO LÍDER RELIGIOSO E POLÍTICO

Em Medina, Maomé logo se tornou um líder religioso e político. Assaltando as caravanas que pertenciam às famílias de Meca, conseguiu se firmar financeiramente. Essas atividades faziam parte de sua luta para obter o controle da cidade de Meca, com seu acesso à relíquia sagrada da Caaba, e também para difundir a nova religião. O nome dado a essa batalha, ou *luta — jihad —*, é o mesmo que mais tarde foi empregado para designar a guerra santa. A luta pela causa de Alá ganha precedência sobre todos os outros interesses, bem como sobre as tradições e os conceitos morais e religiosos herdados do passado.

Na década seguinte, Maomé tomou a cidade de Meca e, por meios militares e diplomáticos, subjugou grande parte da Arábia. Antes de morrer, em 632, ele tinha conseguido unir o país e transformá-lo num só domínio, onde a religião se tornara mais importante que os antigos laços familiares e tribais.

O CISMA NO ISLÃ APÓS MAOMÉ

Quando Maomé morreu, os muçulmanos passaram a ser liderados por *califas*, ou sucessores. Os três primeiros califas eram parentes do profeta ou estavam entre os primeiros convertidos.

O quarto califa, que se chamava Ali, era filho do tio de Maomé, Abu Talib, e portanto seu primo. Mas Ali era também genro de Maomé, casado com sua filha, Fátima.

O cisma no mundo islâmico começou na época de Ali. Sua liderança foi repleta de controvérsias, e ele acabou assassinado pelos adversários. Desde a morte de Maomé, seus seguidores acreditavam que Ali, por ser o parente mais próximo do profeta, era o sucessor natural. O partido de Ali, ou *Shiat Ali*, formou a base para o ramo do islã que hoje é conhecido como *Shia*, adotado como a religião oficial do Irã.

Assim, a principal dissidência no islã não foi causada por uma divisão ideológica, mas por um desacordo sobre quem devia ser o líder. A facção *xiita* (*Shiat Ali*) acreditava que o líder devia ser um descendente direto do profeta, ao passo que a facção maior, a *sunita*, julgava que a liderança cabia ao indivíduo que de fato controlava o poder.

Após a morte de Ali, o califado teve sede em Damasco por algum tempo e a seguir instalou-se em Bagdá, onde permaneceu por um período de quinhentos anos. Depois disso, a liderança passou para o sultão turco de Istambul. O último sultão foi derrubado em 1924, e desde então o mundo islâmico deixou de ter um califa como líder.

A DIFUSÃO DO ISLÃ

Não obstante o cisma, o islã se espalhou rapidamente. No século seguinte à morte de Maomé, as duas grandes potências da época, o Império persa e o Império bizantino, entraram em declínio. O vácuo foi preenchido pelos conquistadores árabes, que tinham uma nova religião pela qual lutar. Partindo do Norte da África, eles atravessaram o estreito de Gibraltar, entraram na Europa e chegaram até Poitiers, na França, onde foram detidos. Durante vários séculos os árabes dominaram a metade sul da península Ibérica, a Andaluzia, onde ainda se encontram vestígios da cultura árabe.

Apesar do colonialismo europeu do século XIX, até hoje o

islã predomina no Norte da África, de onde se espalhou por vastas áreas da África Oriental e Ocidental.

Logo que se iniciou, o islã avançou para o Oriente, em direção à Índia e à Indonésia. Quando a Índia, antiga colônia britânica, conquistou sua independência, temendo a explosão de uma guerra entre hindus e muçulmanos, estabeleceu dois Estados separados: a Índia, com maioria hindu, e o Paquistão, com maioria muçulmana. O Paquistão Oriental depois se tornou independente, com o nome de Bangladesh.

Atualmente o grande movimento pan-islâmico se divide em Estados-nações que lutam por uma maior unidade muçulmana internacional, mas também competem entre si pela liderança.

Nos últimos anos os países europeus receberam um grande número de imigrantes muçulmanos vindos da África e da Ásia, o que levou o islã a se tornar a segunda maior religião da Europa de hoje.

O CREDO

O credo do islã está resumido nesta curta declaração de fé: "Não há Deus senão Alá, e Maomé é seu Profeta".

Esses dois pontos constituem o núcleo da doutrina islâmica: o monoteísmo e a revelação por intermédio de Maomé.

MONOTEÍSMO

Sobre o nome do Deus muçulmano, Alá, é importante observar que não se trata de um nome pessoal, e sim da palavra árabe que significa "Deus". Os judeus e os árabes cristãos já a haviam empregado antes de Maomé. Ela também designava um deus que habitava o céu e que era adorado na antiga Arábia.

A palavra árabe *Alá* se relaciona etimologicamente com a palavra hebraica *El*, que é usada na Bíblia para nomear o Deus dos hebreus.

Maomé atacou com veemência o politeísmo dos árabes. Ele ressaltou, assim como fizeram os judeus e os cristãos, a crença num só Deus, que é criador e juiz. Esse Deus criou o mundo e tudo o que nele há, e no último dia irá trazer todos os mortos de volta à vida para julgá-los.

O islã não proíbe que se desfrute a vida na terra, mas lembra que se deve ter sempre em mente o fato de que esta não passa de uma preparação para a vida que começará depois do julgamento divino. Essa outra vida — seja no céu ou no inferno — é descrita em detalhes no Corão, mas há discordâncias quanto a sua interpretação, que pode ser literal ou metafórica.

A crença num julgamento final após a morte — tão significativa nas pregações de Maomé — é necessária, segundo muitos muçulmanos, para que o homem assuma a responsabilidade sobre seus atos. A ideia de um julgamento cria um senso moral de dever que é relevante para a comunidade.

No entanto, Deus não é apenas um juiz onipotente; além disso, é repleto de amor e compaixão. Todas as suras do Corão começam com as palavras: "Em nome de Alá, o Misericordioso, o Compassivo". Embora Deus seja aquele a quem todos devem se submeter, também é o que perdoa e auxilia o homem.

Uma expressão islâmica corrente, que é sempre repetida no chamado às preces, é "Alá hu Akbar": "Deus é o maior", ou "Deus é maior". Entre outras coisas, isso significa que Deus é maior do que qualquer coisa que possamos compreender. Ele não pode ser comparado com as pretensões humanas. Não pode ser assemelhado a nada, e não há ninguém que seja seu igual.

O homem não merece nada de Deus, não pode invocar direitos sobre nada. A salvação e a fé brotam somente da graça de Deus, e são coisas que os seres humanos podem apenas ter esperança de conseguir.

O fato de que Deus é maior também implica que ele ultrapassa todas as concepções dos mortais. Este é o argumento utilizado pelos muçulmanos para explicar aparentes contradições no Corão.

REVELAÇÃO

Deus falou ao homem por intermédio de seu profeta Maomé, o último de uma linha de profetas que ele enviou à humanidade: Adão, Abraão, Moisés, Davi e Jesus. Originalmente, Maomé se considerava parte da comunidade judaico-cristã. Aos poucos ele se distanciou tanto dos judeus como dos cristãos. Logo de início os judeus apontaram que Maomé cometera erros em sua reinterpretação das narrativas do Antigo Testamento. Maomé não aceitou a acusação: as revelações que recebia eram a Palavra de Deus; assim, os judeus é que deviam ter distorcido o significado de suas escrituras sagradas.

A fim de criar um fundamento histórico para sua nova religião, Maomé se reportou a Abraão e seu filho Ismael, antepassado dos árabes. Ensinou que Abraão e Ismael tinham reconstruído a sagrada Caaba, que fora erigida por Adão mas destruída pelo dilúvio na época de Noé. Segundo Maomé, os judeus, os cristãos e os politeístas haviam corrompido o monoteísmo original de Abraão.

Quando chegou a Medina — onde havia uma grande população judaica —, Maomé ensinou que se deve orar com o rosto voltado na direção de Jerusalém. Depois do rompimento com os judeus, ficou decidido que o fiel deve se virar de frente para Meca. E a sexta-feira foi designada como o dia festivo da semana em vez do sábado, que é o Shabat judaico.

O ataque mais severo de Maomé contra o cristianismo se dirigiu à Trindade, que, segundo ele, é uma quebra do monoteísmo puro.

O Corão islâmico é, literalmente, a Palavra de Deus. Pode-se ilustrar melhor essa ideia fazendo uma comparação com o cristianismo.

O cristianismo ensina: "E o Verbo se fez carne, e habitou entre nós" (João 1,14). Jesus é a revelação. No islamismo, Maomé é apenas um intermediário, pois a verdadeira revelação ocorre no próprio Corão. No cristianismo a Palavra de Deus se tornou uma pessoa; no islamismo, um livro. Portanto, não é correto comparar Jesus com Maomé e a Bíblia com o Corão. Seria mais apropriado dizer que existe um paralelo entre Jesus e o Corão.

Outra diferença importante entre a Bíblia e o Corão é que a Bíblia é um texto histórico, ao passo que o Corão é "incriado" e existe para sempre.

OBRIGAÇÕES RELIGIOSAS — OS CINCO PILARES

As obrigações religiosas dos muçulmanos são consideradas "os cinco pilares":

- *o credo;*
- *a oração;*
- *a caridade;*
- *o jejum, e*
- *a peregrinação a Meca.*

1. CREDO

"Não há outro Deus senão Alá, e Maomé é seu Profeta."

Esse credo é repetido pelos fiéis várias vezes todos os dias e proclamado do alto dos minaretes nas horas de oração. Esse ato de fé se encontra nas paredes das mesquitas. É a primeira coisa que se deve sussurrar ao ouvido da criança recém-nascida e a última a se murmurar no ouvido dos moribundos. O ato de fé é o ponto-chave da religião islâmica.

2. ORAÇÃO

O islã requer que o fiel diga suas preces cinco vezes por dia. Antes de cada um dos cinco horários fixos para a oração, ouve-se o chamado à reza vindo dos minaretes, que são as torres das mesquitas. Antigamente um homem denominado *muezim* fazia o chamado; hoje, porém, em geral é uma fita gravada que repete as conhecidas palavras:

Alá é Grande,
não há outro Deus senão Alá
e Maomé é seu profeta.
Vinde para a oração, vinde para a salvação,
Alá é Grande,
não há outro Deus senão Alá.

Antes da oração o fiel deve estar ritualmente limpo. Os muçulmanos creem que as pessoas se tornam impuras em razão de suas funções corporais — inclusive atos sexuais — e, portanto, devem passar por uma purificação. Isso significa lavar o corpo inteiro em água corrente. Em outras ocasiões, basta lavar as mãos e o rosto. Não é raro que haja banhos especiais próximos às mesquitas. Tais regras levaram a um alto padrão de higiene nos países árabes, já desde os tempos antigos (veja as suras 4:46 e 5:8-9).

A maioria das orações islâmicas são fórmulas fixas, um ritual que exige palavras e gestos bem definidos. Embora exista também a oração espontânea, na qual o fiel pode se dirigir a Deus para falar de algo pessoal, a oração ritual deve ser dita em primeiro lugar. Ela consiste sobretudo em louvores a Deus. Uma oração constantemente repetida é a sura 1 — o Exórdio:

Louvado seja Deus, Senhor do Universo,
O Caridoso, o Compassivo,
Soberano do Dia do Juízo!
Só a Ti adoramos, e só a Ti recorremos em busca de ajuda.
Guia-nos pelo caminho direito,
O caminho daqueles a quem Tu favoreceste,
Não daqueles que incorreram na Tua ira,
Não daqueles que se desviaram.

As cinco orações diárias podem ser ditas em qualquer lugar. A maioria das pessoas possui um tapetinho ou uma esteira especial onde se ajoelham e rezam, e seus gestos são sempre dirigidos para Meca. Os gestos têm tanto valor quanto as palavras; eles enfatizam a submissão do homem — a palavra *islã* significa isso, "submissão" — e mostram que o corpo e a alma são igualmente importantes.

Sempre que possível, o fiel deve participar das orações da congregação pelo menos uma vez por semana, de preferência numa mesquita. Isso é especialmente relevante nas orações de sexta-feira ao meio-dia, quando o serviço inclui um sermão. "Fiéis, quando fordes chamados para as orações de sexta-feira, apressai-vos a vos lembrar de Deus e cessai vosso comércio" (62:9).

Os que compareçam à mesquita devem estar respeitosamente vestidos, tirar os sapatos antes de entrar e acompanhar os movimentos de quem preside as orações de maneira ordenada e disciplinada. O líder das orações também fica de frente para Meca, isto é, de costas para a congregação.

Normalmente são só os homens que oram no salão principal da mesquita. As mulheres ficam numa galeria, ou escondidas atrás de uma cortina bem no fundo.

Qualquer homem adulto muçulmano pode ser um dirigente das preces, um *imã*. Não há sacerdócio organizado no islã. Entretanto, em geral o dirigente das orações e responsável pelos sermões tem uma boa educação teológica e é funcionário da mesquita.

3. CARIDADE

A caridade é, na verdade, uma taxa ou um imposto formal sobre a riqueza e a propriedade. Está fixada em 1/40, ou seja, 2,5%, mas as pessoas são incentivadas a dar mais. De acordo com Maomé, essa taxa deve ser tirada dos ricos e dada aos pobres. "Devem-se dar esmolas apenas aos pobres e destituídos; àqueles que se empenham na administração das esmolas e àqueles cujos corações são simpáticos à Fé; para a libertação dos escravos e dos devedores; para o avanço da causa de Deus; e para o viajante em necessidade."

"Caridade" não é uma tradução plena da palavra árabe, pois ela é mais do que um presente. É um dever para o muçulmano, um dever dado por Deus, como diz o Corão.

Quando essa taxa é recolhida e destinada a usos sociais, ela se torna parte da política oficial de redistribuição de um Estado islâmico. O objetivo é diminuir as desigualdades entre ricos e pobres, sem interferir no princípio da propriedade privada.

O dever de dar esmolas também influenciou o desenvolvimento do socialismo islâmico em alguns países.

4. JEJUM

O Corão proíbe os muçulmanos de comer porco, por ser um animal impuro. Proíbe também o álcool. Afora isso, o islã não prega o ascetismo de qualquer espécie. Ao contrário, o Corão diz: "Deus deseja o vosso bem-estar, não o vosso desconforto". A grande exceção é o jejum durante o *Ramadan*, o nono mês do ano lunar. Entre o nascer do sol e o pôr do sol é proibido comer, beber, fumar ou ter relações sexuais. Os viajantes, os doentes, as crianças e as mulheres grávidas ou que estão amamentando são exortados a cumprir o jejum numa data posterior.

À noite essas proibições são suspensas; assim, em diversos lugares a vida noturna é animada e há boa comida e bebida, enquanto muitos fiéis se reúnem nas mesquitas para passar a noite ouvindo o Corão. Ramadan, o mês de jejum, foi o mês em que Maomé teve sua primeira revelação. O jejum simboliza o retiro que cada muçulmano deveria fazer, como fez Maomé.

5. PEREGRINAÇÃO A MECA

Todo muçulmano adulto que dispõe de meios para realizar uma peregrinação a Meca, deve fazê-lo pelo menos uma vez na vida. Ali se encontra o santuário sagrado mais antigo do islã, a Caaba. Trata-se de um edifício quadrado coberto por um pano negro. Num canto da Caaba fica uma pedra negra incrustada na parede; essa pedra tem um enorme significado simbólico.

Para os muçulmanos, Meca e a Caaba são o centro do mundo. Não só os fiéis se voltam para Meca quando oram; também as mesquitas são construídas com o eixo mais longo apontando para lá. Os mortos são enterrados voltados para Meca, e a cidade é o destino das peregrinações.

Meca é visitada todos os anos por cerca de 1,5 milhão de peregrinos, metade dos quais vem de fora da Arábia. O número de peregrinos aumentou de maneira extraordinária depois que se organizaram os voos charter para lá. A grande mesquita de Meca foi completamente reconstruída e hoje pode abrigar 600 mil pessoas. Só os que podem provar que são muçulmanos recebem visto para entrar na cidade santa.

Quando os peregrinos se aproximam de Meca, passam a usar vestes brancas. Nos dias que se seguem eles irão realizar uma série de ritos, dentro e fora da cidade. A maioria desses rituais enfatiza sua ligação com Abraão ou Maomé, pois ambos mostraram obediência a Deus. O primeiro rito consiste em caminhar em torno da Caaba sete vezes, e muitos tentam beijar a pedra negra. Diz a tradição que essa construção foi erigida por Abraão e Ismael, filho de Abraão com sua escrava Agar.

Outro momento importante é quando os peregrinos se postam no monte Arafat, desde o meio-dia até o pôr do sol, sem permissão para proteger a cabeça do calor intenso. Foi no monte Arafat que Adão e Eva se encontraram de novo, depois que foram expulsos do jardim do Éden. Os peregrinos passam várias horas ali juntos, afirmando assim seu pacto com Deus e sua crença de que não há outro Deus.

O clímax vem com o festival dos sacrifícios. Os peregrinos matam um animal (um carneiro, bode, camelo, boi etc.). Esse sacrifício serve para lembrar aos muçulmanos que Abraão foi tão obediente a Deus que se dispôs a sacrificar seu próprio filho (embora no islã o filho seja chamado de Ismael, e não de Isaac como nos Livros de Moisés). Deus, porém, foi misericordioso e lhe enviou um animal para que ele o sacrificasse em lugar do filho. Aqui se revela claramente o cerne religioso da peregrinação: a obediência à vontade de Deus.

RELAÇÕES HUMANAS — ÉTICA E POLÍTICA

Tradicionalmente, no islã não há distinção entre a religião e a política, tampouco entre a fé e a moral. Todas as obrigações religiosas, morais e sociais do homem estão estabelecidas na sagrada lei muçulmana, a *xariá*.

Xariá significa "caminho para o oásis", ou seja, o caminho correto para a conduta humana, que foi mostrado por Deus ao homem. A lei sagrada se expressa sobretudo no Corão, que é muito mais que um texto religioso. Trata-se de um livro de leis que contém instruções fixas e rígidas sobre o governo da sociedade, a economia, o casamento, a moral, o status da mulher etc.

Quando o Corão não dá instruções definitivas, os muçulmanos se voltam para a *suna*. Eles estudam os exemplos dados por Maomé e pelos califas. Relatos sobre a vida de Maomé e suas pregações foram escritos em coletâneas chamadas *hadith*, durante os primeiros séculos após a morte do profeta.

Tanto o Corão como as narrativas *hadith* se referem a um tipo de sociedade que hoje em dia praticamente não existe mais. Portanto, interpretar e adaptar as regras da escritura e da tradição é uma tarefa considerável. Ela pode ser realizada segundo dois princípios diferentes, o da similaridade e o do consenso.

Princípio da similaridade ou analogia. Para solucionar um problema totalmente novo, encontra-se um exemplo semelhante (ou análogo) no Corão, ou um precedente, e se estuda a base para uma decisão.

Princípio do consenso. Diz-se que Maomé afirmou que os fiéis nunca poderiam concordar coletivamente acerca de algo que estivesse errado. Assim, uma decisão que os fiéis tomam em comum pode ser vista como lei por seus representantes, os especialistas legais. Um exemplo ocorreu quando os líderes religiosos resolveram proibir o café. A decisão foi recebida com protestos tão veementes pelas pessoas comuns que os líderes concordaram em anular a proibição.

O movimento xiita utiliza um terceiro princípio, relacionado com seus conceitos sobre a revelação. Os sunitas afirmam que a revelação vem apenas uma vez, em sua forma final. Porém, para os xiitas ela pode ser contínua, por intermédio de seus líderes, os imãs. Isso implica que é possível dar novas interpretações da lei, baseadas na "compreensão pessoal" do imã.

TRADIÇÃO E REFORMA

Maomé e os primeiros califas eram tanto líderes políticos como religiosos. Tinham a capacidade de usar o Corão como guia em todas as áreas da vida social, sem muita dificuldade.

Em épocas mais recentes, os encontros com a cultura e a economia do Ocidente ocasionaram certas mudanças. No século XIX a Turquia lançou uma série de reformas legais destinadas a facilitar a cooperação com a Europa Ocidental e a dar mais segurança legal aos não muçulmanos que residem dentro de suas fronteiras. O resultado foi a emergência de um sistema legal com dois níveis: a lei sagrada, que se aplica sobretudo aos assuntos particulares, e o direito público, que é secular.

Essa dualidade ficou ainda mais pronunciada em alguns dos novos Estados nacionais que foram surgindo, muitas vezes com líderes influenciados pelos ideais ocidentais.

Além do direito público, fundamentado em princípios legais gerais, muitos países possuem um direito privado, que é da competência de tribunais religiosos especiais. Ele se aplica particularmente aos assuntos de família e de herança. Ao mesmo tempo, há uma pressão cada vez maior para que os princípios islâmicos sejam a base do direito público, como, por exemplo, da justiça criminal. Em 1972 a *Líbia* introduziu uma lei de justiça criminal apoiada na xariá. Ela inclui, por exemplo, a proibição de servir e beber álcool. A punição para os ladrões é a amputação da mão direita.

No *Paquistão* e no *Irã*, os levantes políticos da década de 1970 intensificaram o domínio do islã sobre a vida social.

Todavia, tornou-se óbvio, mesmo na Arábia Saudita, onde a xariá é universal, que é difícil ser totalmente coerente. Há diversas áreas, sobretudo a econômica, onde a xariá não é praticada.

142

A *Turquia* é uma exceção no mundo islâmico. Depois que o califa foi deposto, Mustafá Kemal "Ataturk" construiu com seu povo um Estado moderno em linhas ocidentais, onde o Estado e a religião foram devidamente separados. Em 1926 a xariá foi substituída nesse país por um código civil que julga as pessoas segundo uma lei comum, independentemente de religião.

ECONOMIA

O Corão tem uma visão favorável da atividade econômica. Menciona em particular o comércio, que era a principal fonte de subsistência em Meca, cidade de trânsito na época de Maomé. O Corão não questiona o direito à propriedade privada, mas há arranjos especiais que impõem certas limitações à riqueza e à propriedade. A mais importante é a proibição dos juros, proibição que não é aplicada de modo uniforme, em particular na área das finanças internacionais. A obrigação religiosa de dar esmolas passou a ser, na prática, uma taxa ou um imposto sobre a propriedade.

Em vários trechos o Corão alerta que as riquezas se tornam uma tentação que afasta as pessoas de Deus.

O pensamento social em que até certo ponto se baseia a ideia de caridade afirma que os ricos devem dar aos pobres. Os políticos de mentalidade reformista transformaram esse princípio numa política econômica de cunho socialista. Na maioria dos países árabes impera o mercado livre na economia.

AS MULHERES NO ISLÃ

Duas citações do Corão demonstram como este pode ser usado para fundamentar duas visões bem diferentes do papel da mulher: "Os homens têm autoridade sobre as mulheres porque Deus os fez superiores a elas" (sura 4:31). "As mulheres devem, por justiça, ter direitos semelhantes àqueles exercidos contra elas" (sura 2:228).

O contraste no tratamento de homens e mulheres é visível numa série de áreas da vida social, sobretudo nas leis relativas ao casamento. Mas, como muitos estudiosos islâmicos já indicaram, há também uma série de leis que protegem as mulheres dentro do casamento. Quando o contrato de casamento é assinado, o marido paga um dote que permanece propriedade da esposa e não pode ser usado sem o consentimento dela.

A mulher só pode ter um marido, ao passo que os homens podem ter até quatro esposas. A poligamia para os homens não era rara no Oriente Médio na época de Maomé. A exigência deste de que um homem não deve tomar mais esposas do que pode sustentar teve muitos efeitos positivos em sua época. Hoje, a poligamia é proibida na Turquia e na Tunísia.

O divórcio é possível, mas apenas quando iniciado pelo marido, que é responsável pelo lado financeiro do casamento. Há regras e condições abrangentes destinadas a evitar o excesso de facilidades para o divórcio, o qual, segundo Maomé, é "a atividade legal menos preferida por Deus". O índice de divórcios nos países árabes é o mais alto do mundo.

O marido também tem o direito de punir fisicamente a esposa se ela for desobediente. "Quanto àquelas de quem temes desobediência, deves admoestá-las, enviá-las a uma cama separada e bater nelas", diz a sura 4.

Diferentemente da circuncisão para os homens, a excisão do clitóris (mutilação genital feminina) não é obrigatória para as mulheres; tampouco se menciona tal mutilação no Corão. Mesmo assim, ela é praticada com frequência no Norte da África. Nos anos recentes, porém, vem encontrando forte oposição por causa de seus efeitos negativos sobre a vida sexual da mulher.

Nem mesmo a tradição de usar véu, ou *chador*, deriva do Corão, mas ela se difundiu por amplas áreas geográficas, independentemente da religião. Em sua origem, tal moda se limitava às classes superiores, não tendo penetração na sociedade agrícola, onde as mulheres deviam trabalhar no campo. A luta contra o véu vem sendo uma questão predominante na modernização de muitas nações árabes; entretanto, o reavivamento islâmico dos anos recentes também fortaleceu o apoio ao véu.

A FILOSOFIA NO ISLÃ

O islã se espalhou pela Ásia e pela África, mas foi a conquista da Espanha que mais afetou a história europeia. Entre os séculos VIII e XV, os árabes dominaram a parte sul da Espanha. Eles romperam com o califa de Bagdá e estabeleceram seu próprio califado em Córdoba. Essa cidade se tornou um centro cultural que atraía estudiosos de todo o mundo muçulmano, e demonstrava grande tolerância para com os judeus e os cristãos. A cultura hispano-moura passaria a exercer forte influência na Europa, não só na arquitetura e na literatura, mas também na filosofia. Foi graças aos filósofos árabes do Sul da Espanha que a Igreja católica descobriu Aristóteles, filósofo clássico da Grécia que haveria de desempenhar um papel considerável na formação do pensamento católico durante a Idade Média.

AVERRÓIS DE CÓRDOBA

O maior dos filósofos de Córdoba foi Ibn Ruchd, ou Averróis (1126-98). Ele acreditava que era seu dever defender a filosofia e a ciência, numa época em que forças poderosas dentro do islã desejavam impedir todo pensamento independente. Averróis foi um muçulmano devoto que aceitava a autoridade de Maomé e não questionava a veracidade do Corão. Acreditava, no entanto, que as afirmações do Corão podiam ser interpretadas de várias maneiras. O Corão é escrito para todas as pessoas, tanto cultas como ignorantes, e portanto utiliza um estilo alegórico bem específico. Os que não têm instrução precisam imaginar Deus sob uma forma humana e o paraíso como um lugar de confortos materiais. Contudo, comentava Averróis, os indivíduos mais esclarecidos percebem que esses conceitos são apenas símbolos que carregam um significado espiritual.

Averróis desejava combinar a religião com o pensamento fi-

145

losófico e científico, mas a oposição a esse ponto de vista não parou de crescer. Nos séculos que se seguiram à morte de Averróis, os estudiosos muçulmanos se concentraram no estudo das escrituras e da tradição. No século XX, porém, novas ideias de reforma e liberalização vêm sendo debatidas, e muitos muçulmanos têm tentado adaptar sua religião às condições atuais e à ciência moderna.

O SUFISMO — O MISTICISMO DO ISLÃ

Os primeiros séculos da história do islã foram dominados pelas atividades externas, pela guerra e pela diplomacia. Entretanto, logo surgiu um movimento que incentivava a reclusão e a meditação. Essa tendência recebeu o nome de sufismo, provavelmente em virtude das vestes de lã usadas por seus seguidores (a palavra árabe para "lã" é *suf*).

Os ideais do islã podem não incluir o ascetismo, mas apelam para que se adote uma atitude séria em relação ao Juízo Final, num estilo de vida simples e responsável. Por isso muitos muçulmanos se indignaram com a vida luxuosa que passara a reinar na corte do califa de Bagdá. Eles desejavam levar uma vida puritana, de jejum, oração e meditação.

Ao mesmo tempo, o conceito divino ia se alterando. Os sufis acreditavam que Deus era, acima de tudo, um Deus amoroso com quem o homem podia alcançar uma união mística. Esse pensamento parecia contrastar substancialmente com a ideia de Deus como o juiz exaltado, inacessível, a quem o homem deve se submeter. Em consequência, os primeiros místicos logo entraram em conflito com a corrente principal do islã. Em certos casos foram acusados de blasfêmia por causa de seu conceito de Deus. Um dos místicos que mais se destacaram foi executado. Tratava-se de *Halladj*, que acreditava que Deus passara a morar dentro dele, e que, portanto, havia total unidade e harmonia entre Deus e ele. Para os sufis, Jesus era tão importante como Maomé, e muitas palavras atribuídas a Maomé lembram palavras de Jesus registradas nos evangelhos, como, por exemplo: "Eu sou a verdade", "Quem me vir, verá a Ele", e também, quando foi crucificado: "Perdoai-os, Senhor, tende piedade deles". Em suma, no início do sufismo Jesus representou um papel importante como ideal ascético.

Um século e meio depois de Halladj, *Ghazali* tentou combinar a devoção do sufismo com os dogmas da corrente principal do islã. Ghazali foi um dos maiores pensadores do mundo. Nem o estudo da filosofia, nem o da lei o satisfizeram. Após uma longa busca, ele tomou o caminho do misticismo, onde todos os desejos e todas as preocupações são afastados para que o pensamento possa se concentrar em Deus. A conclusão de Ghazali foi que a verdade mística, real e última não pode ser aprendida, mas deve ser experimentada por meio do êxtase.

Em seu cerne, o misticismo sufi tem características comuns com o misticismo de outras religiões. O sufismo também usa exercícios especiais de meditação, como, por exemplo, uma oração ou uma palavra que é repetida continuamente, por vezes acompanhada de determinados movimentos ou exercícios de respiração. Trata-se de uma técnica para entrar em transe. Um auxílio usual é o rosário e a repetição dos "99 mais belos nomes de Deus".

O sufismo não é uma tendência organizada. Encontram-se sufistas tanto entre os muçulmanos xiitas como entre os sunitas.

CRISTIANISMO

O cristianismo é a filosofia de vida que mais fortemente caracteriza a sociedade ocidental. Há 2 mil anos permeia a história, a literatura, a filosofia, a arte e a arquitetura da Europa. Assim, conhecer o cristianismo é pré-requisito para compreender a sociedade e a cultura em que vivemos.

A Bíblia é o livro mais lido do mundo, hoje e em toda a história humana. Nenhum outro livro teve maior influência literária. Até mesmo escritores não cristãos reconheceram a Bíblia como sua fonte de inspiração mais importante.

DEUS, O CRIADOR

No princípio, Deus criou o céu e a terra.
Gênesis 1,1

A primeira ação descrita na Bíblia é a criação do céu e da terra por Deus. "O céu e a terra" é a expressão hebraica para "universo". A criação é descrita de duas maneiras diferentes no Gênesis, capítulos 1 e 2:

VERSÃO A

No princípio, Deus criou o céu e a terra. Ora, a terra estava vazia e vaga, as trevas cobriam o abismo, e um vento de Deus pairava sobre as águas.

Deus disse: "Haja luz" e houve luz. Deus viu que a luz era boa, e Deus separou a luz e as trevas. Deus chamou à luz "dia" e às trevas "noite". Houve uma tarde e uma manhã: primeiro dia.

Deus disse: "Haja um firmamento no meio das águas e que ele separe as águas das águas", e assim se fez. Deus fez o firmamento, que separou as águas que estão sob o firmamento das águas que estão acima do firmamento, e Deus chamou ao firmamento "céu". Houve uma tarde e uma manhã: segundo dia.

Deus disse: "Que as águas que estão sob o céu se reúnam numa só massa e que apareça o continente", e assim se fez. Deus chamou ao continente "terra" e à massa das águas "mares", e Deus viu que isso era bom. [Gênesis 1,1-10]

VERSÃO B

Essa é a história do céu e da terra, quando foram criados.

No tempo em que Iahweh Deus fez a terra e o céu, não havia ainda nenhum arbusto dos campos sobre a terra e nenhuma erva dos campos tinha ainda crescido, porque Iahweh Deus não tinha feito chover sobre a terra e não havia homem para cultivar o solo. Entretanto, um manancial subia da terra e regava toda a superfície do solo. [Gênesis 2,4-6]

148

Se compararmos essas duas versões da criação, fica imediatamente óbvio que há água demais na primeira e água de menos na segunda. Talvez o autor da história A tenha vivido numa área constantemente sujeita a inundações, por exemplo, a Mesopotâmia, a terra entre os rios Tigre e Eufrates. Já o autor da história B pode ter vivido numa área de deserto. Baseando-se em suas próprias condições locais, os autores imaginaram a criação como narrada nessas duas histórias (A e B).

AS DUAS HISTÓRIAS DA CRIAÇÃO: A COSMOCÊNTRICA E A ANTROPOCÊNTRICA

Essas duas histórias da criação são, portanto, dessemelhantes, e a razão disso é que elas surgiram em épocas diferentes e em ambientes diferentes. A primeira (Gênesis 1,1-10), que chamamos de história *cosmocêntrica* da criação, já que tenciona dar uma descrição sistemática de como o cosmo inteiro foi criado, chegou a sua forma presente no século VI a. C. Aqui a ênfase recai sobre o fato de que o mundo foi criado porque Deus assim o ordenou. Foi por causa de suas palavras que tudo passou a existir. As palavras "Deus disse" são repetidas várias vezes nessa versão. O que se realça é a soberania de Deus sobre sua criação. Ele é elevado acima de todas as coisas terrenas.

A segunda história da criação (Gênesis 2,4-6) é muito mais antiga. Talvez tenha chegado a sua forma atual já no século X a. C., e podemos chamá-la de história da criação *antropocêntrica* (da palavra grega *anthropos*, que significa "homem"), pois se concentra na criação do homem e em sua condição no mundo.

MITOS E CRENÇAS DA CRIAÇÃO

O objetivo das histórias da criação é descrever o que aconteceu no início dos tempos, quando o céu e a terra foram formados. Em geral chamamos essas histórias de *mitos*, ou histórias alegóricas. Os conceitos místicos do Gênesis dependem, claramente, de uma crença em Deus. É impossível reunir todo o material místico das histórias da criação e compor uma só imagem coerente do mundo. Na realidade, elas oferecem fragmentos de várias imagens do mundo, muito divergentes entre si.

Um ponto importante na teologia da criação bíblica é que o mundo não existiu desde tempos imemoriais. A palavra hebraica para criar é *bará*, que significa "fazer algo existir", ou "fazer algo do nada". Quando falamos que um artista está "criando" alguma coisa, queremos dizer que está formando algo com base num material já existente.

A crença que sustenta a história bíblica da criação deriva de mitos da criação de outras culturas, nas quais o homem imaginava que um ou mais deuses haviam organizado o mundo utilizando um material primordial informe. Na Bíblia, tudo o que existe deve sua origem a um comando real de Deus. "Porque ele diz e a coisa acontece, ele ordena e ela se afirma" (Salmo 33,9).

O MUNDO NÃO EXISTE POR ACASO

As histórias da criação não oferecem respostas para perguntas científicas sobre como o mundo veio a existir, quanto tempo isso demorou e qual era o aspecto do mundo em termos biológicos e físicos. A ênfase não está em *como* Deus criou o céu e a terra, mas no fato de que foi *ele* quem os criou. Em outras palavras, o mundo que habitamos não é resultado de um acaso ou acidente. A Bíblia salienta que há uma vontade divina por trás da existência do universo. O mundo foi criado e continua a existir por causa de algo fora de si mesmo. E esse algo não é uma força impessoal, mas o poder de um Deus pessoal.

Quando a ciência moderna demonstra a evolução do mundo desde o início até os dias de hoje, um cristão compreende isso como uma descrição humana da obra de Deus como criador. Deus não apenas *criou algo do nada*, como também deu a esse algo uma capacidade evolutiva inata. A evolução faz parte da criação. Se voltarmos à história cosmocêntrica da criação, veremos que ela nos oferece uma imagem *dinâmica*:

150

Deus disse: "Que a terra produza seres vivos segundo sua espécie: animais domésticos, répteis e feras segundo sua espécie" e assim se fez. Deus fez as feras segundo sua espécie, os animais domésticos segundo sua espécie e todos os répteis do solo segundo sua espécie; e Deus viu que isso era bom. [Gênesis 1,24-25]

O CRIADOR DO SER HUMANO

Deus criou o homem à sua imagem.
Gênesis 1,27

A criação do homem também é descrita de duas maneiras diferentes no primeiro e no segundo capítulo do Gênesis:

VERSÃO A

Deus disse: "Façamos o homem à nossa imagem, como nossa semelhança, e que ele domine sobre os peixes do mar, as aves do céu, os animais domésticos, todas as feras e todos os répteis que rastejam sobre a terra".

Deus criou o homem à sua imagem,
à imagem de Deus ele o criou,
homem e mulher ele os criou.
Gênesis 1,26-27

VERSÃO B

Então Iahweh Deus modelou o homem com a argila do solo, insuflou em suas narinas um hálito de vida e o homem se tornou um ser vivente.

Iahweh Deus disse: "Não é bom que o homem esteja só. Vou fazer uma auxiliar que lhe corresponda". Iahweh Deus modelou então, do solo, todas as feras selvagens e todas as aves do céu e as conduziu ao homem para ver como ele as chamaria: cada qual devia levar o nome que o homem lhe desse. O homem deu nomes a todos os animais, às aves do céu e a todas as feras selvagens, mas, para o homem, não encontrou a auxiliar que lhe correspondesse. Então Iahweh Deus fez cair um torpor sobre o homem, e ele dormiu. Tomou uma de suas costelas e fez crescer carne em seu lugar. Depois, da costela que tirara do homem, Iahweh Deus modelou uma mulher e a trouxe ao homem.

Então o homem exclamou:

> "Esta, sim, é osso de meus ossos
> e carne de minha carne!
> Ela será chamada 'mulher',
> porque foi tirada do homem!'".

Por isso um homem deixa seu pai e sua mãe, se une à sua mulher, e eles se tornam uma só carne.

Ora, os dois estavam nus, o homem e sua mulher, e não se envergonhavam. [Gênesis 2,7 e 2,18-25]

Antropólogos, filósofos, cientistas e escritores, todos tiveram e têm ideias diferentes sobre a natureza do homem. E todas as religiões têm sua própria concepção da humanidade. O ponto vital para um cristão é que o homem não foi criado a esmo, como se fosse um subproduto. Até mesmo as histórias da criação enfatizam que a humanidade é resultado da vontade e do poder de Deus. Isso indica, para a crença cristã, o valor do indivíduo. Não estamos flutuando no espaço. A humanidade tem um pai comum em Deus, e já que cada um de nós foi criado por ele, somos todos igualmente preciosos.

A VISÃO CRISTÃ DA HUMANIDADE

Os seguintes pontos têm importância considerável na visão cristã do ser humano:

A POSIÇÃO DE DESTAQUE DO SER HUMANO

Por um lado, as histórias da criação realçam os vínculos do homem com o restante da criação. "Então Iahweh Deus modelou o homem com a argila do solo, insuflou em suas narinas um hálito de vida e o homem se tornou um ser vivente" (Gênesis 2,7). O lado natural do homem também é expresso no jogo de palavras, no original hebraico, entre *adam* (homem) e *adamá* (terra). O homem é formado do mesmo material que as plantas e os animais. Somos feitos de pó e ao pó retornaremos. Por outro lado, o homem foi feito senhor da criação. Pode-se dizer que o ser humano é um ser orgânico e, ao mesmo tempo, é também algo mais.

O HOMEM FOI CRIADO À IMAGEM DE DEUS

A expressão "criado à imagem de Deus" destaca a ideia de que o homem tem um lugar especial na criação. É claro que o homem tem seu lugar na ordem natural geral, mas sendo a última coisa que Deus criou, ele tem dotes especiais e uma tarefa específica que o diferencia de todas as outras coisas criadas. Diz-se comumente que Deus criou o homem por amor — a fim de compartilhar o mundo com ele. Pois o homem não é apenas uma coisa viva, como as outras coisas vivas. O homem é uma pessoa e um indivíduo.

A ideia de que o homem foi criado à imagem de Deus também implica que ele foi feito para viver em harmonia com seu criador. Ele foi dotado da capacidade de experimentar o sagrado e de participar de atos de adoração divina.

O SER HUMANO É UM SER SOCIAL

O ser humano não foi criado apenas para viver com Deus; nós também fomos feitos para existir em comunhão uns com os outros. Tanto o Antigo como o Novo Testamento ressaltam que devemos nos amar uns aos outros assim como Deus nos amou. As duas histórias da criação, cada uma a sua maneira, também destacam a ideia de que Deus nos criou como homem e mulher. Podemos dizer que o casamento e a família são parte da criação. Por isso, muitas igrejas cristãs veem o casamento como uma instituição sagrada.

O SER HUMANO TEM LIVRE-ARBÍTRIO

Outro dom do homem é distinguir entre o certo e o errado. Uma das ideias fundamentais da Bíblia é que o homem é responsável por suas ações. O homem é capaz de ir contra a vontade de Deus. Podemos abusar da posição especial que Deus nos deu. A Bíblia chama a isso de pecado.

EXPRESSÕES QUE TENTAM DESCREVER DEUS

[Aparição de nosso Senhor Jesus Cristo] que mostrará nos tempos [estabelecidos

> *o Bendito e único Soberano,*
> *o Rei dos reis e Senhor dos senhores,*
> *o único que possui a imortalidade,*
> *que habita uma luz inacessível,*
> *que nenhum homem viu, nem pode ver.*
> *A ele, honra e poder eterno! Amém!*

Primeira Epístola de Paulo a Timóteo, 6,15-16

A Bíblia descreve Deus não apenas por suas ações (como criador e salvador), mas também com palavras que ilustram certas características principais da "imagem divina". Tais palavras são tomadas de nossa esfera imaginativa para descrever "aquilo que não é deste mundo". Para compreender essas expressões, muitas vezes precisamos nos reportar à época em que elas foram cunhadas. Por exemplo, considerando uma expressão aparentemente direta como "Deus é nosso pai", podemos ver que a interpretação deve levar em conta as condições históricas nas diferentes épocas em que a Bíblia foi escrita. O termo *pai* não tem absolutamente nada a ver com nossa ideia moderna dos papéis sexuais. "Pai", conforme a posição dos pais de família naquela época, significa alguém que ama seus filhos mas que também exerce autoridade e espera deles obediência. A Bíblia está nos dizendo que o amor de Deus é ilimitado em sua bondade e absoluto em suas exigências.

154

O DEUS DO AMOR

O principal comentário da Bíblia acerca de Deus é que ele é "amor". Essa não é uma descrição de uma entre outras características de Deus, mas uma sua qualificação geral. Tudo o que a fé cristã pode dizer a respeito de Deus são variações em torno desse grande tema. A Bíblia também destaca que é impossível para o ser humano conhecer a Deus ou amar a Deus se não nos amamos uns aos outros. Pois Deus *é* amor.

Todos nós sabemos que a palavra *amor* tem conotações distintas. Para compreender o que a Bíblia está afirmando quando diz que Deus é amor, pode ser útil saber qual o uso dessa expressão na língua original do Novo Testamento, o grego. Em grego há duas palavras que podem ser traduzidas pela palavra *amor*: *eros* e *agape*. *Eros* pode ser traduzido como "querer" ou "desejar". O filósofo grego Platão (*c.* 400 a. C.) usa a palavra *eros* ao falar do desejo que o homem tem da beleza, da excelência, do conhecimento e da eternidade. Para Platão, *eros* era um anseio inerente à humanidade. Ele expressa a origem elevada da alma, manifestando-se nos seres humanos como uma necessidade irresistível de partir em jornada rumo à pátria celestial. *Eros* é o anseio que sente o homem, esse ser transitório, pela eternidade. Podemos dizer que essa palavra descreve o amor que o homem tem pelas coisas que vale a pena amar, ou seja, pelas coisas valiosas. (Hoje em dia as palavras *eros* e *erótico* são usadas com um sentido mais restrito do que na filosofia platônica, isto é, no sentido do amor sexual.)

De certa forma, a palavra *agape* significa quase o oposto de *eros*. No Novo Testamento, a palavra é usada para designar o amor misericordioso e devotado de Deus pelo ser humano. Pois o amor de Deus é espontâneo e se autossacrifica sem pensar se a humanidade o "merece". Ele não emana da carência, mas da abundância, e também é dado em abundância àqueles que não merecem amor nem são dignos de amor. Nesse contexto, o amor de Deus é um modelo para a caridade cristã. Os primeiros cristãos usavam a palavra *agape* para designar suas refeições comunitárias, que terminavam numa comunhão.

155

Poucas passagens na Bíblia ilustram tão bem a compaixão de Deus pelo homem e seu amor repleto de perdão como a parábola do "Filho pródigo".

O DEUS ETERNO E SAGRADO

Várias passagens na Bíblia indicam que Deus existe "desde sempre e para sempre". Ele existia antes que o mundo fosse criado e permanecerá sempre o mesmo. "Deus é Deus ainda que toda a terra decaia, Deus é Deus ainda que todos os homens passem e se vão", escreveu Petter Dass num hino.

Quando Moisés perguntou o que deveria dizer quando lhe perguntassem quem o enviara ao Egito para libertar os hebreus da escravidão, Deus lhe deu esta resposta: "'Eu sou aquele que é.' Disse mais: 'Assim dirás aos filhos de Israel: EU SOU me enviou até vós'" (Êxodo 3,14). Em outra passagem do livro final da Bíblia cristã: "Eu sou o Alfa e o Ômega, o Princípio e o Fim" (Apocalipse 21,6).

Ambos os textos enfatizam que Deus transcende as noções comuns de tempo e espaço. Diferentemente do homem, que é sujeito à temporalidade e à morte, ele é imutável e eterno. Para usar uma expressão mais moderna, poderíamos dizer que a existência de Deus não está confinada a um estado de quatro dimensões. Ele não está num lugar nem no outro. Ele não é uma parte do universo como as estrelas, as flores e os animais. Ele se situa acima do mundo e dos processos que aqui ocorrem — como seu criador e governante.

A Bíblia afirma que Deus, diferentemente do homem e do universo, é o Santo. E qualquer palavra que designe o sagrado, qualquer palavra que conote a esfera divina, é uma palavra-chave em qualquer religião. Um conhecido historiador da religião, Rudolf Otto, definiu o sagrado como "o totalmente Outro" (*das ganz Andere*): o sagrado é algo misterioso e inexplicável, diante do qual o homem treme mas pelo qual se sente atraído.

OUTRAS DEFINIÇÕES CRISTÃS DE DEUS

A Bíblia oferece outras definições de Deus: ele é pai, Senhor, todo-poderoso, onisciente, bom, misericordioso, justo e pessoal. Por trás de cada uma dessas diversas características há sempre um acontecimento, porque o Deus cristão é algo mais que um princípio filosófico. Ele é um ser pessoal que ouve as orações e os louvores do homem. Ele é o Deus da história, que guia o mundo rumo ao objetivo que ele determinou: o reino de Deus.

Não se pode encontrar na Bíblia nenhuma doutrina sistemática a respeito da essência e das características de Deus. Muitos cristãos diriam que a mais importante descrição de Deus se encontra na pessoa de Jesus Cristo e em suas pregações. É comum dizer que não se pode distinguir a crença cristã em Deus da crença em Jesus.

Desde a Idade Média, costuma-se afirmar que o homem pode se aproximar de Deus de duas maneiras diferentes: por meio do pensamento ou por meio da fé. Por exemplo, Martinho Lutero acreditava que é possível para nós conceber uma onipotência que criou o mundo, sem referência à Bíblia. Porém, a natureza dessa força permanece oculta para nós. Para os cristãos, tudo o que se sabe com certeza a respeito de Deus é aquilo que Jesus revelou em sua vida e em suas prédicas.

A teologia católica distingue entre uma revelação *natural* e outra *sobrenatural*. A revelação natural significa a percepção divina que é acessível a todos os seres humanos, pois Deus se revelou no mundo natural e no anseio religioso do homem. A revelação sobrenatural é a revelação especificamente cristã.

Portanto, ao observar o mundo que Deus criou — e usando nossa razão —, não podemos adquirir mais do que um conhecimento indireto de Deus. A compreensão perfeita vem apenas do nosso encontro de fé com Cristo.

PROVIDÊNCIA DIVINA — FARDO HUMANO

Meu Pai trabalha até agora e eu também trabalho.

João 5,17

"O que será, será." É o que diz o refrão de uma velha canção popular. Essa frase é um exemplo de *fatalismo*, uma atitude em relação à vida que teve papel decisivo para os antigos gregos, ou para os vikings da Europa do Norte. O destino é uma força cega e impessoal do universo, perante a qual tanto os deuses como os homens deveriam se curvar.

O cristianismo divulgou pelo mundo afora a *crença na providência*. Os cristãos assumiram a antiga crença judaica, expressa na Bíblia, de que Deus segue envolvido em sua obra da criação, dando continuidade a ela.

DEUS COMO CRIADOR E PROVEDOR

É fundamental para o cristianismo a ideia de que Deus *sustenta* o mundo. Se ele tivesse "se retirado" após a criação, tudo teria entrado em colapso. O Deus cristão é o senhor da história, conduzindo o mundo até sua redenção.

Os cristãos expressam sua gratidão a Deus com tanta frequência precisamente porque, entre outros motivos, eles experimentaram em suas vidas o cuidado amoroso de Deus e sua mão orientadora. Mas experimentar o amor de Deus depende da boa vontade do indivíduo de permitir que a vontade de Deus seja feita em sua vida. Assim, Jesus ensinou os discípulos a orar: "Seja feita a tua vontade, assim na terra como no céu". Com isso ele queria dizer que a vontade de Deus não prevalece automaticamente neste mundo.

Jesus exortava as pessoas a dependerem do cuidado divino, o que não significa que devemos nos eximir de nossas responsabilidades e deveres para com os outros ou para com a comunidade em que vivemos. Deus criou o homem para ser seu colaborador, seu *companheiro na criação*, seu cocriador.

A Bíblia também ensina que a obra sistemática de Deus todo-poderoso é conduzida numa espécie de campo de batalha com as forças que se opõem a ela. O reino de Deus em plenitude está em algum lugar do futuro. Ele virá algum dia, quando Deus intervier radicalmente. No entanto, mesmo agora os movimentos de Deus são aparentes, tanto em assuntos específicos como, pelo mundo afora, no sentido mais amplo.

Mais ainda, o cristianismo afirma que o cuidado de Deus pela criação é *universal*. Ele não se limita, por exemplo, a certos grupos seletos de pessoas. Ele se importa com todas as pessoas em igual medida.

O SER HUMANO COMO COLABORADOR DE DEUS

Há um curto versículo da Bíblia que por vezes é chamado de "tarefa cultural" (Gênesis 1,28). Nele Deus abençoa os primeiros seres humanos e diz: "Sede fecundos, multiplicai-vos, enchei a terra e submetei-a; dominai sobre os peixes do mar, as aves do céu e todos os animais que rastejam sobre a terra".

Quando consideramos a explosão populacional dos últimos tempos, temos de reconhecer que o homem de fato cresceu e se multiplicou. Sem dúvida, também dominamos a terra. O que não conseguimos fazer foi "dominar sobre" seus recursos sem depredá-los — sobre "os peixes do mar, as aves do céu e todos os animais que rastejam sobre a terra". Estamos em pleno processo de acabar com os peixes dos mares e enfrentamos o perigo de tornar extintas muitas espécies de animais.

As culturas ocidentais devem assumir boa parte da responsabilidade pelo sério impacto causado na natureza nos últimos séculos. Temos de perceber que não cuidamos da criação com carinho, como deveríamos ter feito. O problema da poluição é hoje tão grande que precisamos fazer uso de recursos consideráveis para tentar solucioná-lo, e, assim, não sermos envenenados pelo ar que respiramos e pelos produtos da terra e do ar.

Também falhamos em dividir e alocar os benefícios materiais internacionalmente. Nisso o fardo principal cabe à Europa. A

159

distribuição desigual dos recursos globais não só rompe nossa responsabilidade administrativa, como vai contra a prescrição cristã da caridade. O homem foi criado para ser o ajudante de Deus; mas depois de se recusar a trabalhar com ele, tornou-se adversário e inimigo de Deus e de seu plano para a raça humana.

A HUMANIDADE — BOA OU MÁ?

Pois não há diferença, sendo que todos pecaram e todos estão privados
[*da glória de Deus.*
Romanos 3,22-23

Já vimos que o homem foi criado à imagem de Deus. Ele foi equipado pelo Criador para poder viver como Deus desejava; mas existe "algo" que se opõe ao controle do mundo por Deus e a seu plano para a vida terrena. No cristianismo, esse "algo" é chamado de pecado.

QUAL É A ESSÊNCIA DO PECADO?

O Novo Testamento usa a palavra grega *hamartia* para "pecado". Esse substantivo deriva de um verbo que pode significar "perder alguma coisa", "tomar o caminho errado" ou, figurativamente, "trapacear com nosso próprio destino". Podemos, portanto, dizer que o pecado designa aquilo que rompe com a intenção de Deus para a vida humana. Essa palavra tem um sentido muito mais amplo do que "fazer algo errado".

O pecado é sobretudo um conceito religioso. Ser pecador não significa automaticamente levar uma vida imoral; pode-se muito bem ser uma pessoa decente. Mas mesmo que o indivíduo não seja um canalha em termos humanos, do ponto de vista de Deus ele é um pecador.

Uma explicação sobre o pecado deve começar pela vontade do Criador. Esta afirma que o homem deve estar com Deus — senhor da vida — e moldar sua existência de acordo com os objetivos de Deus. O pecado é, portanto, o desejo humano da autossuficiência, seu desejo de conseguir viver sem Deus. Romper essa comunhão com Deus leva àquilo que a Bíblia chama de quebrar a lei, quebrar a santidade, de iniquidade e apostasia. Podemos dizer que o pecado é aquilo que separa o homem de Deus. Se Deus é amor, o pecado é a falta de benevolência. Quer se dirija a Deus quer a nossos próximos, os seres humanos, o pecado é aquilo que leva ao egoísmo e ao egocentrismo. Martinho Lutero o definiu sucintamente com a expressão latina *incurvatus in se* — ou seja, "encurvado em si mesmo".

O pecado, porém, não implica apenas as quebras individuais da lei de Deus — ou da ética cristã. É pior que isso. O pecado é mais profundo. Ele fica "no coração" — ou na vontade maligna do homem. É essa tendência da vontade — ou toda essa condição — que engendra aquilo que podemos chamar de *pecado real*. Assim, do ponto de vista teológico é importante distinguir entre "pecado" e "pecados". O pecado é tanto um *estado* como uma *atividade*.

O problema de muitas pessoas é que elas não têm senso de culpa ou pecado. Talvez acreditem que são razoavelmente morais, ou pelo menos tão morais quanto seus vizinhos. Foi esse o caso do jovem rico narrado no Evangelho de São Mateus (19,16-26):

Aí alguém se aproximou dele e disse: "Mestre, que farei de bom para ter a vida eterna?". Respondeu: "Por que me perguntas sobre o que é bom? O Bom é um só. Mas se queres entrar para a Vida, guarda os mandamentos". Ele perguntou-lhe: "Quais?". Jesus respondeu: "Estes: *Não matarás, não adulterarás, não roubarás, não levantarás falso testemunho; honra pai e mãe, e amarás o teu próximo como a ti mesmo*". Disse-lhe então o moço: "Tudo isso tenho guardado. Que me falta ainda?". Jesus lhe respondeu: "Se queres ser perfeito, vai, vende os teus bens e dá aos pobres, e terás um tesouro nos céus. Depois, vem e segue-me". O moço, ouvindo essa palavra, saiu pesaroso, pois era possuidor de muitos bens.

Então Jesus disse aos seus discípulos: "Em verdade vos digo que um rico dificilmente entrará no Reino dos Céus. E vos digo ainda: é mais fácil um camelo entrar pelo buraco de uma agulha do que um rico entrar no Reino de Deus". Ao ouvirem isso, os discípulos ficaram muito espantados e disseram: "Quem poderá então salvar-se?". Jesus, fitando-os, disse: "Ao homem isso é impossível, mas a Deus tudo é possível".

Esse homem era moralmente correto em todos os aspectos, e o Evangelho de São Marcos diz que Jesus o amou. Mas havia algo que o impedia de ter uma relação plena e perfeita com Jesus, e portanto com Deus. Não era simplesmente o fato de ser muito rico, já que em Israel se considerava isso uma bênção de Deus, desde que a riqueza não tivesse sido acumulada com a exploração dos outros. A passagem não diz de que maneira o homem havia enriquecido, mas Jesus compara sua riqueza com a pobreza dos outros. O pecado desse homem rico é que ele era tão apegado a sua riqueza que na verdade quebrara o mandamento fundamental de amar a Deus e ao próximo.

PECADO ORIGINAL

A expressão "pecado original" não se encontra na Bíblia, mas é usada pelos teólogos para descrever o pecado com que todo ser humano nasce. Ele significa que cada pessoa tem um desejo inato de romper com Deus.

A tendência inata de pecar que existe em todas as pessoas é apenas um aspecto do pecado original. Não é somente o desejo de pecar que é passado de geração em geração. Igualmente importante é a ideia de que os *resultados* do pecado também são transmitidos. Todos sabemos que as ações das pessoas podem ter *consequências* para os outros. Isso se aplica ainda às decisões dos políticos e às descobertas dos cientistas.

O indivíduo moderno não terá dificuldade de atinar com o termo *pecado* e a expressão "pecado original". Nos últimos anos, assistimos a um acúmulo de armamentos que ameaça todas as formas de vida na terra. Em poucas horas, o homem é capaz de destruir o mundo inteiro. Essa perspectiva catastrófica não é um mero exemplo do pecado, mas também ilustra que o pecado pode ser um problema coletivo.

O PROBLEMA DO MAL

Tanto a história da queda do homem (Gênesis 3) como a doutrina cristã do pecado original levantam a questão: de onde vem o mal? O primeiro capítulo da Bíblia termina com as palavras: "Deus viu tudo o que tinha feito: e era muito bom" (Gênesis 1,31). Porém, logo adiante lemos que Adão e Eva foram expulsos do paraíso, que a morte fez sua aparição, que a mulher deu à luz com dor, que Caim assassinou seu irmão e que o mal aumentou pelo mundo afora. Chega até o ponto em que Deus lamenta a criação (Gênesis 6,5-8). Ao mesmo tempo, afirmamos que Deus é todo-poderoso. Como se explica isso? Como Deus pode ser todo-poderoso e infinitamente bom, quando há tanto sofrimento no mundo? Denominamos esse conflito de "o problema do mal".

O problema do mal sempre preocupou a humanidade. Ele absorve vários autores bíblicos, como Jó e o Eclesiastes. Teólogos e pensadores já o debateram através de toda a história da Igreja. Para muitas pessoas, esse problema é tão forte que se transforma na própria questão de saber se é possível acreditar em Deus ou não. O dilema pode ser resumido deste modo: se Deus é todo-poderoso, ele não pode ser bom, e se ele é bom, então não pode ser todo-poderoso.

Tal problema pode parecer insolúvel. Mas o que queremos dizer com "todo-poderoso"? Se todo-poderoso significa que Deus é a *causa* de tudo, tanto a queda do homem do estado de graça como a doutrina cristã da expiação perdem o sentido. Contudo, a Bíblia não proclama nenhuma doutrina desse tipo. Do início ao fim, ela fala de uma força no universo que se opõe a Deus.

A Bíblia afirma que o mal *existe* de fato no mundo e que a humanidade tem o mal dentro de si. O homem já causou guerras, inimizades e sofrimentos na terra. A Bíblia fala de uma força que se opõe a Deus. Foi o homem que construiu os campos de concentração, foi o homem que usou bombas de napalm e bombas de gás em várias guerras. A história da criação fala metaforicamente da "serpente". Fala das "forças sobre-humanas do

163

mal", de Satã que, segundo a lenda, tinha sido o mais belo de todos os anjos — Lúcifer (portador da Luz) — mas foi expulso para as regiões infernais por se opor à vontade de Deus. Fala também de um poder pessoal de oposição a Deus: o diabo.

Então será que Deus não é todo-poderoso, afinal? Embora todos experimentemos o mal como parte da existência humana, o cristianismo sustenta que o mal um dia será vencido. Tampouco é verdade, como muitos acreditam, que Deus se mostra "mais todo-poderoso" no Antigo Testamento do que no Novo e depois. Bem ao contrário: o mal, seja considerado uma força pessoal ou impessoal, está presente desde o início. Até mesmo a serpente existia antes da queda. O cristianismo, porém, prega a esperança de "novos céus e uma nova terra" quando "Deus será tudo em tudo". Em certo sentido, podemos dizer que o aspecto todo-poderoso de Deus — com referência a seu "poder sem igual" — é algo que será revelado no futuro.

Mesmo assim, para muitas pessoas o problema do mal é o motivo principal para negar o cristianismo. É bem fácil dizer que algum dia o mal será derrotado. Mas onde estava Deus em Auschwitz? Onde estava ele em Hiroshima? Jesus fez a mesma pergunta quando estava na cruz: "Meu Deus, meu Deus, por que me abandonaste?".

DEUS COMO SALVADOR

Pois Deus amou tanto o mundo,
que entregou o seu Filho único,
para que todo o que nele crê não pereça,
mas tenha vida eterna.

João 3,16

O HOMEM DE NAZARÉ

Eu sou a luz do mundo.
Quem me segue não andará nas trevas,
mas terá a luz da vida.

João 8,12

QUEM FOI JESUS?

Talvez ninguém tenha exercido tanta influência na história mundial como Jesus de Nazaré. A questão de saber quem foi Jesus vem intrigando a cultura ocidental por 2 mil anos.

Foi ele um visionário religioso? Ou um homem pio que queria ensinar a seus companheiros como viver? Pode ele ser comparado com os muitos judeus seus contemporâneos que estavam se apresentando como o prometido Messias? Ou é ele o Filho de Deus e salvador da humanidade?

Podemos abordar tais questões lendo as narrativas bíblicas sobre Jesus e estudando a época em que ele viveu. Mas as respostas que encontraremos serão baseadas na fé. É a *fé* na ressurreição do Filho de Deus que constitui a pedra fundamental do cristianismo. Contudo, há poucos historiadores modernos que discordam da afirmação de que Jesus de fato existiu.

Histórias que foram escritas nos dois primeiros séculos após a morte de Jesus (como as do historiador judeu *Flávio Josefo*, e dos historiadores romanos *Tácito* e *Suetônio*) contêm breves comentários sobre ele. Jesus não é um personagem de ficção.

JESUS DE NAZARÉ (*c.* 6 A. C. - 30 D. C.)

Jesus nasceu antes da morte de Herodes, o Grande, provavelmente no ano romano de 749. Quando nosso calendário atual foi introduzido, acreditava-se que Jesus tinha nascido em 754; temos aí, portanto, uma discrepância cronológica de pelo menos cinco anos.

Jesus era um judeu, e na época de sua juventude o reino judaico estava sob o controle direto de um oficial do Império romano. Jesus se tornou um profeta itinerante, baseando suas ideias nas escrituras judaicas. Mas logo ficou claro que ele estava formulando uma doutrina independente, pois com frequência dizia coisas como: "Vós aprendestes o que foi dito a vossos antepassados... Eu, porém, vos digo...".

No ano 29 ou 30 de nosso calendário, Jesus foi acusado de

blasfêmia por um tribunal religioso judaico. Um alto funcionário romano, Pôncio Pilatos, atendeu ao apelo dos anciãos judeus e sentenciou Jesus à morte, executando-o por crucificação. Pilatos o sentenciou por ter se rebelado contra o Estado romano.

O JESUS DA HISTÓRIA

Em razão de uma série de discrepâncias entre os evangelhos, é quase impossível pintar um retrato biográfico detalhado de Jesus. Os evangelhos nos mostram como a Igreja cristã compreende Jesus. Os evangelhos estão permeados com a crença de que Jesus é o Messias prometido pelo Antigo Testamento.

O objetivo dos evangelhos não era a veracidade histórica, e sim a proclamação de uma mensagem. O que importa na maneira como eles falam sobre Jesus não é que ele *morreu* na cruz, mas *por que* ele morreu.

É fundamental manter a distinção entre os evangelhos e a ciência histórica. Os historiadores, empregando métodos científicos, podem dizer que Jesus foi provavelmente um homem que insistia em ser investido de autoridade divina, e que mais tarde houve um grupo de pessoas que acreditaram que ele ressuscitou. Os evangelhos e a Igreja, por sua vez, proclamam que Jesus *de fato* tinha autoridade divina e que *de fato* ressuscitou. Ninguém pode justificar a fé cristã ou qualquer que seja por meios científicos, nem refutá-la com base nesses métodos.

O MESSIAS, FILHO DO HOMEM, FILHO DE DEUS

E o Verbo se fez carne.
João 1,14

O Novo Testamento é pródigo em títulos para Jesus. Títulos que se originam no judaísmo e na história de Israel, mas encontram um novo significado no cristianismo.

166

O MESSIAS

A palavra *Messias* significa, na verdade, "o ungido", uma referência à maneira como o rei de Israel era ungido com óleos ao subir ao trono. Portanto, essa palavra inicialmente era um título majestático. Depois da época dos reis Davi e Salomão, Israel entrou em declínio, mas os judeus continuaram a acreditar e a ter esperança de que algum dia haveria de chegar um novo Messias, um novo rei da linhagem de Davi.

A tradução grega da palavra *Messias* é *Christos*. Assim, originalmente o nome Jesus Cristo é um reconhecimento de que Jesus é o prometido Messias. Embora, segundo os evangelhos, em várias ocasiões Jesus tenha admitido ser o Messias, há provas de que ele não usava esse título para falar de si mesmo. Ainda que possa ter aparecido como Messias para seus discípulos, é muito pouco provável que tivesse se referido a si mesmo dessa maneira em público, decerto porque não queria ser visto como o libertador político de seu país.

O FILHO DO HOMEM

O título usado com mais frequência por Jesus era Filho do Homem. Esse título também é tomado do Antigo Testamento, onde se referia ao salvador que os judeus esperavam que fosse enviado por Deus. Em oposição à coloração nacionalista e política do Messias, o Filho do Homem era uma figura celestial que haveria de chegar "envolto em nuvens do céu" para salvar os justos. O fato de que Jesus chamasse a si mesmo de Filho do Homem indica que ele se considerava um ser divino.

Segundo os evangelhos, Jesus relacionava a ideia de Filho do Homem com as profecias de Isaías sobre o "servo sofredor", que ao assumir o sofrimento para si, haveria de restaurar o relacionamento deteriorado entre Javé e seu povo.

O FILHO DE DEUS

Em diversos trechos do Novo Testamento Jesus é chamado de Filho de Deus. A maneira exata como Jesus considerava esse relacionamento filial é um tópico muito discutido. Mas, decerto, tudo indica que Jesus acreditava ter uma associação especial com Deus. Seu uso da palavra hebraica *aba*, ou "pai", não tem paralelo nos círculos judaicos na época de Jesus.

Jesus se refere a si mesmo como Filho, ou Filho de Deus, em particular no Evangelho de São João. É bem claro que aqui esse nome tenciona conotar a unidade entre Jesus e Deus. Numa passagem Jesus se expressa deste modo: "Eu e o Pai somos um" (João 10,30). A ideia é que Jesus foi enviado ao mundo para revelar Deus aos homens: "Quem me vê, vê o Pai" (João 14,9).

A PREGAÇÃO DE JESUS E A ÉTICA CRISTÃ

"AGORA MESMO" E "AINDA NÃO"

Segundo o mais antigo dos evangelhos, o de Marcos, Jesus aparece como um pregador que traz esta mensagem: "Cumpriu-se o tempo e o Reino de Deus está próximo. Arrependei-vos e crede no Evangelho" (Marcos 1,15).

Assim, a expressão "reino de Deus" deve ser considerada uma esperança de um futuro reino da salvação. O reino de Deus começaria no final dos tempos, quando o Messias chegasse. Alguns o interpretavam como um reino político terreno, tendo como centro Jerusalém e o povo de Israel. Outros o viam mais como um reino do além, com vida eterna para os redimidos, o que viria depois de uma catástrofe global em que todos os poderes iníquos seriam vencidos. Contudo, não havia uma linha divisória nítida entre os dois modos de pensar. Com frequência, ambos se encontram no mesmo grupo.

A afirmação "o Reino de Deus está próximo" não era original na época de Jesus. Antes dele, João Batista e vários outros

168

como ele já haviam pregado a mesma mensagem: este mundo está caminhando para a destruição — e Deus assumirá o poder como rei. A ideia radicalmente nova nas prédicas de Jesus é que a vinda do reino de Deus estava ligada à pessoa dele. Jesus não apenas diz que o reino de Deus virá no futuro imediato (embora diga isso também), mas em várias ocasiões ele menciona que o reino de Deus já chegou.

Essa dicotomia na proclamação que faz Jesus do reino de Deus está ligada à maneira como Jesus via a si mesmo. Era ele quem haveria de revelar e implementar o reino de Deus. Por meio de suas prédicas e de suas curas, o reino de Deus já passara a existir. A nova era — a era messiânica — já começara.

Ao mesmo tempo, muitas das palavras de Jesus deixam claro que o reino de Deus é algo que pertence ao futuro. O sucesso final da vitória de Deus sobre o mal virá quando o Filho do Homem chegar "vindo sobre as nuvens do céu com poder e grande glória" (Mateus 24,30).

A polaridade entre *agora mesmo* e *ainda não* sempre caracterizou o cristianismo e os ensinamentos cristãos. E os caracteriza até os dias de hoje.

JESUS COMO MESTRE

Jesus era chamado *rabi* — "mestre" ou "professor" —, e muitas pessoas do mundo inteiro, cristãs e não cristãs, se impressionaram com ele como pregador. Seus ensinamentos podem ser divididos em quatro categorias diferentes:

• *Alguns estão sob a forma de pequenas máximas. Muitas destas são paradoxos (isto é, afirmações em aparente contradição), como: "Pois aquele que quiser salvar a sua vida, vai perdê-la, mas o que perder a sua vida por causa de mim, vai encontrá-la" (Mateus 16,25).*

• *Uma parte importante dos ensinamentos de Jesus eram suas muitas* conversas *com os discípulos, com homens instruídos ou com outras pessoas que ele encontrava. Já vimos o exemplo da conversa de Jesus com o jovem rico. (Veja Mateus 19,16-26.)*

• *Um terceiro método de instrução eram os frequentes discursos ou sermões feitos por Jesus a seus discípulos ou a grupos mais numerosos. Um dos sermões mais longos e mais significativos foi o que Jesus fez a seus discípulos pouco antes de ser preso em Jerusalém. O tema desse sermão foi "a era final" — antes que o Filho do Homem apareça no Dia do Juízo Final. (Veja Mateus 24 e 25.)*

• *O que mais caracterizava os ensinamentos de Jesus era o uso das parábolas. Estas geralmente estão inseridas em conversas ou pregações mais longas. Uma parábola é uma comparação ou imagem que serve para exemplificar uma verdade mais profunda.*

As parábolas de Jesus podem ser muito curtas, e com frequência tomam de empréstimo imagens da natureza. Veja, por exemplo, a parábola do Semeador, em Mateus 13,3-9 e 13,18-23. Mas também podem ser longas histórias que desenvolvem temas tirados da vida diária. Veja a parábola do Filho Pródigo, Lucas 15,11-32, e a dos Trabalhadores da Vinha, Mateus 20,1-16.

O SERMÃO DA MONTANHA

As diversas parábolas relativas ao reino de Deus deixam claro que Jesus não o considerava sob uma luz política, diferentemente de muitos judeus da época. Ele estava expressando algo totalmente distinto do que era normal em sua época. É por isso que, quando foi interrogado por Pilatos, ele respondeu que seu reino "não era deste mundo". Isso não quer dizer que ele dava as costas ao mundo, e sim que ele vem de Deus e, portanto, não é deste mundo.

A expressão que traduzimos por "reino de Deus" significa na verdade "domínio de Deus". Em outras palavras, o reino de Deus é onde Deus é o senhor — e ali o mal deve ceder. O sentido disso na prática foi revelado por Jesus em seu Sermão da Montanha, que descreve a nova vida no reino de Deus.

São características do Sermão da Montanha suas rigorosas exigências éticas e a insistência básica na caridade. Em oposição a todos os mandamentos e todas as interdições tão típicos do ju-

170

daísmo daquela época, Jesus insistia num amor incondicional a Deus e ao próximo. Isso não significa que ele "rescindiu" os velhos mandamentos. Bem ao contrário: ele os enfatizou e ampliou sua validade. Por exemplo, não é suficiente amar "o próximo". Você deve amar até mesmo seu inimigo.

Como a linguagem é tão precisa e as exigências tão absolutas, o Sermão da Montanha já foi interpretado de várias maneiras diferentes. Um de seus aspectos mais debatidos é a exortação de Jesus para pagar o mal com o bem:

...

Ouvistes que foi dito: Olho por olho e dente por dente. Eu, porém, vos digo: não resistais ao homem mau; antes, àquele que te fere na face direita oferece-lhe também a esquerda; e àquele que pleitear contigo para tomar-te a túnica, deixa-lhe também a veste; e se alguém te obriga a andar uma milha, caminha com ele duas. Dá ao que te pede e não voltes as costas ao que te pede emprestado. [Mateus 5,38-42]

Muitos acharam difícil engolir essas e outras palavras do Sermão da Montanha. Será que na vida prática é possível seguir as exigências éticas do Sermão da Montanha? E se não for, como devemos interpretá-lo?

...

INTERPRETAÇÕES DO SERMÃO DA MONTANHA

• *Desde os primeiros dias da Igreja, muitos acreditaram que o Sermão da Montanha devia ser tomado* literalmente. *Numa dissertação teológica,* Albert Schweitzer *afirma que os primeiros cristãos esperavam que Jesus voltaria muito em breve. Para eles, o Sermão da Montanha funcionava como uma ética provisória enquanto o aguardavam. Mas, com o passar do tempo, a noção da volta de Jesus se alterou, e isso levou a outras interpretações da ética do Sermão. Mesmo assim, nos tempos modernos muitos tomaram ao pé da letra as exigências do Sermão da Montanha. Um deles foi o escritor russo Leão Tolstoi (1828-1910).*

• *A Igreja católica romana já declarou que o Sermão da Montanha se dirige sobretudo àqueles que têm uma vocação — os religiosos, padres, monges, frades e freiras —, em particular em suas exigências de celibato e pobreza pessoal.*

• A interpretação luterana em geral tem sido que os mandamentos do Sermão da Montanha são exigências ideais, as quais é impossível seguir neste mundo. Porém, quando os homens veem que não conseguem cumpri-las, compreendem como são incomparavelmente limitados em relação a Deus. Eles são seres pecadores que precisam do perdão e da ajuda de Deus para poder viver.

Mais recentemente, teólogos luteranos ressaltaram que o Sermão da Montanha é uma parte da revelação de Jesus sobre a vinda do reino de Deus. A ética do Sermão, portanto, é algo que o homem pode lutar para alcançar em sua vida pessoal e comunitária; no entanto, a realização final desses ideais só virá com o advento do reino de Deus.

• A teologia protestante desenvolveu outro conceito, baseado na ideia de que o mais importante é ter boa vontade, ser bem-intencionado nas ações. Essa interpretação já sofreu pesadas críticas, pois reduz a moral a algo puramente interior.

• Uma quinta maneira de interpretar é que Jesus queria censurar os fariseus do seu próprio tempo e o "farisaísmo" de todas as épocas. Isso inclui a autoindulgência e a arrogância ocidental dos tempos modernos.

O MANDAMENTO PRINCIPAL

Um pequeno versículo do Sermão da Montanha se tornou muito conhecido e é chamado de Regra de Ouro: "Tudo aquilo, portanto, que quereis que os homens vos façam, fazei-o vós a eles, pois esta é a Lei e os Profetas" (Mateus 7,12).

Em todas as pregações de Jesus, a caridade é proclamada como o mandamento-chave: "Amarás o teu próximo como a ti mesmo" (Mateus 22,39). Repetidas vezes se enfatiza que a caridade não deve ser expressa apenas àqueles de quem se gosta, às pessoas da própria comunidade, ou àqueles que se encontram em dificuldades sem ter culpa por isso. Todas as pessoas devem receber amor — mesmo as que, segundo a opinião comum, merecem a dureza de seu destino. Como já foi mencionado, Jesus chega a dizer que devemos amar nossos inimigos.

É importante ressaltar que *amor*, no sentido em que Jesus empregava a palavra, não era principalmente um sentimento ou uma emoção. Isso está sublinhado em várias passagens dos ensinamentos de Jesus, talvez da melhor forma na parábola do Bom Samaritano.

A exortação à caridade deve levar à *ação*. Desse mandamento brota uma série de outros valores: fidelidade, compaixão, justiça, veracidade e honestidade. Mas todos esses são meros ideais abstratos se não os aplicarmos às situações reais em que nos encontramos.

"TAL COMO FIZ PARA VÓS"

Jesus não apenas proclamou o evangelho do reino de Deus; ele o pôs em prática. Demonstrou o que queria dizer com "caridade" em situações reais. Tais ações incluíam curar os doentes. Os milagres da cura não foram simplesmente uma expressão da compaixão de Jesus, mas uma prova de que o poder do reino de Deus estava ativo.

Foi em parte por causa de seu amor incondicional ao próximo que Jesus entrou em conflito com os escribas e os fariseus. Atacaram-no por comer juntamente com "coletores de impostos e pecadores", por expulsar "demônios" e em especial por distribuir o "perdão dos pecados". Que direito tinha ele de fazer isso?, perguntavam.

Jesus defendeu suas ações numa série de parábolas que criticam diretamente o tipo de religiosidade representada pelos escribas e fariseus. Estes acreditavam que a questão era entrar num relacionamento correto com Deus mediante os esforços da própria pessoa. Aqueles que mantinham a Lei eram o verdadeiro povo de Deus, ao passo que os que a infringiam, mereciam o castigo de Deus. Assim, misturar-se aos coletores de impostos e aos pecadores era ignorar as exigências de pureza e de uma vida moral. E o cumprimento dos muitos mandamentos e das muitas regras acerca da pureza constituía um pré-requisito para a vinda do reino de Deus.

Todo tipo de religiosidade autocentrada foi descartada por Jesus. O homem não pode tornar a si mesmo merecedor da redenção divina. O amor de Deus oferece perdão e comunhão, sem questionar se o homem de fato os merece.

Uma história do Novo Testamento que comprova como o próprio Jesus praticava esse amor sem reservas é a do lava-pés. Ao se encontrar com seus discípulos durante a Última Ceia, Jesus se ajoelhou e lavou-lhes os pés. Foi um gesto inaudito, pois os servos é que costumavam fazer tarefas como essa, e Jesus era o amo e senhor de seus discípulos.

Essa história confirma que o reino de Deus não é um mero presente de Deus ao homem, mas uma tarefa que o homem é chamado a realizar. Jesus não viu como seu dever simplesmente dar aos homens uma imagem melhor de Deus; ele quis atraí-los para uma comunhão com Deus. O amor de Deus exige que o homem imite esse amor.

As epístolas de são João também enfatizam a correlação entre o amor de Deus pelo homem e o amor dos homens um pelo outro, o amor fraterno.

Quanto a nós, amemos,
porque ele nos amou primeiro.
Se alguém disser:
"Amo a Deus",
mas odeia o seu irmão,
é um mentiroso:
pois quem não ama seu irmão, a quem vê,
a Deus, a quem não vê, não poderá amar.
É este o mandamento que dele recebemos:
aquele que ama a Deus,
ame também o seu irmão.
Primeira Epístola de São João 4,19-21

A DOUTRINA DA IGREJA SOBRE JESUS

E ordenou-nos que proclamássemos ao Povo e déssemos testemunho de que
[ele é o juiz dos vivos e dos mortos.
Atos 10,42

AS PRÉDICAS DE JESUS E A PROCLAMAÇÃO CRISTÃ DE JESUS

Os primeiros cristãos não continuaram as pregações de Jesus, mas começaram a proclamar o próprio Jesus. Isso é evidente nas epístolas que Paulo escreve para as primeiras igrejas cristãs, apenas vinte ou trinta anos depois da morte de Jesus.

Jesus tinha proclamado o evangelho ("a boa nova") do reino de Deus. Portanto, a boa nova do que Jesus proclama é que o reino de Deus está próximo. Tanto nos Atos dos Apóstolos como nas cartas do Novo Testamento, *evangelho* permanece uma palavra-chave; porém, nessas alturas, ela assumiu um novo significado. Agora a boa nova é o Cristo ressuscitado. O evangelho é a própria "experiência de Cristo", a saber, que Deus enviou seu filho por amor ao ser humano. O que se destaca é Jesus como salvador e o que isso representa para o homem.

Essa mudança de ênfase não implica nenhuma quebra nos ensinamentos de Jesus nem em sua visão de si mesmo e de seu papel. Como já vimos, Jesus também via seus ensinamentos como inseparáveis de sua própria pessoa. De acordo com o Evangelho de São João, ele falou de si mesmo nesta parábola:

> *Em verdade, em verdade, vos digo:*
> *Se o grão de trigo que cai na terra não morrer,*
> *permanecerá só;*
> *mas se morrer,*
> *produzirá muito fruto.*
>
> João 12,24

Nos mais antigos ensinamentos cristãos, Jesus é o Deus vivo que conquistou a morte e que em breve irá voltar para julgar os vivos e os mortos. Os seguidores de Cristo não viviam apenas com a lembrança do Cristo terreno — ou "o homem de Nazaré"; viviam sabendo que estavam em comunhão com ele. O ponto crucial é *crer* em Jesus como Senhor e salvador: "Porque, se confessares com tua boca que Jesus é Senhor e creres em teu coração que Deus o ressuscitou dentre os mortos, serás salvo" (Romanos 10,9).

O CREDO

Embora o Novo Testamento inteiro seja um testemunho cristão, durante os primeiros séculos após a morte de Cristo surgiu a necessidade de formular um credo mais definido. Isso aconteceu, entre outras razões, porque naquela época havia uma considerável mistura religiosa (sincretismo).

Para evitar que o cristianismo ficasse aprisionado nessa religiosidade híbrida, era crucial para a Igreja determinar os princípios centrais da fé cristã. Esse esclarecimento também era necessário para prevenir cisões internas entre as igrejas locais e comunidades cristãs. Um resumo dos pontos essenciais da fé se fazia necessário na instrução que a Igreja dava antes do batismo.

Foi assim que passaram a existir os *dogmas*. A palavra *dogma* significa "doutrina", e um dogma cristão estabelece o que é o ensinamento cristão correto. Gradualmente, os dogmas foram incorporados a credos mais longos. O mais antigo desses credos cristãos é o *Credo dos Apóstolos*, que em sua forma inicial data da Igreja de Roma, século III de nossa era. Mais tarde o dogma cristão também foi formulado no *Credo do Concílio de Niceia* (século IV) e no *Credo de Santo Atanásio* (século V). Apesar de haver variações na adoção de credos na Igreja primitiva, o Credo de Niceia é utilizado por todas as principais igrejas cristãs.

VERDADEIRO DEUS E VERDADEIRO HOMEM

O dogma sobre Jesus afirma que ele era Deus e homem. Assim, Cristo não é apenas filho de Deus; ele é o próprio Deus. O Credo atanasiano afirma: "Pois a fé correta é que nós acreditamos e confessamos: que Nosso Senhor Jesus Cristo, o filho de Deus, é Deus e homem [....] Deus perfeito e homem perfeito".

Como era possível que "o homem de Nazaré" fosse Deus? Esse foi o ponto central discutido durante as disputas dogmáticas dos primeiros séculos do cristianismo.

O fato de que Jesus era um homem é claramente ilustrado nas descrições que temos dele nos quatro evangelhos. Aí podemos ler sobre toda uma gama de emoções humanas. Jesus era capaz de sentir alegria e tristeza; podia ser terno e compassivo, mas também severo e reprovador. Ele sofria tentações como qualquer outro ser humano e durante suas últimas horas de vida travou uma batalha interna contra o medo da morte. Essa batalha foi tão árdua que lhe trouxe o mais profundo desespero por ter sido abandonado por Deus. Na teologia de Paulo, a humanidade de Jesus também recebe forte ênfase.

Por outro lado, Jesus expressou a unidade entre Deus e ele em várias ocasiões. "Eu e o pai somos um", disse ele (João 10,30), e "Quem me vê, vê o Pai" (João 14,9). No início de seu evangelho (1,14), João afirma: "E o Verbo se fez carne, e habitou entre nós", o que significa que Deus se tornou homem. A teologia cristã chama a isso de *encarnação* (assumir a carne humana, um corpo).

Um ponto muito discutido na Igreja dos primeiros séculos foi exatamente como compreender e explicar a encarnação. Algumas pessoas destacavam o lado humano de Jesus; outras, o lado divino.

Cada um desses pontos de vista se esquiva de um dos princípios fundamentais do cristianismo, isto é, que *Deus* se tornou *homem*. Jesus não era uma pessoa dupla, mas "verdadeiro Deus e verdadeiro homem" ao mesmo tempo.

SALVAÇÃO — EXPIAÇÃO, LIBERTAÇÃO E CURA

É para a liberdade que Cristo nos libertou.
Gálatas 5,1

O cristianismo proclama que Deus se tornou homem. Isso significa que Deus intervém ativamente na batalha entre o bem e o mal no mundo. Ele repara o dano causado ao relacionamento entre os homens, e entre Deus e os homens. O homem é libertado de seus grilhões e curado daquilo que o aflige. Portanto, o sofrimento, a morte e a ressurreição de Jesus dão ao cristão uma nova vida, uma vida eterna.

EXPIAÇÃO

A cruz é o símbolo mais importante do cristianismo. Os quatro evangelhos dão grande peso aos acontecimentos dos dias imediatamente anteriores e posteriores à morte de Jesus. A teologia de Paulo também se concentra na *crucificação* e *ressurreição* de Jesus. É o Jesus crucificado que é o redentor dos seres humanos.

Assim, que significado tem para a fé cristã o sofrimento, a morte e a ressurreição de Jesus?

Já vimos como o pecado destrói o relacionamento do homem com Deus; vimos que surgiu uma inimizade entre o homem e Deus. O cristianismo ensina que o Jesus inocente assumiu para si a culpa do mundo e sofreu a punição que caberia à humanidade. Ele sofre e morre no lugar do homem. Os cristãos chamam a isso de *sofrimento vicário*. Por meio dele, Deus se *reconcilia* com o mundo, e o contato do homem com Deus é restabelecido.

Paulo enfatiza que a *expiação* de Jesus é um presente para a humanidade, embora esta não o merecesse. Em oposição às normas do pensamento judaico, ele destaca que o próprio homem não pode fazer nada para se reconciliar com Deus. A reconciliação vem apenas da mão de Deus, isto é, da parte isenta de culpa. A expiação de Cristo — o fato de que ele deu sua vida pelos homens pecadores — é, portanto, um ato de compaixão. Poderíamos dizer que Deus tempera a justiça com a graça. A compaixão também era um axioma nas pregações de Jesus — por exemplo, na parábola do Filho Pródigo.

Para Paulo, era fundamental estabelecer que de modo algum o homem pode se tornar merecedor da graça; ele não tem nenhum direito à justiça diante de Deus. Porém, quando o homem recebe a mercê de Deus, ele é *absolvido*. Deus "absolve os culpados", como diz Paulo. Isso tem o mesmo significado que o *perdão dos pecados*. Logo, a doutrina de que o homem é absolvido sem merecer é essencial para os ensinamentos de Jesus.

Deus venceu a morte e o mal por meio da ressurreição de Jesus. A humanidade recebeu uma nova chance, uma nova esperança. A ressurreição é o ponto mais fundamental do cristianismo; e, assim, a Páscoa é o ponto alto do ano eclesiástico. Paulo resume: "E, se Cristo não ressuscitou, vazia é a nossa pregação, vazia também é a vossa fé" (1Coríntios 15,14).

SALVAÇÃO

A palavra usada no Novo Testamento para "salvo" é um verbo grego que significa "redimido", "preservado" ou "curado".

Um conceito básico do cristianismo é que o homem não pode salvar a si mesmo. A salvação é dada livremente ao homem se ele acreditar em Cristo e em sua expiação. "Pela graça fostes salvos, por meio da fé, e isso não vem de vós, é o dom de Deus", diz Paulo à Igreja de Éfeso (Efésios 2,8).

É apenas por meio da *fé* em Jesus que o homem pode ser salvo. Esse pensamento é um tema recorrente nas epístolas de Paulo. Também Jesus acentua a importância da fé para a salvação. "Tua fé te salvou", disse ele em várias ocasiões. Mas a fé não é igualmente uma conquista? Não, segundo o Novo Testamento. A fé é um dom de Deus. Ao enfatizar a importância da fé para a salvação, Paulo não está falando de "ortodoxia". A fé tem mais a ver com o coração do que com a cabeça. Hoje em dia, muitas pessoas interpretariam o verbo *crer* como "ter uma convicção" ou "achar que algo é verdade". Em termos cristãos, é mais correto falar em "confiança" ou "fidelidade". A palavra latina para "fé" (*fides*) significa justamente isso.

SALVAÇÃO — DO QUÊ?

Do que o homem deve ser salvo? A Bíblia indica que a salvação significa se libertar do poder que o pecado exerce sobre o homem. É comum que os sentimentos de culpa venham após o pecado.

Hoje em dia, tanto o pecado como a culpa muitas vezes são vistos como algo social ou coletivo e não individual. Mas até isso é uma ideia bíblica: não é apenas como indivíduos que somos culpados aos olhos de Deus. Nós pertencemos a uma humanidade culpada.

Atualmente diversas pessoas se preocupam mais com o vazio e a falta de sentido da existência do que com o pecado e a culpa. Palavras como *alienação* e *ansiedade* e a expressão "falta de raízes" descrevem o destino de muitos hoje. Sentimentos de carência e insignificância costumam vir junto com pensamentos sobre a morte. A angústia pela vida é, na realidade, uma angústia pela morte, segundo boa parte dos psicólogos. Através de toda a história do cristianismo, com frequência a salvação foi interpretada como salvação da nossa mortalidade.

SALVAÇÃO — PARA QUÊ?

Outra palavra para "salvação" é *liberdade*. "Se, pois, o Filho vos libertar, sereis, realmente, livres", disse Jesus (João 8,36). "É para a liberdade que Cristo nos libertou", escreve Paulo em sua epístola aos Gálatas (Gálatas 5,1). "Não sou, porventura, livre?", exclama ele em outro trecho (1Coríntios 9,1). E, em sua epístola aos romanos, Paulo escreve que Cristo o libertou da lei do pecado e da morte (Romanos 8,2).

É um conceito bíblico que a vida na terra tem valor intrínseco. Portanto, em toda a Bíblia, a morte é vista como algo negativo. Paulo chama a morte de "o último inimigo". E é a vitória de Jesus sobre a morte, com sua ressurreição, que forma a base para a esperança cristã na vida eterna. É com esse pensamento que Paulo exclama triunfante:

> *A morte foi absorvida na vitória.*
> *Morte, onde está a tua vitória?*
> *Morte, onde está o teu aguilhão?*
> 1Coríntios 15,55

A ESPERANÇA CRISTÃ

A esperança cristã anseia por uma época em que tudo o que tiver permanecido imperfeito será substituído pela soberania absoluta e inconteste do amor de Deus. O cristianismo ensina que uma nova época surgiu com a vitória de Jesus sobre as forças destrutivas da existência. Apesar de Deus ter tido uma vitória *decisiva*, não é ainda a vitória *final*. Esta pertencerá a Jesus, quando ele retornar no final da história.

Os ensinamentos de Jesus deixam claro que sua referência ao reino de Deus significa mais que a mera salvação individual. A esperança cristã não tem apenas um *aspecto pessoal*. Tem também o *aspecto social* ou *coletivo*; em outras palavras, seu objetivo é uma nova fraternidade humana, uma nova ordem social ou um novo mundo. A esperança cristã abrange ainda um *aspecto cósmico*: haverá "um novo céu e uma nova terra".

O JUÍZO FINAL

Quem deverá compartilhar da salvação cristã? O Novo Testamento contém dois grupos principais de afirmações a respeito do reino de Deus.

Por um lado, há a severa advertência de que a passagem para a vida se faz por uma "porta estreita". Para poder viver no novo reino, o homem deve "negar a si mesmo" e se voltar para Deus. Deus não raro dá ao indivíduo uma escolha, e é preciso força de vontade para sacrificar o obstáculo para uma verdadeira comunhão com Deus. Aqui não se trata simplesmente de se livrar do egoísmo de uma vez por todas, mas também de escolher uma vida de obediência, humildade e amor. Não só a porta é estreita, o caminho também.

Junto a essas advertências há outras que retratam o reino como um presente, um dom. Alguns versículos do Sermão da Montanha deixam claro que a porta estreita não deixa de ser uma "porta aberta". O mesmo se encontra nas mensagens que afirmam que o reino de Deus pertence às crianças e no convite a todos aqueles que estão "carregando um pesado fardo". Essa é uma referência às pessoas que sentem que não merecem e às que estão abertas para Deus, aceitam seu presente sem reservas e sem pensar em suas próprias realizações.

Algumas passagens dos evangelhos apontam para a vinda de um "Dia do Senhor" ou "Dia do Juízo", quando todos serão julgados por suas ações. Uma dessas passagens é a grande cena do julgamento do Evangelho de São Mateus:

...

Quando o Filho do Homem vier em sua glória, e todos os anjos com ele, *então se assentará no trono da sua glória. E serão reunidas em sua presença todas as nações e ele separará os homens uns dos outros, como o pastor separa as ovelhas dos cabritos, e porá as ovelhas à sua direita e os cabritos à sua esquerda. Então dirá o rei aos que estiverem à sua direita: "Vinde, benditos de meu Pai, recebei por herança o Reino preparado para vós desde a fundação do mundo. Pois tive fome e me destes de comer. Tive sede e me destes de beber. Era forasteiro e me recolhestes. Estive nu e me vestistes, doente e me visitastes, preso e viestes ver-me". Então os justos lhe responderão: Senhor, quando foi que te vimos com fome e te alimentamos, com sede e te demos de beber? Quando foi que te vimos forasteiro e te recolhemos ou nu e te vestimos? Quando foi que te vimos doente ou preso e fomos te ver? Ao que lhes responderá o rei: "Em verdade vos digo: cada vez que o fizestes a um desses meus irmãos mais pequeninos, a mim o fizestes". Em seguida, dirá aos que estiverem à sua esquerda: "Apartai-vos de mim, malditos, para o fogo eterno preparado para o diabo e para os seus anjos. Porque tive fome e não me destes de comer. Tive sede e não me destes de beber. Fui forasteiro e não me recolhestes. Estive nu e não me ves-*

tistes, doente e preso, e não me visitastes". Então também eles responderão: "Senhor, quando é que te vimos com fome ou com sede, forasteiro ou nu, doente ou preso e não te servimos?". E ele responderá com estas palavras: "Em verdade vos digo: todas as vezes que o deixastes de fazer a um desses pequeninos, foi a mim que o deixastes de fazer". E irão estes para o castigo eterno, enquanto os justos irão para a vida eterna. [Mateus 25,31-46]

...

É essencial nesse texto bíblico o aspecto inexorável do julgamento de Deus acerca dos homens. Deus envia o homem à salvação eterna ou à danação eterna. Essa passagem também enfatiza que o fator decisivo são os atos do homem. Encontramos tal pensamento mais uma vez nas epístolas do Novo Testamento: "O que o homem semear, isso colherá [...] Não desanimemos na prática do bem, pois, se não desfalecermos, a seu tempo colheremos" (Gálatas 6,7 e 6,9).

Contudo, em outros trechos fica claro que o julgamento se baseará na atitude que o homem assumiu para com Jesus Cristo. Como já vimos, também é um princípio básico da teologia cristã que o homem não pode merecer a salvação por causa de suas boas ações; portanto, o significado das ações já foi visto como uma expressão de uma atitude para com Cristo, e não como uma realização moral externa. Ou, como diz Tiago em sua epístola: "Com efeito, como o corpo sem o sopro da vida é morto, assim também é morta a fé sem obras" (Tiago 2,26).

Um fator comum aos ensinamentos do Novo Testamento sobre o Juízo é a ideia de que o homem vive sob perpétua responsabilidade. O julgamento revela a injustiça do homem e lida com as coisas que são contrárias ao amor de Deus. Mais do que tudo, é a aceitação ou rejeição, pelo homem, de Cristo e do oferecimento de salvação de Deus que irão determinar seu destino no Dia do Juízo.

A doutrina religiosa sobre as "últimas coisas" é conhecida como *escatologia*. O Evangelho de São João é um tanto insólito em sua "escatologia dos dias presentes". De acordo com ele, o julgamento está acontecendo aqui e agora, e a vida eterna é oferecida a este mundo no encontro com Cristo:

Em verdade, em verdade, vos digo:
quem escuta a minha palavra
e crê naquele que me enviou
tem a vida eterna
e não vem a julgamento,
mas passou da morte à vida.

João 5,24

PERDIÇÃO

Através da história da Igreja, já existiram várias opiniões sobre juízo, salvação e perdição, e continuam a existir entre os cristãos de hoje. De modo geral, há três visões bem diferentes:

• *Apenas uns poucos serão salvos; os outros terão a condenação eterna (ou pelo fogo do inferno ou pela ausência de Deus).*
• *Apenas alguns serão salvos; outros morrerão "a outra morte", ou seja, serão aniquilados para sempre.*
• *Toda a humanidade será salva. No Dia do Juízo todos os vivos e os mortos se ajoelharão diante do Senhor, e Deus será "todas as coisas para todos os homens".*

Esses pontos de vista — todos os três — fundamentam-se em passagens das escrituras.

Convém aqui introduzir um conceito que já ocasionou muita controvérsia e debate: a ideia de *inferno*. Durante a Idade Média, faziam-se descrições especialmente vívidas dos tormentos do inferno, porém as origens desse conceito se encontram no antigo Israel. A palavra nórdica *Hel-viti* (punição da deusa da morte), da qual deriva a palavra inglesa *hell* (inferno), é uma tradução da palavra *Gehenna* (Geena) do Novo Testamento, que significa em hebraico "Vale de Hinom". Esse vale, ao sul de Jerusalém, era notório pela idolatria. Na época de Jesus o nome Geena decerto lembrava as chamas eternas do castigo. Com base nas citações do Novo Testamento, é impossível dizer se esse fogo é uma tortura eterna ou o esquecimento, a anulação. Há também uma distinção entre o inferno e o *Hades*, o reino dos mortos, onde as almas ficam até o Dia do Juízo.

O ESPÍRITO SANTO E A IGREJA CRISTÃ

> *Mas o Paráclito, o Espírito Santo,*
> *que o Pai enviará em meu nome,*
> *vos ensinará tudo*
> *e vos recordará tudo o que eu vos disse.*
> João 14,26

O PODER DE DEUS — O ESPÍRITO SANTO

É intrínseco ao cristianismo que Jesus está vivo e sua obra é continuada pelo Espírito Santo.

Em todo o Novo Testamento, Jesus é descrito como um homem distinto do Pai. Por exemplo, diz-se várias vezes que ele orou a Deus. O espírito de Deus — ou Espírito Santo — ocasionalmente também é descrito como uma força pessoal. E, em algumas passagens, o Pai, o Filho e o Espírito Santo se transformam numa fórmula. Paulo termina sua segunda epístola à Igreja de Corinto com esta saudação: "A graça do Senhor Jesus Cristo, o amor de Deus e a comunhão do Espírito Santo estejam com todos vós!".

Será que a doutrina da Trindade significa que o cristianismo não é uma religião monoteísta? A Bíblia não contém nenhuma doutrina satisfatória sobre o relacionamento entre o Pai, o Filho e o Espírito Santo, mas, no decorrer dos séculos IV e V d. C., desenvolveu-se a *doutrina trinitária*. Segundo esta, Deus são três "pessoas" numa única divindade. O sentido de *pessoa* não era "indivíduo", como hoje. *Persona* quer dizer "máscara", ou "papel", e deriva do teatro clássico, no qual um mesmo ator usava máscaras para representar diferentes papéis.

O Espírito Santo é o Espírito de Deus. No primeiro capítulo da Bíblia, o Espírito de Deus é descrito como a força criativa e doadora de vida. Porém, no Novo Testamento, o Espírito Santo passa a ser associado a Cristo, e quando os primeiros autores cristãos descrevem sua vida religiosa, dizem com frequência "uma vida no Espírito Santo", assim como "uma vida em Cristo".

No segundo capítulo dos Atos dos Apóstolos, há uma descrição do modo como os apóstolos receberam o Espírito Santo. Os seguidores de Jesus haviam se reunido após sua morte para celebrar o *Pentecostes*, quando Deus enviou o Espírito. Considera-se esse o momento inicial da Igreja cristã, e suas atividades religiosas mais importantes são descritas no mesmo capítulo: "Eles mostravam-se assíduos ao ensinamento dos apóstolos, à comunhão fraterna, à fração do pão e às orações".

OS SACRAMENTOS

O amor e a proximidade de Deus se evidenciam não apenas por meio de suas palavras, mas também sob a forma de atos sagrados, os sacramentos.

A palavra latina *sacramento* não é mencionada na Bíblia; significa "uma maneira de tornar sagrado", isto é, de fortalecer os laços entre Deus e o homem. Trata-se de um oferecimento palpável, feito por Deus, de uma proximidade com o homem.

O termo *sacramento* pode, em princípio, aplicar-se a uma série de ações que reforçam a comunhão com Deus. A Igreja católica romana reconhece sete sacramentos. Dois têm significado especial e são vistos como sacramentos também na Igreja protestante: o batismo e a eucaristia, ambos utilizados como sinais externos, visíveis, e ambos instituídos por Jesus.

BATISMO

O próprio Jesus instituiu o batismo, segundo Mateus, juntamente com seu "mandamento missionário" no Dia da Ascensão.

Desde os primeiros dias do cristianismo, o batismo foi o passaporte para entrar na comunidade cristã; é um ato de iniciação. Jesus permitiu que João Batista o batizasse e assim iniciou sua missão. Porém, um cristão considera esse sacramento mais do que apenas uma entrada para a Igreja. Mediante o batismo, Deus concede a salvação e o perdão ao homem. O homem morre, é ressuscitado com Cristo e assume seu lugar na comunidade de Deus. Também é comum na linguagem cristã se referir ao batismo como "novo nascimento".

O batismo não pode ser separado da Palavra de Deus. Não é um ritual mágico que tem um poder intrínseco. "Sem a Palavra de Deus, a água é apenas água e não um batismo", disse Lutero.

Esse sacramento também não pode ser divorciado da fé. Aqui está o germe do antigo debate sobre batismo de crianças versus batismo de adultos. Os que apoiam o batismo dos adultos acreditam que a fé pressupõe uma conversão pessoal, uma escolha, e que o batismo é um ato de confissão e obediência. Os que favorecem o batismo de crianças afirmam que é apenas pela graça e pelo amor de Deus que somos salvos, os esforços do próprio homem não significam nada. Portanto, as crianças, bem como os adultos, podem ser admitidas no reino de Deus por meio do batismo. Isso não impede que a pessoa batizada assuma uma fé pessoal mais tarde.

EUCARISTIA

Eucaristia é uma palavra grega que significa "dar graças", e se refere à ceia que Jesus compartilhou com seus discípulos mais próximos antes de ser executado.

Os ingredientes básicos da ceia foram pão e vinho. São essas as coisas que Jesus escolheu para demonstrar o significado de seu ministério. Ele se ofereceu a si mesmo, em carne e sangue, para que o homem pudesse ser perdoado pelo rompimento de sua relação com Deus. "E tomou um pão, deu graças, partiu e distribuiu-o a eles, dizendo: 'Isto é o meu corpo que é dado por vós. Fazei isto em minha memória'."

Até mais do que o batismo, a eucaristia vem sendo motivo de discordância e conflito; as várias igrejas já ressaltaram diferentes aspectos desse sacramento. Eis alguns dos temas da eucaristia:

• O tema da comunidade. *Jesus instituiu uma maneira de fortalecer o companheirismo, tanto a comunhão com Deus como a amizade entre os que compartilham aquela ceia. Em algumas igrejas a eucaristia é conhecida como* comunhão. *A eucaristia antecipa a realização do reino de Deus.*

• O tema da lembrança. *Este oferece a justificação histórica e chama a atenção para aquilo que Deus fez pelo homem por meio da vida e do ministério de Jesus.*

• O tema da confissão. *A eucaristia é uma confissão de fé em Deus e no homem. Isso é especialmente verdade onde ela já não é um costume social.*

• O tema da força. *Por meio da eucaristia, Deus perdoa o pecado, e concede nova força e nova vida. Jesus doa a si mesmo por meio do pão e do vinho.*

• O tema do agradecimento. *A eucaristia é um presente, e um sentimento de gratidão e alegria caracteriza sua celebração, até mesmo nos primeiros tempos do cristianismo.*

• O tema do sacrifício. *Na Igreja católica romana, a eucaristia também é considerada uma reatualização do sacrifício de Jesus no Calvário. Na Igreja católica, a eucaristia é igualmente conhecida como "sacrifício da missa".*

ORAÇÃO

A associação do Espírito Santo com o ser humano não se liga apenas à anunciação e aos sacramentos. A oração é outro meio pelo qual o cristão entra em contato com Deus.

Segundo os evangelhos, Jesus orou muitas vezes, sobretudo em eventos importantes. Ele ensinou seus discípulos a orar, e o Novo Testamento é repleto de exortações à oração. A oração sempre foi uma pedra fundamental na história da Igreja, tanto nos serviços religiosos como na vida do indivíduo cristão.

A oração é o homem falando com Deus. Ela assume uma relação eu-tu, ou nós-tu; em outras palavras, um vínculo pessoal com Deus. Deus é o criador e um juiz exaltado, mas ele também é alguém que o homem pode chamar de "pai".

Para que orar? Essa é uma pergunta que todo cristão fará a si mesmo mais cedo ou mais tarde, quando não receber uma resposta positiva a uma oração.

"Pede e receberás", disse Jesus, mas ele também ensinou seus discípulos a dizer: "Seja feita a tua vontade". Na polaridade entre esses dois sentimentos reside a compreensão cristã da oração. Podemos orar a Deus por qualquer coisa, mas Deus não pode ser forçado ou coagido como acontece nas práticas mágicas. "O objeto da oração não é conseguir a realização de nossos desejos egoístas, mas a realização da vontade de Deus" (E. Thestrup Pedersen).

O SIGNIFICADO DA ORAÇÃO

A oração mais comum expressa um desejo, um anseio de algo. O *pai-nosso* é um bom exemplo da amplitude dos desejos, desde o palpável "pão nosso de cada dia" até "livrai-nos do mal".

Uma *intercessão* é uma oração por outras pessoas. Contraria o egocentrismo quem reza pela família, por amigos e conhecidos. Mas ela também transcende esses limites. Jesus exortou as pessoas a "orar por seus perseguidores" e na cruz ele orou: "Pai, perdoai-os, pois eles não sabem o que fazem".

Uma *oração de agradecimento* é oferecida em gratidão pelo recebimento de uma graça. Um bom exemplo é a história narrada em Lucas 17,11-19: conta que Jesus curou dez leprosos e apenas um voltou para lhe agradecer.

Essas orações também são ditas para agradecer coisas pelas quais a pessoa não rezou; presentes que a pessoa sente que Deus concedeu apenas por amor: saúde, amigos, e assim por diante. A gratidão muitas vezes se transforma em *louvor*. Esse é um dos tipos mais comuns de oração no Novo Testamento. Paulo com frequência inicia suas epístolas com expressões de agradecimento e louvor.

A oração e o louvor eram importantes nos serviços litúrgicos desde a aurora do cristianismo, e se tornaram parte inerente da liturgia da Igreja. A oração desse tipo é chamada de fixa ou litúrgica. Por outro lado, existe também a oração espontânea, na qual o indivíduo pode usar suas próprias palavras e expressões.

Pode-se orar só ou em companhia de outras pessoas, durante um serviço religioso. O Novo Testamento relata que os apóstolos se reuniam para fazer orações em comum (Atos 2,42). O conselho de Jesus para que se entrasse num quarto isolado para orar era sobretudo uma advertência para não se alardear os sentimentos religiosos por meio da oração (Mateus 6,5-6).

O cristianismo não exige nenhuma atitude física especial para a oração. A pessoa pode se ajoelhar, ficar de pé, abaixar a cabeça, entrelaçar as mãos ou erguê-las para o céu. Nenhum desses gestos expressa mais religiosidade do que o outro, e o próprio fiel decide qual atitude deseja adotar.

A IGREJA É A COMUNHÃO CRISTÃ

Pouco depois da morte de Jesus, as pessoas se reuniram para ouvir a história de sua vida e de seus milagres. As primeiras congregações cristãs foram assim formadas, e podemos ver no Novo Testamento que existia um grau extraordinário de amor e boa vontade entre os membros desses pequenos grupos.

São essas as sementes do que hoje se chama *Igreja*. Porém, não há regras no Novo Testamento sobre a maneira como uma igreja deve ser formada; existe apenas a noção de Igreja.

A IGREJA É DE DEUS

Para compreender a noção de Igreja, devemos considerar o modo como Jesus via a si mesmo. Ele se identificava como o rei prometido, o Messias. E um rei deve ter um povo. Dizendo "Sigam-me" ele estabeleceu os fundamentos da Igreja. A Igreja é, portanto, a comunhão de todos os que seguem esse chamado.

A própria palavra *igreja* está relacionada com o termo grego *kiriaké* — ou seja, a casa de *Kyrios*, o Senhor. Equivale à palavra *ekklesia*, usada no Novo Testamento para designar "as pessoas chamadas e reunidas (para o serviço divino)", a assembleia, a congregação.

Em consequência, os cristãos não creem que sua Igreja passou a existir porque certas pessoas formaram uma organização, e sim porque um espírito divino passou a se mover entre os homens. O Pentecostes, quando Jesus enviou seu Espírito para guiar a humanidade, costuma ser considerado o aniversário da Igreja.

A palavra *igreja*, portanto, está associada à comunhão com Cristo e ao companheirismo entre os adeptos. Mas é também o nome do edifício onde as pessoas se congregam para a adoração.

Numa miríade de imagens, o Novo Testamento explica aspectos importantes da igreja, ou do povo de Cristo. A comunidade ou congregação pode ser comparada com uma casa, um vinhedo ou um organismo vivo. Pode-se pensar em igreja como algo ao mesmo tempo visível e invisível. A igreja é uma comunidade espiritual, é a fé da congregação cristã e nesse sentido é algo invisível. Mas é também um lugar onde se proclama o evangelho e se administram os sacramentos — algo visível. A Igreja é uma reunião não apenas de sacerdotes, pregadores e funcionários da igreja, mas de todos os que acreditam em Jesus Cristo.

A DIFUSÃO DO CRISTIANISMO

OS PRIMEIROS CRISTÃOS

Segundo disse Jesus, os doze apóstolos formaram o núcleo do novo reino de Deus que estava para vir. Pedro foi a figura principal entre eles. Outra figura importante foi Tiago, irmão de Jesus.

A primeira congregação cristã foi constituída por judeus. Eles obedeciam à Lei de Moisés, participavam dos serviços no Templo e na sinagoga, e de um modo geral viviam como judeus piedosos. Sua crença de que Jesus de Nazaré era o prometido Messias os diferenciava dos outros judeus. Eles foram considerados uma seita judaica separada e chamados de nazarenos, para se distinguirem dos saduceus e fariseus. No início não havia um grande abismo entre o cristianismo e o judaísmo.

De importância decisiva para a contínua difusão do cristianismo foi a conversão do fariseu Saulo (Paulo), por volta de 32 d. C. Não é exagero dizer que os muitos anos de ministério de Paulo transformaram o cristianismo numa religião mundial. Sua contribuição se deu em dois níveis: em primeiro lugar, ele viajou intensamente pelo mundo greco-romano e proclamou o evangelho de Cristo entre os não judeus. Em segundo lugar, estabeleceu as fundações da teologia cristã em suas várias epístolas às novas igrejas. Nas epístolas de Paulo o cristianismo é tratado como uma religião independente, e Jesus Cristo, como o salvador de todos os humanos.

Uma questão fundamental na Igreja primitiva foi a relação entre os cristãos judeus e os cristãos gentios (isto é, cristãos não judeus). Estariam os cristãos gentios sujeitos à Lei de Moisés? Deveriam eles, por exemplo, ser circuncidados antes de se tornar cristãos? Nas primeiras décadas após a morte de Cristo, muitos líderes cristãos de Jerusalém, incluindo o irmão de Jesus, Tiago, acreditavam que sim. Paulo, porém, tinha um ponto de vista diferente. Ele viajara entre os "gentios" e vira como eles adotavam a fé de Cristo sem ter um conhecimento íntimo do judaísmo.

UMA SÓ IGREJA —
MUITAS COMUNIDADES RELIGIOSAS

O cristianismo hoje está dividido em muitas comunidades eclesiásticas, com diferentes organizações, doutrinas, ordens e atitudes sociais.

Podemos dizer que a Igreja permaneceu única e indivisa até 1054, quando se dividiu em duas, *católica romana* e *ortodoxa*.

No século XVI ocorreu a Reforma protestante, quando diversas comunidades da Igreja se levantaram em protesto contra certos aspectos da doutrina e da prática da Igreja católica. Foram elas a Igreja anglicana, a reformada e a luterana.

Depois disso surgiram novas igrejas, destacando diferentes aspectos do evangelho cristão. Estas incluíam: os calvinistas, os presbiterianos, os metodistas, os batistas, os *quakers* (ou quacres), os pietistas etc.

Como a Bíblia não contém nenhum princípio claro de orientação sobre a organização eclesiástica, cada comunidade da Igreja escolheu uma forma própria de se organizar. Há igrejas que dão uma ênfase particular à instituição em si; outras consideram mais importante a comunhão dos indivíduos que compartilham experiências religiosas uniformes e opiniões semelhantes sobre questões morais e religiosas. Expressões como "Igreja do povo", "Igreja livre" e "Igreja do Estado" também descrevem diferentes formas de organização. Essa multiplicidade de formas surge, em parte, de visões distintas a respeito de alguns aspectos da mensagem da Bíblia e, em parte, das condições históricas e culturais nas quais elas foram constituídas. Do mesmo modo, condições étnicas, psicológicas, sociológicas e geográficas desempenharam um papel nas cisões da Igreja.

Apesar de todos os contrastes, porém, a maioria das comunidades cristãs tem um *fundamento comum*, que é a Bíblia. Além disso, a maioria aceita um — ou mais — dos credos que foram formulados nos antigos sínodos, o Credo niceno, o Credo atanasiano e o Credo dos apóstolos.

O MUNDO CRISTÃO

Em parte por causa do lugar importante que as missões tiveram no cristianismo, este se tornou a mais difundida de todas as religiões. Hoje há três ramos principais na Igreja, cada um concentrado numa área geográfica diferente. Primeiro, a *Igreja católica romana*, que é majoritária no Sul da Europa e na América Latina, e tem grandes minorias nos Estados Unidos e na África;

em seguida vem a *Igreja ortodoxa*, centrada na Grécia e na Europa Oriental, e por fim as *igrejas protestantes*, localizadas sobretudo no Norte da Europa, nos Estados Unidos e na Austrália.

DIFERENTES TIPOS DE COMUNIDADES DA IGREJA

Com base na doutrina das diversas igrejas acerca de questões religiosas fundamentais, podemos categorizar as diferentes comunidades cristãs ou confissões (da palavra latina *confessio*).

• *Podemos discernir duas alas: uma tradicional e rica em formalidade, e outra que dispensou ou perdeu grande parte de suas tradições eclesiásticas antigas ou medievais. Podemos chamá-las de ala* católica *e ala* protestante.

Feita essa distinção, podemos dizer que a Igreja católica romana fica no extremo de uma ala, enquanto os batistas ficam na extremidade da outra. Entre as duas estão o anglicanismo, o luteranismo e o metodismo.

• *Outro tipo de divisão se apoia no significado do batismo. Uma Igreja que baseia a admissão de seus membros no batismo de crianças é intrinsecamente aberta e inclusiva. Ela deseja abranger a todos, e tem sacramentos, clérigos e serviços divinos que são caracterizados em maior ou menor grau pela liturgia.*

As igrejas que não praticam o batismo de crianças são por natureza excludentes e se destinam apenas aos que creem. Tornar-se membro delas depende de uma filiação voluntária e, com frequência, de um ato de confissão, do batismo na idade adulta ou de um testemunho pessoal.

Uma Igreja desse tipo geralmente não tem sacramentos nem sacerdócio.

• *A terceira maneira de categorizar se fundamenta naquilo que cada Igreja mais enfatiza, por exemplo, a organização (constituição da*

Igreja), a doutrina, os serviços divinos. O luteranismo é particularmente apegado à doutrina, a Igreja católica romana destaca a constituição da Igreja, ao passo que o serviço litúrgico é o ponto focal da Igreja ortodoxa.

A IGREJA CATÓLICA ROMANA

ABRANGÊNCIA

A Igreja católica romana é a maior de todas as igrejas. Existem cerca de 1 bilhão de cristãos no mundo. Aproximadamente metade deles pertence ao catolicismo.

ORGANIZAÇÃO

Uma das organizações mundiais mais fortes e mais rigidamente estruturadas, a Igreja católica é governada por leis estabelecidas com precisão. Sua hierarquia, composta pelo papa, pelos bispos e padres, possui grande autoridade sobre a camada inferior, os leigos.

O PAPA

A posição proeminente do papa como líder de todos os fiéis se baseia no fato de que ele é o sucessor do apóstolo Pedro.

As palavras de Jesus a Pedro: "E sobre esta pedra edificarei a minha igreja" foram gravadas em ouro no domo da catedral de São Pedro em Roma.

Em 1870, foi proclamado o dogma da infalibilidade do papa em questões de fé. Em tais casos — na prática aconteceu apenas duas vezes —, diz-se que o papa fala *ex cathedra*, isto é, de cadeira. Isso não significa que o papa esteja isento de pecado; ele também deve se confessar regularmente. Tampouco ele pode introduzir uma nova doutrina. Mas ele tem a autoridade para decidir se algum assunto está em conformidade com a Bíblia e com a tradição eclesiástica. Ele não toma essas decisões sozinho, e sim junto com os bispos. O papa é igualmente um bispo, o bispo de Roma. Em tempos antigos ele tinha grande poder temporal bem como espiritual e no decorrer da história já houve muitos conflitos agudos entre a Igreja e o Estado. O papa continua sendo o chefe de um pequeno Estado, o Vaticano, que tem sua própria moeda, polícia, estação de rádio, seu próprio correio e corpo diplomático.

BISPOS E PADRES

Assim como o papa é o sucessor de são Pedro, os bispos seguem as pegadas dos apóstolos. Desde o tempo dos primeiros apóstolos, novos líderes clericais foram ordenados pela imposição das mãos, e essa tradição (a *sucessão apostólica*) perdura até hoje.

Uma das funções mais importantes de um bispo é ordenar padres em sua diocese. A principal tarefa de um padre é dirigir sua paróquia ou comunidade, pela pregação e pelo serviço divino, sobretudo pela administração dos sacramentos. Embora a participação ativa dos leigos na Igreja católica romana tenha aumentado em anos recentes, os padres ainda ocupam uma posição de maior autoridade nesta igreja do que nas outras. Antes de mais nada, os padres têm autorização especial para pregar a Palavra e administrar os sacramentos (considerados manifestações visíveis da graça de Deus). Os padres são investidos dessa autorização quando seus bispos os *ordenam* (sacramento da *ordem*).

Como vemos, a organização estrita da Igreja católica não é coincidência. Ela é vista como algo iniciado pelo próprio Jesus e como uma expressão visível do reino de Deus aqui na terra. Os padres devem dedicar sua vida a Deus, à Igreja e à humanidade. Por essa razão, não podem se casar e constituir família (*celibato*).

As mulheres não têm permissão de exercer o sacerdócio na Igreja católica. Hoje, é um assunto em discussão, principalmente nos Estados Unidos, e já se ressaltou que não existe qualquer fundamento bíblico para tal proibição, apenas razões culturais e tradicionais.

A IGREJA ÚNICA, SANTA, CATÓLICA, APOSTÓLICA

Os católicos ensinam que a Igreja tem quatro características que também distinguiram a primeira Igreja cristã.

• Ela é una. *Fiéis à Palavra de Jesus acerca da* unidade, *os apóstolos se esforçaram para garantir que todos os cristãos aprendessem a mesma fé e a mesma maneira de viver uma vida cristã. A expressão "Igreja una" significa ainda que existe apenas uma única e verdadeira Igreja, e não várias.*

• Ela é santa. *O catecismo católico diz: "A Igreja é santa porque ensina uma doutrina santa e oferece a todos os meios para a santidade, os sacramentos".*

• Ela é católica. *Isso quer dizer que ela é universal, mundial, para todos. Os primeiros cristãos atenderam o pedido de Jesus para levar o evangelho a todas as pessoas, e a Igreja continua enviando missões para o mundo inteiro.*

• Ela é apostólica. *Ela é comandada por pessoas que são os sucessores dos apóstolos, permanecendo fiéis à doutrina deles.*

OS FUNDAMENTOS: A BÍBLIA E A TRADIÇÃO

Naturalmente, é na Bíblia que a Igreja católica baseia, em grande medida, sua vida e seu dogma. Porém, a Bíblia é vista à luz da *Tradição*, isto é, da doutrina e dos costumes que foram transmitidos pela Igreja desde a época dos apóstolos. Evidentemente, a Tradição não é a transferência mecânica do legado oral deixado pelos apóstolos, e sim o desenvolvimento constante do potencial que existe no evangelho. Com a ajuda do Espírito Santo, a Igreja será capaz de compreender e revelar a mensagem de Deus de maneira cada vez mais clara. Mas o que quer que se entenda por "Tradição", há uma crença católica comum que diz que apenas a Igreja, e não o crente como indivíduo, pode definir o que é Tradição.

Com base nisso é possível compreender as palavras do catecismo católico: "Esta transmissão viva realizada no Espírito Santo é chamada de Tradição, uma vez que é distinta das Escrituras

Sagradas, embora intimamente ligada a elas. Através da Tradição, a Igreja, em sua doutrina, em sua vida e sua adoração perpétua, transmite a cada geração tudo aquilo que ela é, tudo em que ela acredita".

A NOÇÃO CATÓLICA DE SALVAÇÃO

A Igreja católica mantém uma série de doutrinas importantes em comum com outras igrejas cristãs. Das escrituras fundamentais, as principais são a Bíblia e os três Credos antigos.

Examinaremos agora dois aspectos nos quais a visão católica difere da visão das outras igrejas: a salvação e os sacramentos.

SALVAÇÃO

O ponto de partida é a visão católica de humanidade: o homem foi criado à imagem de Deus, e portanto tem uma alma eterna e o livre-arbítrio. O homem abusou de seu livre-arbítrio desobedecendo a Deus, e sua vontade o pôs no caminho errado, um caminho que o afasta de Deus e da vontade de Deus. Essa queda do estado de graça perseguiu o homem desde então, sob a forma de pecado original. O livre-arbítrio foi reduzido, mas continua existindo. Depois da queda, o homem conservou a capacidade de fazer boas ações, e estas são um pré-requisito para obter a salvação. Mas o homem não pode redimir a si mesmo.

É por meio de Cristo que o homem pode ser salvo — por meio da vida de Cristo, com sua obediência a Deus, por meio de sua expiação, seu sacrifício na cruz e sua ressurreição.

Deus, porém, não impõe sua redenção ao homem. O homem deve aceitar a salvação acreditando na Palavra de Deus como é pregada pela Igreja. A salvação é vista como uma ação conjunta entre Deus e o homem. Tanto a fé como a salvação pressupõem a graça de Deus. Os sacramentos transmitem essa graça. Deles os católicos recebem a força para viver de acordo com a vontade de Deus. Mas a redenção final vem apenas após a morte. Esta vida terrena é só uma preparação para ela.

198

OS SETE SACRAMENTOS

Os sacramentos são os sinais visíveis de que Deus concede sua graça aos humanos. Normalmente quem os administra é um bispo ou um padre. Devem ser recebidos "com merecimento" (exceto o batismo de crianças), isto é, na fé e na vontade de amar a Deus e a seus semelhantes. A Igreja católica tem sete sacramentos.

1. Batismo. *A Igreja católica romana batiza as criancinhas. O batismo é o sacramento básico: por meio dele a criança entra para a Igreja e recebe a graça abençoada.*

2. Confirmação, ou crisma. *Costuma ser administrada por um bispo quando a pessoa tem por volta de doze anos e já recebeu uma instrução completa na doutrina da Igreja. A cerimônia da confirmação é realizada em geral perto de Pentecostes. O clímax é a unção com óleo.*

3. A eucaristia. *É uma parte do serviço divino e consiste em pão e vinho, mas por motivos práticos era comum até recentemente que os comungantes recebessem apenas o pão consagrado, ou hóstia. Hoje é cada vez mais comum que elas recebam também o vinho. Quando o padre lê as palavras iniciais da eucaristia, faz isso em nome de Jesus, como se o próprio Jesus estivesse presente. A Igreja católica afirma que o pão e o vinho se transformam realmente no sangue e no corpo de Jesus Cristo, e que, portanto, este se encontra em íntima proximidade de nós na eucaristia. A aparência, o odor, e o sabor do pão e do vinho permanecem iguais, mas aquilo que os filósofos denominam "substância" se altera. Essa doutrina é conhecida como transubstanciação (ou seja, "alteração da substância"). A cerimônia da eucaristia proporciona aos crentes a participação no sacrifício de Jesus no Gólgota. Trata-se da cerimônia de um sacrifício, no qual Cristo é oferecido em expiação a Deus pelos pecados. Por essa razão a eucaristia também é chamada de* sacrifício da missa. *Os que tomam parte nessa cerimônia recebem a remissão de seus pecados em consequência da morte sacrificial de Jesus.*

Outro termo para "eucaristia" — comunhão — expressa mais um aspecto importante desse sacramento: a união da comunidade reunida para uma refeição comum.

As hóstias consagradas que costumam restar após a eucaristia são

199

guardadas num recipiente especial, o tabernáculo, junto ao qual se acende uma lâmpada vermelha. Os fiéis se ajoelham e reverenciam seu conteúdo como se fosse o Cristo vivo em forma de hóstia. Uma vez por ano, na festa de Corpus Christi, a hóstia é levada solenemente em procissão pelas ruas.

4. Penitência. *O sacramento da penitência consiste em confissão, absolvição e atos de contrição.*

Na confissão os pecados são relatados a um padre, que concede o perdão (absolvição) ao contrito. Isso não significa que seja o padre quem o está perdoando; ele simplesmente lhe transmite o perdão de Deus. Para que esse sacramento seja válido, o penitente deve sentir remorso e intenção sincera de não voltar a cometer o pecado.

O padre estipula atos de contrição, que em épocas antigas eram muito severos. Hoje, incluem orações, jejum ou esmolas por caridade.

5. Unção dos enfermos. *O padre unge a pessoa doente na testa e nas mãos enquanto diz: "Que o Senhor te assista pela graça do Espírito Santo, para que sejas libertado de teus pecados. Que, em sua bondade, ele possa te salvar e te levantar".*

A unção se destina a dar aos doentes força espiritual e consolo durante a enfermidade. Só são ungidos os que estão gravemente doentes ou muito fracos. Antes, chamava-se esse sacramento de "extrema-unção", pois era ministrado sobretudo aos moribundos.

6. Ordem. *Ordenação para o status clerical. A ordenação dos padres é realizada por um bispo, utilizando-se de orações e da imposição das mãos. Ela concede o direito de administrar os sacramentos da Igreja. A instituição do sacerdócio, segundo os ensinamentos católicos, deveu-se à instituição da eucaristia.*

7. Matrimônio. *Aqui o elemento crucial não é a bênção do padre, mas os votos mútuos que fazem o noivo e a noiva na presença de um sacerdote e de testemunhas. Os católicos consideram o matrimônio indissolúvel e não reconhecem o divórcio. Porém, quando não são seguidos os critérios para um casamento adequado, pode-se anulá-lo.*

Uma encíclica papal de 1968 desencorajou o uso de anticoncepcionais artificiais, mas essa orientação não obteve aceitação universal na Igreja católica. O uso dos anticoncepcionais em geral é determinado por considerações culturais.

Sacramentais é o nome dado aos meios adotados pela Igreja de implorar pelas bênçãos de Deus. Podem ser símbolos, cerimônias ou objetos consagrados que despertam a devoção no fiel, por exemplo: abençoar um doente ou uma criança; rosários, crucifixos e medalhas; água (água benta), cinzas (na Quarta-Feira de Cinzas), folhas de palmeira (no Domingo de Ramos), velas (no dia 2 de fevereiro) e fogo (véspera da Páscoa).

Diferentemente dos sacramentos, os sacramentais não foram introduzidos por Jesus, e sim pela Igreja. Além disso, não se tornam efetivos em virtude de um poder divino inato, como ocorre com os sacramentos, mas graças às orações coletivas e particulares dos fiéis.

A MISSA

O serviço divino desempenha um papel fundamental na Igreja católica romana. Segundo o catecismo católico, o fiel deve assistir à missa todo domingo. Além da missa, há outros tipos de serviço, como as *horas canônicas*, assim chamadas porque desde os tempos mais antigos sempre foram pronunciadas em horários determinados do dia. É particularmente nos mosteiros que se faz esse tipo de oração, a qual é dita como uma *antífona* (com perguntas e respostas), às vezes pelo padre e pela congregação, mas com mais frequência pelos monges, padres, freiras etc. entre si. Em geral se compõe de salmos de Davi, hinos e trechos da Bíblia.

A missa solene costuma ser celebrada no domingo de manhã, e começa com a entrada do padre e dos coroinhas em procissão. As partes da missa correspondem, usualmente, às do serviço luterano: confissão dos pecados, glória (Glória a Deus nas alturas), o sermão, o Credo e o clímax, que é a eucaristia. O padre e suas ações no altar são o ponto focal para a assembleia; isso, porém, não significa que ela seja passiva. Os fiéis participam cantando, ajoelham-se, fazem o sinal da cruz e são atingidos pelo apelo sensorial abrangente das cerimônias simbólicas: a água benta, o incenso, o beijo da paz, as cores litúrgicas, a música.

CARACTERÍSTICAS DISTINTIVAS:
O POVO DE DEUS, A VIRGEM MARIA E OS SANTOS

Os católicos acreditam que "o povo de Deus", a grande comunidade de todos os crentes, a "comunhão dos santos", inclui não apenas os vivos, mas também os mortos, isto é, os que sofrem no purgatório e os bem-aventurados no céu.

A doutrina de que os mortos são purificados no purgatório antes de ser salvos tem raízes na Igreja antiga. Baseada em certas passagens bíblicas, afirma que as almas destinadas à bem-aventurança mas que não estavam inteiramente puras quando deixaram a terra, devem passar por um fogo purificador.

Esse fogo não deve ser compreendido literalmente, e sim como uma purificação espiritual. Os crentes na terra podem abreviar o tempo passado pelos mortos no purgatório dizendo orações que intercedem por eles. Os mortos são lembrados num dia especial do ano, chamado Dia de Finados (dia 2 de novembro, um dia depois do Dia de Todos os Santos).

Os crentes dirigem suas orações pelas almas não só a Cristo, mas também à Virgem Maria e aos santos, já que estes estiveram especialmente próximos a Cristo. Isso explica o importante papel que os santos desempenharam na Igreja católica. Os crentes os honram e reverenciam, e oram por sua *intercessão*, porém não os adoram.

Imagens e estátuas da Virgem Maria e do Menino Jesus se encontram por toda parte em países católicos — nas igrejas, nas paredes das casas, à beira das estradas. Depois do pai-nosso, a oração mais comum é a *ave-maria*:

> *Ave, Maria, cheia de graça,*
> *o senhor é convosco,*
> *bendita sois vós entre as mulheres,*
> *bendito é o fruto do vosso ventre, Jesus.*
> *Santa Maria, mãe de Deus,*
> *rogai por nós, pecadores,*
> *agora e na hora da nossa morte,*
> *amém.*

Em épocas recentes o lugar da Virgem Maria na doutrina da Igreja vem se definindo com mais precisão. Durante os últimos 150 anos, os papas anunciaram que ela é livre de pecado original (Imaculada Conceição), e que seu corpo e sua alma foram levados para o céu (Assunção). Essa doutrina dos católicos romanos se baseia numa tradição cristã muito antiga.

Os santos são pessoas que dedicaram a vida a honrar a Deus de maneira excepcional, por exemplo, morrendo como mártires ou fazendo milagres. Até o ano de 1172, os bispos podiam decidir se alguém deveria ser canonizado; mas a partir de então o papa é o único que tem autoridade para isso. A canonização só ocorre depois de longas e exaustivas investigações sobre a vida do indivíduo que irá recebê-la. Há igrejas e capelas que levam o nome de santos. Desde épocas medievais várias profissões têm seu santo padroeiro, e cada dia do ano leva o nome de um dos santos do dia, geralmente com um nome dominante.

MOSTEIROS E ORDENS

O sistema monástico se desenvolveu há muito tempo na antiga Igreja, com base na vida dos eremitas. Há inumeráveis ordens de monges e de freiras, todas com regras diferentes. Algumas são introspectivas e dão grande importância à oração e à meditação; outras têm interesse especial em pregar e participar de debates públicos; outras realizam trabalho missionário; outras, ainda, dedicam a vida a servir na área social. São comuns a todas elas três exigências básicas que devem ser cumpridas durante toda a vida, a saber, os votos de pobreza, celibato e obediência aos superiores da ordem.

RENOVAÇÃO CATÓLICA — O CONCÍLIO DO VATICANO

Desde a década de 1960 a Igreja católica vem passando por uma vibrante renovação. O papa João XXIII foi, em parte, o inspirador desse movimento, quando em 1962 organizou um encontro geral dos bispos, ou concílio, no Vaticano.

Uma das decisões cruciais ali tomadas foi que os serviços não mais deveriam ser realizados em latim, mas na língua do país onde fossem celebrados.

Além disso, houve um apelo para que se lesse a Bíblia, de preferência numa tradução moderna, e foram organizados grupos de estudos bíblicos para os leigos. Depois da Reforma protestante, a Igreja havia cessado de incentivar a leitura da Bíblia entre os leigos, temendo que isso pudesse levar a ensinamentos errôneos e a tendências heréticas.

O relacionamento da Igreja católica com outras igrejas também vem se modificando durante os últimos anos. Ela não rejeita mais o contato com as outras, tomando parte em muitas atividades ecumênicas. A Igreja católica não é membro do Conselho Mundial de Igrejas, mas envia observadores a suas assembleias. Ela vem participando de numerosos diálogos com outras igrejas e religiões acerca de questões humanas comuns como o casamento, a migração de trabalhadores, o contraste entre países ricos e países pobres.

A IGREJA ORTODOXA

ABRANGÊNCIA

A Igreja ortodoxa costuma ser conhecida também como Igreja ortodoxa oriental, já que tinha sua sede no Oriente Médio, por oposição à Igreja ocidental, cujo centro era em Roma. A Igreja ortodoxa se difundiu a partir de Jerusalém e Istambul (Constantinopla) pela Bulgária, Romênia, Grécia e Rússia, onde hoje tem seu baluarte. Além disso, há em torno de 5 milhões de ortodoxos nos Estados Unidos, resultado da imigração da Europa Oriental. Em razão das condições políticas, não se sabe com exatidão o número de pessoas que pertencem atualmente à fé ortodoxa, mas se estima que os fiéis totalizem cerca de 150 milhões.

ORGANIZAÇÃO ECLESIÁSTICA

Desde o início houve diferenças e desacordos entre a Igreja ocidental, de fala latina, e as igrejas orientais, que não queriam reconhecer a supremacia do papa. O rompimento com Roma acabou ocorrendo em 1054. As igrejas ortodoxas não têm nenhum chefe ou liderança em comum; são autônomas e independentes. Cada uma delas é dirigida por um *patriarca*.

Na Grécia, onde toda a população adota a fé ortodoxa, ela se tornou a Igreja estatal. Na Finlândia, país que conta com 75 mil cristãos ortodoxos, ela também é Igreja estatal, juntamente com a luterana.

Por causa de seus fortes laços com o regime czarista, a Igreja ortodoxa russa foi muito perseguida depois da Revolução de 1917.

O sacerdócio é composto de diáconos, padres, bispos, arcebispos, metropolitas e patriarcas. O celibato é obrigatório apenas para os bispos, não para os padres — embora o casamento deva ocorrer antes da ordenação. A Igreja ortodoxa tem claustros e monges, mas não possui ordens separadas, independentes, como a Igreja católica. Cada claustro tem sua própria ordem e está sob a jurisdição do bispo local.

OS FUNDAMENTOS: A BÍBLIA E A TRADIÇÃO

O fundamento da doutrina ortodoxa é a *Tradição*, conforme revelada na Bíblia e nos pronunciamentos dos primeiros sete concílios ecumênicos (de 325 a 789). O mais importante de todos é o *Credo niceno* — a mais alta expressão da fé ortodoxa.

Para a Igreja ortodoxa, porém, a Tradição não é simplesmente um conjunto de doutrinas, mas, em suas próprias palavras, "a corrente viva que flui através do passado e do presente da Igreja, sempre pulsando e sempre se renovando".

A NOÇÃO CATÓLICO-ORIENTAL DE SALVAÇÃO

A Igreja ortodoxa costuma ser chamada de Igreja da Ressurreição, em virtude de sua ênfase na ressurreição de Cristo. O fundamental é que Cristo, ao mesmo tempo plenamente humano e totalmente divino, traz a salvação com sua vitória sobre a morte. Essa vitória transformou a natureza do homem em algo celestial. A ideia de que o homem é destinado à divindade, destinado a ser preenchido pela presença de Deus, tem um lugar importante na doutrina dessas igrejas.

Isso começou quando Cristo desceu à terra e "tornou-se homem para que nós possamos nos tornar divinos" (Atanásio, *c.* 300).

OS SACRAMENTOS

Existem sete sacramentos, mas tudo o que a Igreja faz é considerado sacramental. O batismo de crianças é muito difundido e com frequência imediatamente seguido da santa crisma (confirmação). Por esse motivo as crianças também participam da eucaristia. É ortodoxa a crença de que o pão e o vinho se transformam no sangue e no corpo de Cristo pelo poder do Espírito Santo.

O JUÍZO FINAL

Quanto ao Juízo Final, geralmente se faz uma distinção entre os salvos e os condenados; porém, muitos fiéis ortodoxos se afastaram da doutrina da perdição eterna. Eles seguem a indicação de um antigo padre da Igreja, Orígenes, que falou da "redenção de todas as coisas" (apocatástase), ou seja: todas as pessoas serão salvas no final, até mesmo Satã e seus anjos. Essa doutrina foi criticada num concílio da Igreja em 553, mas, trazida novamente à tona por vários teólogos ortodoxos contemporâneos, não foi tachada de herética pela Igreja.

SERVIÇO DIVINO

A fim de compreender o serviço, é necessário primeiro nos familiarizarmos com o próprio edifício da Igreja, que é construído como o Templo de Salomão, em Jerusalém. Entra-se primeiro num vestíbulo, que contém a pia batismal, símbolo de que o ingresso na Igreja se faz mediante o batismo.

Em seguida vem a nave, onde a congregação se posta durante o serviço. Oculto atrás de um biombo fica o santuário, que corresponde ao Santo dos Santos no Templo judaico do Antigo Testamento. Apenas o padre tem permissão de entrar nesse santuário, mas quando as portas estão abertas a congregação pode ver o que acontece ali.

O biombo se chama *iconostas* (parede de imagens), porque é coberto de pinturas religiosas, ou *ícones*, tão característicos da Igreja ortodoxa. São imagens de Jesus, da Virgem Maria e dos apóstolos, santos e anjos. O fiel ortodoxo acredita que Deus se revela por meio dos ícones. Essas imagens, que também se encontram nos lares, são usadas na meditação.

O serviço ortodoxo já impressionou muita gente com sua beleza. Há procissões com luzes e incenso; velas são acesas e apagadas; as pessoas se ajoelham e beijam os ícones. A música, em sua maior parte, é cantada por um coro, sem acompanhamento instrumental, que utiliza uma forma arcaica da linguagem vernácula.

O mais importante, porém, não são esses aspectos externos, e sim o que eles representam. O serviço é uma reafirmação simbólica de toda a história da salvação, desde a criação, passando pela natividade e pela morte de Jesus, até sua ressurreição.

O dia da igreja começa às seis da tarde e é preenchido pelo ciclo do serviço divino: serviço da noite, serviço da manhã e liturgia (missa). No início do serviço da noite, a criação do mundo é simbolizada quando o padre entra na nave inteiramente iluminada, com o acompanhamento de trechos dos Salmos de Davi. Quando ele se retira e fecha a porta do iconostas, as luzes se apagam, como símbolo da queda do homem e da porta fechada do paraíso.

Mais tarde, a volta do padre, que, junto com seus assistentes, caminha pela nave com velas e incenso, no início da liturgia, simboliza que Cristo nasceu e está iluminando o caminho para o homem.

O clímax da liturgia é a eucaristia. Primeiro o pão e o vinho são consagrados no santuário, e o padre e o diácono recebem o sacramento no altar. Abre-se então a Porta Real, o par central de portas duplas no iconostas. A congregação avança e fica em pé para receber o corpo e o sangue de Cristo.

Por causa da ênfase que a Igreja ortodoxa dá à ressurreição de Cristo, seu serviço anual mais relevante é o que se realiza na noite do domingo de Páscoa.

A importância do serviço divino está ligada à compreensão da *fé*, uma compreensão baseada sobretudo no Evangelho de São João. A fé não nasce da especulação nem do estudo, mas da imersão no grande mistério da cristandade. E isso se encontra em primeiro lugar no serviço ortodoxo.

A REFORMA PROTESTANTE

No século XVI uma grande revolução eclesiástica ocorreu na Europa Ocidental, levando a mudanças consideráveis na esfera religiosa que, durante todo o período medieval, estivera sob o domínio da Igreja católica. Essa revolução nas mentalidades teve tanto causas políticas como religiosas. Muitos monarcas estavam insatisfeitos com o enorme poder que o papa exercia no mundo, ao mesmo tempo que muitos teólogos criticavam a doutrina e as práticas da Igreja, sua atitude para com a fé e seu feitio organizacional. Ideias e razões distintas deram origem a diversas comunidades eclesiais novas.

• *Na Inglaterra, o rei Henrique VIII rompeu com o papa porque este se negou a lhe dar permissão para que se divorciasse. O rei se tornou, então, chefe da Igreja da Inglaterra. Não houve cisma, mas a Igreja da Inglaterra aos poucos foi adotando várias das ideias da Reforma. Hoje, o anglicanismo é uma Igreja que engloba diferentes tendências e até mesmo seitas, algumas com uma noção quase católica do serviço divino e outras que se baseiam mais no puritanismo e nos novos movimentos e surtos de reavivamento.*

• *Foi um monge alemão, Martinho Lutero, o maior responsável por esse conflito teológico. Ele deu forte destaque à fé e à palavra (a Bí-*

blia), como os elementos mais significativos. Diversos príncipes eleitores, nobres governantes alemães, insatisfeitos com o poder do papa, apoiaram Lutero e transformaram as igrejas de seus próprios domínios em igrejas estatais, partindo do princípio de que a religião do eleitor também era a de seus súditos.

• Os reformadores suíços Calvino e Zuínglio defendiam um rompimento mais radical com o catolicismo. Davam menos valor ao batismo e à eucaristia do que os católicos e os luteranos, mas julgavam vital mexer na organização da Igreja. Queriam seguir aquilo que consideravam os preceitos do Novo Testamento. A Igreja é dirigida por representantes eleitos que, juntamente com os ministros, constituem a Assembleia Geral. Esta é conhecida como presbitério (da palavra grega que significa "conselho de anciãos"), e por isso a Igreja reformada é chamada presbiteriana. Essa Igreja logo se tornou a principal seita protestante em países cujos soberanos não instituíram o cristianismo como religião do Estado; por exemplo, Holanda, Suíça e Escócia.

A IGREJA LUTERANA

ABRANGÊNCIA

O fundador da Igreja luterana, *Martinho Lutero* (1483-1546), era alemão, e hoje, na Alemanha, a Igreja luterana é a mais importante, ao lado do catolicismo romano. É apenas nos países escandinavos que predomina o luteranismo (mais de 90% da população). Quando imigraram para os Estados Unidos, os escandinavos e alemães difundiram sua fé, e atualmente, com 6 milhões de adeptos, os luteranos constituem a quarta maior comunidade eclesiástica dos Estados Unidos. O trabalho missionário dos luteranos durante os últimos 150 anos também estabeleceu muitas igrejas missionárias no mundo todo; a maior delas é a Igreja batak, na Indonésia. A Noruega tem duas igrejas luteranas: a Igreja da Noruega e a Igreja luterana evangélica livre.

ORGANIZAÇÃO

"A Igreja é a assembleia de santos na qual o evangelho é ensinado de maneira pura e os sacramentos administrados de maneira correta."

Essa definição luterana da Igreja dá mais ênfase à missão da Igreja do que a sua organização prática.

A Igreja de Cristo é invisível e pode facilmente incluir pessoas de várias igrejas. O que é crucial não é a união de pessoas que compartilham as mesmas opiniões, e sim o fato de que o próprio Cristo fala e age utilizando as palavras e o sacramento que ele instituiu. Assim, o serviço divino é o verdadeiro eixo da Igreja.

Um ministro luterano não ocupa a mesma posição especial em relação aos leigos que seu correspondente católico. Lutero distinguiu entre o *sacerdócio universal* e o ministério clerical especializado.

O sacerdócio universal significa que, mediante o batismo e a fé, cada cristão se torna seu próprio sacerdote, não precisando, portanto, de nenhum intermediário quando se aproxima de Deus em suas orações.

O *ministério clerical* é muito diferente. Foi estabelecido por Deus a fim de pregar o evangelho e administrar os sacramentos. A ordenação não concede ao sacerdote nenhum atributo especial. Ele é um cristão comum que recebeu uma posição especial dentro da Igreja.

MULHERES PASTORAS

O sacerdócio ministerial nas igrejas protestantes foi exclusivamente masculino até o século XX. Certas igrejas luteranas alemãs empregaram pastores do sexo feminino desde a década de 1920. Na Suécia, a proibição constitucional do sacerdócio feminino foi abolida em 1945, na Dinamarca em 1947 e na Noruega já em 1938, mas com a restrição de que uma mulher não deveria ser nomeada se a congregação se opusesse a isso por princípio. Essa cláusula foi anulada em 1956.

210

AS MULHERES NA VIDA PAROQUIAL

As mulheres sempre foram importantes na vida oficial da Igreja e em muitas organizações voluntárias, como, por exemplo, as sociedades missionárias. Entretanto, o papel por elas desempenhado tem sido *secundário*. Os homens vêm ocupando as posições de liderança e em certas organizações apenas eles ainda têm permissão de assumir cargos administrativos e também de pregar. Isso se deve ao sistema patriarcal que impregnou a Igreja até agora. Muitas vezes, cita-se Paulo quando se quer falar na subserviência das mulheres aos homens (Efésios 5,22-24; Colossenses 3,18).

IGREJA ESTATAL

Desde o início, no século XVI, as igrejas luteranas foram instituições estatais. O chefe da Igreja era o próprio soberano, que nomeava os funcionários para administrá-la. As principais características desse sistema sobrevivem até hoje em algumas igrejas; por exemplo, na Noruega. Contudo, na Alemanha a Igreja e o Estado se separaram em 1919, e nos Estados Unidos as igrejas luteranas sempre foram independentes, assim como todas as outras comunidades religiosas. Na Noruega é o rei — na realidade, o governo — quem tem autoridade suprema sobre a Igreja e nomeia os padres e os bispos. Em épocas mais recentes o Conselho Episcopal, os capítulos diocesanos e o sínodo receberam maior autonomia, sobretudo em assuntos práticos. Por exemplo, o direito de nomear padres deve ser dado à Igreja, não ao governo.

OS FUNDAMENTOS: SÓ A BÍBLIA

Enquanto o fundamento da Igreja católica é a Bíblia mais a Tradição, o princípio luterano é que a autoridade deriva *apenas da Bíblia*. Lutero se rebelou contra diversos preceitos na Igreja católica porque sua consciência o forçou a isso. Ele acreditava que sua consciência estava sendo guiada pela Palavra de Deus, isto é, pela Bíblia.

Até mesmo Lutero sabia que não bastava simplesmente se referir à Bíblia, pois as pessoas a interpretam de diferentes maneiras. Ele acreditava que era essencial estudá-la profundamente em suas línguas originais, hebraico e grego, e isso continua fazendo parte do treinamento dos pastores luteranos.

Tal estudo irá revelar a essência e o cerne do cristianismo: *a salvação pela fé em Cristo*. Tudo o mais na Bíblia deve ser visto à luz desse princípio orientador. Portanto, não basta basear um dogma ou uma prática eclesiástica em uma ou duas passagens das escrituras; é preciso que estejam em harmonia com o princípio central. Outra implicação disso é que nem todas as partes da Bíblia são igualmente significativas.

Depois de certo tempo os líderes da Igreja tentaram formular as doutrinas mais relevantes, apoiando-as nesse princípio luterano fundamental. Isso resultou numa série de confissões que resumem a doutrina luterana. A principal delas foi a *Confissão de Augsburgo* (Augustana).

A NOÇÃO LUTERANA DE SALVAÇÃO: *"SOLA FIDE"*

O artigo mais importante da Augustana diz: "Nossa Igreja também ensina que os homens não podem se justificar perante Deus pela sua própria força, seus méritos ou suas obras, mas são plenamente justificados pelo amor de Cristo por meio da fé, quando creem".

Isso resume o princípio luterano básico da salvação ou justificação só pela fé.

O homem é pecador e por si mesmo não pode se libertar do pecado. O fato de praticar boas ações e seguir os ensinamentos da Igreja não o torna digno da salvação.

Por causa de seu pecado o homem merece punição, mas o Deus de bondade retira o castigo, absolve o homem. É o que quer dizer a palavra *justificar*. Isso acontece porque Cristo toma para si todos os pecados do homem e sofre em seu lugar.

Nesse caso, Deus está amorosamente oferecendo a salvação que o homem pode aceitar por meio da fé. Mas mesmo a fé não é uma conquista; não basta simplesmente aceitar um conjunto de doutrinas. Deve-se acreditar na graça de Deus, na compaixão divina.

OS SACRAMENTOS

Segundo os ensinamentos luteranos, um sacramento é "um ato constituído por Cristo, no qual Deus, por meio de um sinal visível, concede uma graça invisível". A justaposição de "palavras a sacramento" é comum na Igreja luterana, para sublinhar que ambos são fundamentais para a Igreja e para o indivíduo. A Igreja luterana reconhece dois sacramentos: o batismo e a eucaristia.

• Batismo. *O batismo leva o indivíduo à comunhão com Deus, torna-o um "filho de Deus". Diferentemente de outros reformadores, Lutero manteve o* batismo de crianças, *porque ele realça a ideia de que Deus está dando um presente ao homem, o qual nada fez para merecê-lo. "Aquele que crer e for batizado será salvo" (Marcos 16,16).*

• *Por esse motivo a Igreja luterana tem feito muito esforço para educar num modo de vida cristão os que são batizados (escolas dominicais, aulas de religião nas escolas, aulas de primeira comunhão).*

• A eucaristia. *A visão que a Igreja luterana tem da eucaristia está a meio caminho entre a dos católicos e a de outros protestantes. Ela não adota o ponto de vista cristão de que o pão e o vinho se transformam realmente no corpo e no sangue de Jesus, mas também não aceita a convicção alternativa de que o pão e o vinho são apenas símbolos. Lutero diz que o corpo e o sangue de Cristo estão de fato* presentes *mas que os elementos da eucaristia são meramente pão e vinho.*

Para Lutero, o crucial na eucaristia é o perdão dos pecados *concedido por Deus, como se destaca nas palavras iniciais desse sacramento.*

A VIDA: UM DOM E UM DEVER

Lutero pensava que a vida é um dom de Deus. A abundância que há no mundo é parte da criação desse mesmo Deus, que com seu ato salvífico mostrou seu amor pelos homens. Lutero rejeitava um estilo de vida ascético. A gratidão pela vida e a alegria de viver devem caracterizar um cristão. Em particular, o alto valor dado ao casamento e ao lar tem sido um ponto característico do luteranismo.

Mas a vida é também um dever. Lutero desenvolveu sua doutrina da ética vocacional em torno dessa ideia. Com "vocação" ele quis dizer "posição social e trabalho". Quando um indivíduo realiza sua vocação terrena conscienciosamente, com toda a sua capacidade, presta um serviço a Deus. A Igreja vem imitando Lutero, pregando, por exemplo, que uma vocação cívica é um ato de devoção.

SERVIÇO DIVINO

A Palavra é e em todo o tempo foi central no serviço luterano. O sermão ocupa um lugar importante, já que deve revelar à congregação a Palavra de Deus. Os *hinos*, cantados na língua vernácula (não em latim), sempre foram significativos, e o próprio Lutero escreveu e traduziu muitos deles. O serviço também vem sendo celebrado na linguagem de uso diário desde a época de Lutero. Além disso, os luteranos conservaram muito mais do antigo serviço católico do que outros protestantes. A decoração das igrejas é quase idêntica à católica, exceto pela ausência de imagens da Virgem e dos santos. O ano eclesiástico é organizado da mesma maneira, e o serviço divino segue o padrão básico.

MOVIMENTOS REFORMADOS RADICAIS

As principais denominações protestantes que surgiram da Reforma foram a Igreja luterana e a Igreja reformada. Mas já no século XVI existia uma ala mais radical que desejava formar suas próprias igrejas "puras".

BATISMO DE CRIANÇAS VERSUS BATISMO DE ADULTOS

A característica mais importante dessa ala é que ela não reconhecia o batismo de crianças, mas só o de adultos, isto é, dos que creem conscientemente. A admissão nessas seitas se dava por meio do batismo, e como muitos candidatos já tinham sido batizados anteriormente, seus adversários os apelidaram de "rebatizadores" (anabatistas). O movimento começou na Suíça, na Alemanha e na Holanda, mas a perseguição movida pelas autoridades católicas e luteranas erradicou grande parte dele. Um pequeno grupo sobreviveu na Holanda, e foi aí que os reformados ingleses exilados entraram em contato com as novas ideias e, liderados por John Smith, fundaram em 1609 a primeira das "Uniões" batistas mais modernas.

No século XVII, surgiram numerosos movimentos que se cristalizaram em novas comunidades eclesiais com muitas características comuns. Os batistas, os adventistas e os pentecostais rejeitam o batismo de crianças em favor do batismo de adultos, que inclui a imersão total na água. Os metodistas mantiveram o batismo de crianças, mas não as consideram membros plenos da Igreja. Isso só ocorre quando, na idade adulta, a pessoa reconhece sua aliança batismal e declara sua concordância com as doutrinas da Igreja.

REAVIVAMENTO E CONVERSÃO

Dois conceitos-chave nas comunidades mais modernas são "reavivamento" (do inglês *revival*) e "conversão individual". Os cultos e as reuniões se caracterizam por uma maior liberdade, isto é, não contam com uma liturgia fixa como nas igrejas católica e luterana. Têm, porém, elementos regulares constantes, como a música cantada, a leitura das escrituras, as orações espontâneas, o sermão e os testemunhos individuais de fé. O interior da igreja e as vestes dos sacerdotes são simplificados, quase sem traços distintivos, em particular nas igrejas pentecostais, onde muitas vezes a decoração não vai além de um crucifixo e uma passagem da escritura afixada na parede, e onde o líder da congregação, o pastor, não usa nenhum traje especial.

215

Também sua organização é, de modo geral, menos permanente. Em diversos casos cada congregação é de todo independente e escolhe seus próprios líderes.

PIEDADE E MODERAÇÃO

Outro aspecto comum à maioria desses movimentos é o legado puritano do calvinismo. Dá-se muita importância a uma vida de honestidade, frugalidade e moderação, e se rejeita a ideia de luxos externos e divertimentos. Contudo, a prosperidade do pós-guerra ocasionou grandes mudanças nesses conceitos.

Algumas dessas igrejas, em especial a metodista e o Exército da Salvação, combinam a vida metódica com o trabalho em prol dos menos privilegiados.

Os movimentos de reavivamento e a ênfase na conversão individual não são exclusivos dessas igrejas. Penetraram também na Igreja luterana, onde se manifestaram em movimentos leigos e organizações missionárias.

A seguir resumimos alguns fatos e aspectos que se destacam nas outras igrejas evangélicas. Depois examinaremos mais detalhadamente certas características que as distinguem.

METODISTAS

ORIGENS

O pastor anglicano John Wesley (1703-91) teve uma revelação espiritual e começou um movimento de reavivamento cristão. Não foi, de início, uma revolta doutrinária contra a Igreja da Inglaterra; mas como havia grande divergência entre os membros dessa Igreja, acabou ocorrendo uma separação.

DISTRIBUIÇÃO

É especialmente forte na Grã-Bretanha e nas ex-colônias britânicas, como Estados Unidos, Canadá e Austrália. Dos 51 milhões de metodistas do mundo, 13 milhões vivem nos Estados Unidos.

ORGANIZAÇÃO

Há uma organização permanente, com a manutenção da hierarquia, com bispos e padres, porém fundamentada em princípios democráticos. As conferências, eleitas pelas congregações, criam os bispos, e estes nomeiam os padres.

ESCRITURAS

Além da Bíblia, há escrituras de orientação:
1. o Credo apostólico, e
2. os 35 artigos sobre religião de John Wesley, datados de 1784 — uma versão revisada dos 39 artigos anglicanos.

BATISTAS

ORIGENS

Partindo dos anabatistas, a ala mais radical da Reforma do século XVI, rejeita o batismo de crianças. As igrejas batistas tiveram de início forte caráter de seitas e até hoje já passaram por várias subdivisões e surtos de reavivamento.

DISTRIBUIÇÃO

Difundiram-se na Inglaterra e, com força especial, nos Estados Unidos do século XIX, também entre os negros. Cerca de 90% dos 21 milhões de batistas do mundo vivem nos Estados Unidos.

ORGANIZAÇÃO

Congregações independentes com pastores empregados pelos membros da congregação. Há uma série de associações maiores de congregações batistas, mas elas não detêm nenhuma autoridade especial sobre as congregações. São fortemente congregacionalistas, isto é, têm uma forma bastante igualitária de organização eclesiástica.

ESCRITURAS

A Bíblia, que é interpretada literalmente em diversas congregações batistas.

PENTECOSTAIS

ORIGENS

Manifestaram-se primeiro no século XIX nos Estados Unidos, como um reavivamento dentro das igrejas metodistas e batistas já estabelecidas. Firmaram-se e se expandiram no início do século XX.

DISTRIBUIÇÃO

O movimento pentecostal dos Estados Unidos se espalhou pela Europa, e o amplo trabalho missionário das congregações pentecostais criou movimentos fortes em países como Brasil, Chile e muitos outros da América Latina.

ORGANIZAÇÃO

As congregações são plenamente autônomas, mas há também uniões de congregações pentecostais. Na América Latina, há igrejas pentecostais com comando hierárquico centralizado (Igreja Deus é Amor, Igreja Universal do Reino de Deus, Renascer em Cristo).

ESCRITURAS

A Bíblia, que em geral é interpretada literalmente.

EXÉRCITO DA SALVAÇÃO

ORIGENS

Fundado por William e Catherine Booth nas favelas de Londres, em 1878, para ajudar os mais pobres da sociedade com "sopa, sabão e salvação". Ou seja, ofereciam aos pobres comida, banho e a Palavra de Deus.

DISTRIBUIÇÃO

Desde seu início na Grã-Bretanha, espalhou-se pelo mundo inteiro, e hoje conta com 4 milhões de membros em noventa países.

ORGANIZAÇÃO

Rigidamente organizados segundo padrões militares, mas não competem com outros organismos religiosos. Permitem que seus membros continuem em suas respectivas igrejas.

ESCRITURAS

A Bíblia, só que com mais ênfase na experiência e no cristianismo prático do que na doutrina. Formulou uma espécie de credo em seus "Artigos de guerra".

QUAKERS (QUACRES)

ORIGENS

George Fox (1624-91) clamou por um cristianismo espiritualizado e atacou a superficialidade das igrejas organizadas na Inglaterra. Ele e seus seguidores chamavam a si mesmos de Sociedade dos Amigos, mas receberam o nome de *quakers* (os que tremem) porque durante uma audiência Fox exortou o juiz a "tremer diante da Palavra do Senhor".

DISTRIBUIÇÃO

As comunidades dos *quakers* foram perseguidas na Inglaterra e se espalharam pela América do Norte, onde William Penn conseguiu estabelecer sua própria colônia *quaker* (que mais tarde se tornou o estado da Pensilvânia, nos Estados Unidos). A maior parte dos 200 mil *quakers* do mundo mora nos Estados Unidos.

ADVENTISTAS

ORIGENS

O ex-sacerdote batista William Miller (1782-1849) liderou um movimento renovador nos Estados Unidos durante as décadas de 1830 e 1840. O nome "adventista" é uma referência a sua crença na iminência da segunda vinda (ou *advento*) de Jesus. Ele predisse firmemente, em várias ocasiões, que o segundo advento ocorreria na década de 1840.

DISTRIBUIÇÃO

O movimento se espalhou pela Europa e hoje tem missionários em grande parte do mundo. Os adventistas totalizam 5 milhões de pessoas.

ORGANIZAÇÃO

As congregações formam o alicerce. Elas elegem representantes para conferências distritais, que por sua vez escolhem delegados para conferências regionais, europeia e por fim mundial.

ESCRITURAS

A Bíblia. O livro de Ellen White, *Passos até Cristo*, é importante, mas visto apenas como uma obra de orientação.

METODISMO

A pedra fundamental do metodismo é que Cristo morreu por todos os homens e que Deus oferece a salvação a qualquer um que a aceitar. Uma expressão comum entre os metodistas é "livre graça" (*the free grace*).

O metodismo dá forte ênfase à *consciência da salvação*, ou seja, a capacidade do indivíduo de perceber a salvação como uma experiência espiritual. Isso muitas vezes ocorre como uma conversão repentina, um súbito despertar.

A *santificação* também é realçada no metodismo. O batismo e a conversão levam ao renascimento e à transformação da natureza humana.

O objetivo da humanidade é se tornar *perfeita*. As pessoas devem crescer em amor e justiça para conseguir amar a Deus e ao próximo como a si mesmas. Isso não significa que os metodistas acreditem que não pecar seja possível para o homem, e sim que o homem pode atingir um ponto em que, conscientemente, já não irá pecar.

O metodismo tem uma tendência *puritana* que requer de seus adeptos uma vida disciplinada, que rejeite os prazeres mundanos. Em paralelo, há um amplo engajamento social que desde o início foi dirigido para os operários pobres da Inglaterra. Orfanatos, lares para idosos e ajuda a alcoólatras sempre foram parte desse programa, e continuam sendo nas missões metodistas pelo mundo afora.

BATISTAS

A Bíblia, e em particular o Novo Testamento, é o fundamento da doutrina e da prática batista. Os batistas indicam passagens no Novo Testamento que apoiam suas ideias sobre o batismo e sobre a autonomia congregacional. Uma série de declarações de fé já foram formuladas, mas não são obrigatórias para a comunidade da Igreja como um todo. Trata-se apenas de expressões dos ensinamentos batistas numa dada época e num dado lugar.

A congregação é um ponto central para os batistas, e como corolário disso, o rito do batismo desempenha um papel fundamental. A exigência para o batismo é ter uma fé pessoal em Cristo, resultado da conversão. "Aquele que crer e for batizado será salvo" (Marcos 16,16).

Como uma criança não pode ter fé consciente, receber o batismo nesse estágio é uma impossibilidade. Em vez disso, as crianças são abençoadas da maneira como Jesus abençoava as criancinhas.

Depois que o candidato confessa sua fé cristã, ele recebe o batismo, que é consumado pela *imersão* em água. (A palavra grega *baptismos* originalmente significava "mergulhar".)

Os batistas reconhecem *dois sacramentos*, como as outras comunidades protestantes. Sua visão da eucaristia é quase calvinista, isto é, acreditam que Jesus está apenas espiritualmente presente.

PENTECOSTALISMO

Juntamente com outros cristãos evangélicos, os pentecostais acreditam nas verdades cristãs básicas tal como expressas no Credo dos apóstolos. Eles enfatizam que qualquer pessoa que procurar Cristo na fé poderá experimentar a abundância e o poder espiritual da salvação num nível puramente pessoal. O caminho da salvação que pregam foi afirmado por Pedro no primeiro Pentecostes: "Arrependei-vos e sede batizados, cada um de vós, em nome de Jesus, o Messias, pelo perdão de vossos pecados; e recebereis o dom do Espírito Santo".

O primeiro estágio nessa rota para a salvação é a *conversão*. O segundo é o *batismo na água*. Seu conceito de batismo é como o dos batistas, ou seja: o batismo se realiza pela *imersão total* e o batismo de crianças é uma impossibilidade. O terceiro estágio — e esse é um traço distintivo do pentecostalismo — é o *batismo no Espírito Santo*, isto é, a experiência da profusão e do poder do Espírito Santo, como a que os discípulos tiveram em Pentecostes (Atos 2). Os que foram batizados no Espírito Santo em geral descobrem que têm um ou mais dos dons do Espírito Santo (carismas), por exemplo, a glossolalia, ou o dom de falar línguas estranhas, o de profetizar, o dom da cura. Mas embora os pentecostais creiam na cura pela fé, não recusam tratamentos ou cuidados médicos.

O EXÉRCITO DA SALVAÇÃO

O Exército da Salvação se estrutura rigidamente dentro da orientação militar, com oficiais e soldados, e a obediência aos superiores é uma regra essencial. Os oficiais têm emprego permanente e podem se casar, com a condição de que a esposa também seja oficial. Os soldados são pessoas que possuem outros empregos e trabalham para o Exército da Salvação nas horas vagas, às vezes vendendo o jornal *Grito de Guerra*. Ocasionalmente os mais experientes são empregados em tempo integral, recebendo então a patente de sargento ou oficial local.

As mulheres têm plena emancipação em todos os níveis. O Exército da Salvação não é registrado como um organismo religioso distinto em todos os países onde atua, mas na prática funciona como tal. Um soldado do Exército da Salvação não precisa renunciar a sua própria comunidade religiosa.

O trabalho social é parte de sua atividade evangélica. O Exército da Salvação conta com um grande número de instituições diversas para os órfãos e os alcoólatras; visita os prisioneiros; ajuda os ex-prisioneiros a encontrar trabalho; e dá aos pobres comida, banho e roupa. Foram essas iniciativas, em particular, que o tornaram conhecido e valorizado em muitos círculos. O Exército da Salvação promove reuniões de reavivamento, que não seguem nenhum padrão fixo. Além do sermão, merece destaque o testemunho individual das ações de Deus. A música e o canto desempenham um papel importante, pois o ritmo e a melodia das canções geram alegria e júbilo.

Muitas reuniões do Exército da Salvação acontecem ao ar livre, em mercados ou esquinas. O objetivo é levar a mensagem às pessoas em geral.

ADVENTISMO

Os adventistas — seu nome completo é Adventistas do Sétimo Dia — guardam o sábado, em vez do domingo, como dia sagrado. Para justificar esse costume, eles citam os mandamentos do Antigo Testamento, bem como a prática de Jesus e dos primeiros cristãos, que guardavam o sábado.

Uma característica do adventismo é sua ênfase no "dom da profecia". Os adventistas acreditam que certas pessoas receberam a capacidade de ver o futuro. Além dos exemplos da Bíblia, citam uma americana que viveu em tempos mais recentes e que possuía essa capacidade; seu nome era *Ellen G. White* (1827-1915). Os 53 livros de sua autoria têm ampla circulação e ganharam considerável autoridade dentro do movimento. Um deles, *Passos até Cristo*, foi traduzido para 78 línguas e já vendeu mais de 5 milhões de exemplares. Mas o essencial é a Bíblia e o que esta tem a dizer sobre o futuro àqueles que são capazes de interpretá-la corretamente. Assim, os escritos dos adventistas se preocupam muito em oferecer "provas" de que diversas das profecias bíblicas se realizaram e de que nossa época está claramente descrita nas Escrituras. Estamos vivendo os "últimos dias" antes do advento do Senhor, do reino de mil anos, o milênio, e do julgamento final. O nome da comunidade é uma referência à crença de que Jesus voltará à terra (*advento* significa "chegada"), crença que os adventistas compartilham com outros cristãos. Porém, há duas coisas que caracterizam sua antecipação do advento: creem que Jesus voltará em breve e que são capazes de acelerar esse processo.

Suas ideias sobre moralidade têm bastante em comum com as de várias outras igrejas cristãs, mas numa área são diferentes e únicas: na área da saúde. Condenam não só o álcool e o tabaco, mas também o chá, o café e outras bebidas que contêm substâncias prejudiciais à saúde. Adotam, ainda, certas regras alimentares do Antigo Testamento. O vegetarianismo é visto como o ideal. Segundo os adventistas, foi o próprio Deus quem transmitiu aos homens essas regras salutares.

QUAKERS (QUACRES)

Os *quakers* acreditam que as formalidades externas e a aceitação de determinadas doutrinas específicas não são um pré-requisito para a comunhão com Deus. Qualquer ser humano que tenha o desejo sincero de ouvir a voz de Deus dentro de si será capaz de encontrar a Deus como uma realidade viva e descobrir um significado mais profundo para sua vida. Por esse motivo, os *quakers* costumam falar do "Deus que há em todos os seres humanos" e da "luz interior".

O culto *quaker* é uma devoção silenciosa que dura uma hora. Nesse período, uma ou mais de uma pessoa pode ser impelida a dizer algumas palavras, talvez recordar uma passagem da escritura, fazer uma oração em voz alta ou compartilhar sua experiência religiosa com os outros.

O amor, segundo os *quakers*, constitui o princípio mais profundo da vida e é relevante em qualquer situação. Um ponto de vista fundamental como esse produz um sentimento de responsabilidade pelo bem-estar físico e espiritual dos outros. Isso se expressa em vários tipos de trabalho assistencial, bem como em iniciativas de reformas sociais e compreensão intercultural. Os *quakers* tiveram grande responsabilidade na abolição da escravatura nos Estados Unidos no século XIX, assim como na reforma dos presídios. No século XX, envolveram-se em trabalhos humanitários durante as duas guerras mundiais e depois; trabalhos que foram reconhecidos quando sua igreja, a Sociedade dos Amigos, recebeu o prêmio Nobel da Paz em 1947. Os *quakers* são sempre pacifistas.

O MOVIMENTO ECUMÊNICO

COOPERAÇÃO E AMIZADE ENTRE OS CRISTÃOS

"Será que todas essas divisões na Igreja não entram em choque com as palavras do próprio Jesus e com a unidade cristã, sobre a qual lemos no Novo Testamento? Será que essa unidade em Jesus Cristo não deveria se manifestar numa comunhão efetiva entre todos os cristãos?" Os cristãos começaram a fazer perguntas como essas durante os últimos cem ou 150 anos. Tais ideias criaram um movimento chamado *ecumenismo*. A palavra deriva do substantivo grego *oikoumene*, que significa "todo o mundo habitado". É usada hoje basicamente para descrever o trabalho em prol da fraternidade entre todas as igrejas, mas também abarca todas as questões e iniciativas relacionadas à "santa Igreja universal".

Em várias épocas se fizeram tentativas para reunir igrejas divididas ou levar indivíduos ou grupos cristãos que representavam diferentes "facções" a estabelecer contato. Mas foi só nos séculos XIX e XX que passaram a existir, sobretudo dentro das próprias igrejas, as condições para uma colaboração mais ampla. Em particular durante o século XIX, diversos movimentos de reavivamento começaram a transpor as fronteiras nacionais e confessionais. Com frequência, isso resultou numa concentração nos aspectos básicos do cristianismo. As pesquisas teológicas de épocas mais recentes também ajudaram a diluir as fronteiras, especialmente no que se refere a disciplinas acadêmicas como pesquisa bíblica histórica e estudo dos dogmas históricos.

Mas as condições culturais gerais também fortaleceram a tendência cooperativa. O desenvolvimento técnico e econômico levou a um internacionalismo que, entre outras coisas, gerou um número cada vez maior de congressos e organizações mundiais de diversos tipos.

Para muitos cristãos, essa colaboração demonstrou que, a despeito de todas as dificuldades, a unidade é uma força maior que a divisão. Embora não possuam um credo comum, nem formas de culto semelhantes, nem uma organização comparável, todos os cristãos têm características que os distinguem visivelmente das outras religiões e de outras atitudes perante a vida. Todas as facções cristãs se baseiam na Bíblia, dizem como oração o pai-nosso e consideram seu dever fazer a vontade de Deus. Mas o ponto crucial é seu respeito coletivo por Jesus Cristo. A força unificadora do cristianismo é que todos pertencem a um único e mesmo Senhor.

OS PIONEIROS DO ECUMENISMO

As primeiras manifestações do ecumenismo moderno surgiram no século XIX. Naquela época — assim como hoje — podiam se distinguir três tipos de movimento:

1. Acolhida a todos nas organizações internacionais baseadas em filiação individual. Um bom exemplo é a Associação Cristã de Moços (ACM), que se tornou uma associação internacional já em 1855. Outro exemplo do mesmo tipo é o movimento estudantil internacional, que foi uma espécie de treinamento para os líderes do movimento ecumênico moderno.

2. Colaboração eclesiástica oficial, que visa chegar a algum tipo de unidade organizacional entre as igrejas. Essa união pode ter base confessional ou internacional. Na Escandinávia é muito conhecida a organização que mais tarde se transformou na Federação Luterana Mundial.

3. Colaboração em tarefas coletivas, práticas. Aqui os pioneiros foram as Sociedades Bíblicas, desde o início do século XIX. As missões tiveram ainda mais influência. Cooperando nas terras onde exerciam ação missionária, acabaram cooperando também em seus países de origem.

O CONSELHO MUNDIAL DE IGREJAS

O Conselho Mundial de Igrejas foi fundado em Amsterdam em 1948. Tomaram parte na conferência que lhe deu origem 147 igrejas de 44 países, constituindo, assim, a afiliação eclesiástica protestante mais representativa dos últimos séculos. Os debates estabeleceram os alicerces que até hoje são a base dessa organização protestante internacional. Toda a sua existência e suas atividades se fundamentam numa cláusula a respeito dos objetivos que — com um pequeno acréscimo feito pela assembleia plenária em Evanston em 1954 — afirma: "O Conselho Mundial de Igrejas é uma comunidade de igrejas que reconhecem o Senhor Jesus Cristo, de acordo com as Escrituras Sagradas, como Deus e Salvador, e portanto procuram realizar o objetivo para o qual foram conjuntamente convocadas, para a Glória de Deus Pai, do Filho e do Espírito Santo". O Conselho não pretende, de maneira nenhuma, ser uma espécie de superigreja; existe para dar "orientação e oportunidade de colaboração em assuntos comuns", como afirma a Constituição de 1948.

A maioria das principais comunidades ortodoxas e protestantes do mundo, cerca de 230 no total, pertence ao Conselho. Algumas, porém, permanecem fora da organização, entre as quais diversas igrejas nos Estados Unidos e quase todas as congregações pentecostais. Além disso, há a Igreja católica romana, que recusou o convite para participar da conferência de 1948. Mais tarde a posição católica se abrandou e o Concílio Vaticano II, em especial, abriu caminho para uma nova compreensão do relacionamento com outras igrejas.

O Conselho Mundial de Igrejas tem sua sede em Genebra.

TIPOS ESPECIAIS DE COMUNIDADE

Por último, examinaremos algumas comunidades que se julgam cristãs mas permanecem isoladas de todas as outras congregações cristãs. A maioria das igrejas cristãs as considera comunidades religiosas dotadas de um elemento cristão. Alguns estudiosos as classificam como igrejas "paralelas à Reforma".

TESTEMUNHAS DE JEOVÁ

As Testemunhas de Jeová são um organismo religioso internacional que em 1980 tinha 2,2 milhões de membros, organizados em 43 mil congregações distribuídas por 205 países.

A maioria dos adeptos das Testemunhas de Jeová costuma participar na difusão de sua fé de porta em porta, fazendo circular a Bíblia e suas revistas *A Sentinela* e *Despertai*.

As Testemunhas de Jeová não têm nenhum credo, baseando suas doutrinas na Bíblia. Enfatizam particularmente o nome de Deus, Jeová (Iahweh), que é usado no texto original hebraico; seu nome, Testemunhas de Jeová, vem de Isaías 43,10. Não acreditam na doutrina da Trindade e afirmam que apenas Jeová é Deus todo-poderoso. O filho unigênito de Deus, sua primeira criação celestial, tornou-se Jesus Cristo, e o Espírito Santo é a força invisível, ativa de Deus. Rejeitam a divindade de Jesus. O mais importante para eles é difundir a doutrina, a fim de obter o "favor de Deus" e vencer a batalha do Armagedon. Os mortos não têm consciência, mas há esperança de ressurreição para eles. O mal será banido para sempre.

A mola propulsora das convicções das Testemunhas de Jeová consiste na ideia de que o reino de Deus é a única esperança do homem. Eles creem que o reino de Deus é um governo celestial que compreende Cristo e 144 mil indivíduos escolhidos, os quais serão elevados a uma nova vida no céu. Todos os outros crentes terão uma existência eterna na terra, como súditos do reino celestial. As Testemunhas de Jeová afirmam que tanto as profecias da Bíblia como os acontecimentos mundiais indicam a iminência do reino de Deus, e que nossa geração irá testemunhar a expulsão de Satã e de todo o mal, bem como a transformação da terra num paraíso que se tornará o lar eterno dos fiéis.

As Testemunhas de Jeová adotam uma ética puritana que promove a honestidade, a higiene, a temperança e a generosidade, e exige abstinência de tabaco. Distinguem-se de outros puritanos por não se envolver em questões políticas e sociais. A razão para isso é que estão esperando a grande transformação, quando tudo o que pertence a este mundo irá perecer. Em tempos de guerra, recusam-se a servir no Exército, alegando objeção de consciência. Não acreditam muito no poder redentor das ações humanas. A única coisa que pode trazer a salvação são os ensinamentos de sua Igreja, por isso o objetivo de todos os esforços deve ser propagá-los. Qualquer oposição que encontrem simplesmente reforça sua convicção de que estão entre os escolhidos de Deus.

MÓRMONS: A IGREJA DE JESUS CRISTO DOS SANTOS DOS ÚLTIMOS DIAS

O fundador dessa Igreja, o americano *Joseph Smith* (1805-44), segundo seu próprio relato, foi atendido em sua busca da verdadeira Igreja de Jesus Cristo em 1820: uma revelação do Pai Celestial e de Jesus Cristo o alertou, recomendando-lhe que não entrasse para nenhuma das igrejas já existentes. Em 1823, o anjo *Moroni* lhe apareceu e falou de certas placas douradas enterradas no chão. Quatro anos depois, Smith desenterrou essas placas, encontrando ainda duas pedras especiais em recipientes de prata. Com a ajuda das pedras, após algum tempo Smith conseguiu decifrar as placas, que então foram levadas de volta pelo anjo Moroni. Smith permitiu que sua tradução fosse publicada em livro em 1830, com o título de O Livro de Mórmon. No prefácio há o testemunho de onze indivíduos que dizem ter visto as placas.

O Livro de Mórmon é subdividido em vários livros com títulos como O Primeiro Nephi, O Livro de Enos etc. Seu tamanho equivale ao do Antigo Testamento. Fala dos povos indígenas da América e afirma que, depois de ressuscitar, Cristo se revelou a uma raça, mais tarde exterminada, que vivia na América. Vários capítulos são dedicados a revelações e profecias, dogmas e exortações; mas também a guerras e acontecimentos históricos.

Em 1830, Joseph Smith e seus primeiros seguidores criaram a Igreja de Jesus Cristo, a qual cresceu em poucos anos. Enfrentando antagonismo e perseguição, dirigiram-se para o Oeste dos Estados Unidos, mudando-se várias vezes. Acabaram se fixando à margem do lago Salgado (Salt Lake), no atual estado de Utah. Ali construíram uma cidade, Salt Lake City, e fundaram uma comunidade estatal teocrática. Esta se expandiu rapidamente, em virtude da diligência e da disciplina de seu povo. Logo se tornou impossível manter a área como um Estado mórmon puro. Quan-

230

do Utah se uniu à federação na condição de estado-membro dos Estados Unidos, a comunidade precisou abrir mão de alguns de seus costumes especiais, entre eles a poligamia. Hoje há 4,8 milhões de membros dessa Igreja no mundo todo.

Para os mórmons, as "escrituras sagradas" não se limitam à Bíblia. O Livro de Mórmon, Doutrinas e Alianças, e A Pérola de Grande Valor também são considerados sagrados e dotados de autoridade. A visão que os mórmons têm de Deus se caracteriza pela seguinte afirmação: "O Pai tem um corpo de carne e osso tão palpável como o do homem".

Jesus é o Salvador que voltará à terra para estabelecer um reino de paz, Sião. O homem pode ser salvo mediante a reconciliação com Cristo e a obediência às leis e aos princípios do Evangelho.

Entre os mórmons, existe o batismo indireto: um mórmon vivo pode ser rebatizado em nome de um parente já falecido. Isso explica por que em vários países os mórmons fazem microfilmes das certidões de nascimento em cartórios e paróquias, para utilizá-las em suas pesquisas genealógicas.

A organização da comunidade é puramente hierárquica. O presidente e seus conselheiros compreendem a "Primeira Presidência". Abaixo desta vem o "Conselho dos Doze Apóstolos", e em seguida o "Primeiro Quorum dos Setenta". No nível local, a congregação é liderada por um bispo e dois conselheiros.

A Igreja não tem pastores pagos no sentido protestante tradicional, mas todos os membros ativos do sexo masculino são investidos no sacerdócio, seja o de Aarão ou o de Melquisedec. No sacerdócio de Aarão, aos doze anos um garoto pode ser nomeado diácono, aos catorze professor e aos dezesseis pastor. Aos dezenove anos, muitos rapazes são ordenados veteranos no sacerdócio de Melquisedec e enviados em missões; podem pregar, batizar e administrar a comunhão. Os mórmons dão o dízimo, calculado sobre a renda bruta. Isso é considerado um princípio de fé voluntário. Os jovens são incentivados a, durante dois anos, atuar como missionários, divulgando a fé. As mulheres também desempenham um papel muito ativo na Igreja, como missionárias, professoras e oradoras nos serviços divinos.

CONHECIMENTO BÍBLICO

"O LIVRO DOS LIVROS"

É fácil sucumbir à tentação de rotular a Bíblia de best-seller. Primeiro livro a ser publicado logo que se desenvolveu a arte da imprensa, já foi traduzido para 270 línguas; na verdade, trechos da Bíblia podem ser encontrados em mais de 1600 línguas. E continua vendendo aos milhões. Nenhum outro livro na literatura mundial teve tal disseminação. Mesmo assim, o termo best-seller não é apropriado. Essa palavra costuma ser associada a obras um tanto superficiais, sem sutilezas e bastante efêmeras, o que não é o caso da Bíblia. Tanto cristãos como não cristãos veem partes da Bíblia como literatura de excelente qualidade.

Essa enorme coleção contém 66 livros diversos, escritos ao longo de um período de mais de mil anos. Eles trazem lenda e história, poesia e narrativa, discursos, leis, teses, cartas e, no Novo Testamento, os quatro relatos sobre a vida de Jesus. Um elenco especial de personagens preenche suas páginas: reis poderosos e belas mulheres, políticos cínicos e pastores pobres. Há alegria e tristeza, amor e ódio, guerra e paz, fé e dúvida. Essa riqueza é que permitiu que artistas, pensadores e escritores se inspirassem nas escrituras bíblicas. Foi em parte graças a esse aspecto cultural que a Bíblia se tornou uma das pedras fundamentais sobre as quais repousa a civilização ocidental.

Para muitas pessoas no mundo inteiro, o valor cultural da Bíblia é apenas uma de suas facetas. Consideram-na o livro mais importante que existe, pois creem que descreve as ações históricas realizadas por Deus.

O ANTIGO E O NOVO TESTAMENTO

A Bíblia dos cristãos consta de duas partes: o Antigo Testamento e o Novo Testamento. O significado mais antigo da palavra latina *testamento* é "pacto". O Antigo Testamento narra o pacto de aliança que Deus fez com o povo de Israel e compreende as mesmas escrituras da Bíblia judaica. O Novo Testamento fala do pacto que Deus fez com toda a humanidade por intermédio de Jesus. Contém relatos da vida e da morte de Jesus, e dos primórdios da Igreja cristã, além de cartas de aconselhamento sobre o sentido da fé cristã.

A VISÃO CRISTÃ DO ANTIGO TESTAMENTO

A Igreja cristã divide o Antigo Testamento em 39 livros distintos, em vez de 24, como no judaísmo. Este é um arranjo puramente prático, que se deve em parte à concepção judaica de que os doze profetas "menores" formam um único livro. Os 39 livros se dividem em quatro classes: os Cinco Livros de Moisés ou Pentateuco, livros históricos, livros proféticos e poesia. Quanto ao seu conteúdo, veja o capítulo "Judaísmo", na página 106.

Para os cristãos, assim como para os judeus, um dos temas principais das escrituras é a relação entre Deus e os seres humanos, desde os primeiros tempos. Por meio de afirmações explícitas ou de compreensão tácita, a Bíblia inteira fala do *Deus da história*. Para os cristãos, porém, esta é apenas a primeira parte da história. A vinda de Jesus traz algo novo, por isso o Antigo Testamento deve ser visto à luz do Novo.

Isso fica claro para nós particularmente no caso dos profetas que pregaram a salvação. Suas palavras de promessa ou consolação proclamam que Deus enviará um Príncipe da paz, ou Rei da paz, vindo da casa de Davi. Sobretudo os capítulos 7, 9 e 11 de Isaías são ricos nesse aspecto:

Porque um menino nos nasceu, um filho nos foi dado,
ele recebeu o poder sobre seus ombros, e lhe foi dado este nome:
Conselheiro-maravilhoso, Deus-forte,
Pai-eterno, Príncipe-da-paz.

Isaías 9,5

Esse trecho, que constitui uma base para a expectativa messiânica judaica, é lido pelos cristãos como um presságio do nascimento de Cristo.

OS EVANGELHOS

Os quatro evangelhos do Novo Testamento contêm os relatos sobre a vida de Jesus. A palavra *evangelho* significa "boa nova". Na fala comum, o plural *evangelhos* em geral se refere aos quatro evangelhos canônicos. São chamados *sinópticos* os evangelhos de Marcos, Mateus e Lucas, em virtude da semelhança na estrutura e nos fatos narrados.

O EVANGELHO DE SÃO MARCOS

O Evangelho de São Marcos é o mais breve e o mais antigo dos quatro. Segundo a tradição, Marcos foi auxiliar de Pedro e escreveu o evangelho com base nas narrativas deste. Inclui mais ações de Jesus do que falas. Seu estilo é simples, com muitas palavras e expressões coloquiais. Marcos tencionava demonstrar que Jesus era o prometido Messias e Filho de Deus. Neste evangelho, ele é comparado ao "servo sofredor" de que fala a última parte de Isaías. O evangelho conta diversos milagres e feitos poderosos de Jesus, afirmando que ele transmitia seus ensinamentos com "autoridade". Foi escrito para os gentios em geral e para os convertidos ao cristianismo. Os estudiosos acreditam que tenha sido redigido em Roma, pouco antes do saque de Jerusalém no ano 70 d. C.

O EVANGELHO DE SÃO MATEUS

O coletor de impostos Mateus, também conhecido como Levi, era um dos doze apóstolos. Assim como acontece com os outros evangelhos, a autoria deste é um tanto duvidosa. O Evangelho de São Mateus descreve Jesus como um grande instrutor que ensina sobre o céu, sobre a vontade de Deus e sobre a nova justiça que transcende a dos escribas e fariseus. Realça ainda o fato de que Jesus veio cumprir as profecias do Antigo Testamento. Utilizando a árvore genealógica de Jesus como introdução, esse evangelista queria mostrar que Jesus era descendente de Davi e de Abraão, o prometido Messias, vindo da casa de Davi. Muitas vezes ele faz afirmações como: "para que se cumprisse o que foi dito pelo profeta Isaías", ou: "então cumpriu-se o que fora dito pelo profeta Jeremias". O Evangelho de São Mateus destaca igualmente o novo pacto de aliança que Jesus iniciou entre Deus e toda a humanidade, o qual substituiu o antigo, que fora feito entre Deus e Israel. Tudo isso — e várias outras características deste evangelho — evidencia que ele se dirigia a pessoas familiarizadas com o Antigo Testamento, isto é, aos judeus. O Evangelho de São Mateus foi escrito em algum momento entre os anos 80 e 100 d. C.

O EVANGELHO DE SÃO LUCAS

Lucas foi um médico; companheiro de Paulo, é mencionado em vários trechos de suas epístolas. Foi também o autor dos Atos dos Apóstolos. Este evangelho tem uma perspectiva mais universal que o de Mateus. Nele, Jesus é representado como o salvador do mundo, e sua árvore genealógica é traçada até Adão, o antepassado de toda a humanidade. Foi escrito por um não judeu para os cristãos. Uma característica do Evangelho de São Lucas que o distingue dos outros é o fato de ele relatar de maneira mais intensa o amor de Jesus pelos pecadores e pelos coletores de impostos, assim como pelos pobres e pelos desvalidos da sociedade. Tal perspectiva é realçada por diversas parábolas famosas (o Bom Samaritano, o Filho Pródigo, Lázaro e o Homem Rico), peculiares a esse evangelho, que foi escrito por volta do ano 80 d. C.

O EVANGELHO DE SÃO JOÃO

Os três evangelhos mencionados têm semelhanças marcantes, mas o de João é bastante diferente. Uma das divergências diz respeito à época e ao lugar em que Jesus exerceu seu ministério. De modo geral, os evangelhos de Marcos, Mateus e Lucas destacam as atividades de Jesus na Galileia; João fala também de seu ministério em Jerusalém, na Judeia e na Samaria. Segundo os evangelhos sinópticos, a atuação pública de Jesus não durou mais que um ano, ao passo que no Evangelho de João ela se estende por quase três anos.

A diferença estilística e de conteúdo é muito grande. Enquanto os outros evangelhos mostram Jesus usando imagens e parábolas simples, o Evangelho de São João apresenta longos discursos de conteúdo complicado. Há ainda diversas afirmações que realçam a divindade de Jesus e a unidade entre ele e Deus: "Eu e o Pai somos um"; "Eu estou no Pai e o Pai em mim". Da mesma forma, são típicas de João as muitas afirmações iniciadas por "eu" atribuídas a Jesus: "Eu sou o pão da vida"; "Eu sou o Caminho, a Verdade e a Vida".

Por todo esse evangelho perpassa um jogo de contrastes de luz e trevas, verdade e falsidade, vida e morte. Esse *dualismo religioso* tinha paralelos tanto dentro como fora do mundo judaico na época dos evangelhos.

Segundo a tradição, o apóstolo João foi o autor deste evangelho, que é o último e data do final do século I d. C.

COMO SURGIRAM OS EVANGELHOS?

Os evangelhos não têm equivalente na literatura mundial. O gênero literário desses escritos não apresenta nenhuma analogia com o restante do Novo Testamento. Surgiram num período de quarenta a 65 anos após a morte de Jesus, e quase certamente se apoiaram em relatos orais de pessoas que haviam presenciado o ministério de Jesus.

Durante as primeiras décadas que se seguiram à morte de Jesus, decerto circularam muitos relatos sobre sua vida, seus sermões e as diversas conversas que ele teve com aqueles que encontrava. Cada um dos quatro evangelistas então selecionou — com base nas fontes disponíveis — o que considerava mais importante. Embora seja difícil dizer quais tradições ou acontecimentos eles deciidram não incluir, sua intenção ao reunir os relatos acerca de Jesus é bem clara: desejavam despertar a fé em Jesus Cristo como Filho de Deus e salvador da humanidade. Queriam "evangelizar". Além desse *objetivo missionário*, também é plausível que os evangelhos tenham sido escritos para ser utilizados no culto cristão ou para o uso privado das comunidades.

O PROBLEMA SINÓPTICO

Como já vimos, os três primeiros evangelhos (de São Marcos, de São Mateus e de São Lucas) têm características comuns que estão ausentes do Evangelho de São João. Estas são tão notáveis que os estudiosos bíblicos modernos presumem que exista algum elo de conexão entre os três.

Por causa de sua grande semelhança, os três primeiros evangelhos são conhecidos como *sinópticos*. A palavra vem do termo grego *synoptikós*, que significa "que de um só golpe de vista abrange várias coisas". Estamos fazendo "sinopse" quando dispomos os três textos evangélicos em colunas lado a lado.

Segundo a maioria dos estudiosos bíblicos, a explicação mais plausível para a similaridade dos evangelhos sinópticos é que Mateus e Lucas basearam seus evangelhos no de Marcos. Além deste, usaram também outra fonte comum, que é conhecida como *Fonte Q* e deve ter sido o principal repositório das palavras de Jesus. Provavelmente foi uma fonte escrita que desde então se perdeu. Os evangelhos de Mateus e de Lucas contêm material adicional que indica ainda a utilização de outras fontes.

Essa teoria sobre a gênese dos evangelhos sinópticos costuma ser chamada de *hipótese das duas fontes*.

Os quatro evangelhos variam em forma e conteúdo, mas todos eles sustentam a crença de que com Jesus Cristo o mundo tomou uma nova e decisiva direção. Em Jesus, Deus depositou novas condições para seu reino. Fez um novo pacto (ou novo "testamento") com a humanidade, e a partir de então o ser humano teve abertas diante de si oportunidades radicalmente novas.

OS ATOS DOS APÓSTOLOS

Este livro, escrito pelo mesmo autor do Evangelho de Lucas, veio à luz pouco depois desse evangelho e pode ser visto como uma sua continuação (veja Atos 1,1).

O livro começa com uma descrição da ascensão de Cristo (a qual conclui o Evangelho de Lucas), a escolha de um novo apóstolo no lugar de Judas e o milagre de Pentecostes, quando os apóstolos ficaram repletos do Espírito Santo. Fala em seguida da expansão do cristianismo durante os primeiros anos, e especialmente a respeito de *Paulo* e suas viagens missionárias. Há nos Atos dos Apóstolos muitas informações interessantes sobre o modo de vida da Igreja primitiva. Acima de tudo, os vários sermões relatados oferecem uma visão das pregações que os apóstolos e os primeiros cristãos fizeram pelo mundo.

AS EPÍSTOLAS

Do ponto de vista literário, as epístolas (cartas) do Novo Testamento estão a meio caminho entre a correspondência privada e as cartas abertas. Uma carta aberta se endereça não só a um destinatário em particular, mas tem abrangência mais universal e a forma de um tratado.

As epístolas de Paulo são exatamente isso. Dirigem-se a determinadas igrejas ou pessoas, e com frequência comemoram uma certa data ou ocasião especial. Porém, seu conteúdo não é algo que o autor decidiu escrever num impulso momentâneo. Elas têm uma estrutura consciente e foram formuladas com cuidado. Em consequência, é pouco provável que tenham sido escritas apenas para a Igreja de Roma, de Corinto etc.

Das 21 cartas do Novo Testamento, treze têm a assinatura de Paulo. Foram redigidas nos anos 50 e 60, apenas vinte ou trinta anos após a morte de Jesus; são, portanto, os escritos mais antigos do Novo Testamento.

Paulo se destaca como o personagem mais significativo da antiga Igreja: mantendo contato por meio de suas cartas com as igrejas que fundou, respondendo às perguntas que lhe eram feitas, e continuando, de modo geral, a educação dos novos cristãos. Nessas empreitadas ele passou a apresentar as características essenciais da mensagem cristã. Interpreta e examina as consequências da vida, morte e ressurreição de Jesus, e expressa seus pensamentos na linguagem religiosa da época. Para a Igreja que então nascia, suas cartas adquiriram uma autoridade de base doutrinária, e muito do que ele disse mostrou o caminho a toda a cristandade que veio depois.

Sua primeira carta à Igreja de *Corinto*, porto de comércio marítimo no Peloponeso, parece ser uma resposta a vários relatórios sobre o estado daquela comunidade. Um dos pontos principais era a degeneração moral. Embora a orientação de Paulo se refira às condições que reinavam numa determinada Igreja, ela oferece um fundamento universal que a eleva acima dos limites de uma época e um lugar definidos. Assim, podemos dizer que essa carta trata da ética cristã. Ela enfatiza, em particular, o amor fraterno como princípio orientador de cada situação da vida (veja o famoso "hino à caridade" no capítulo 13).

Na *Epístola aos Romanos*, Paulo apresenta a salvação divina oferecida em Cristo, para uma Igreja que ele não havia fundado pessoalmente. Fica bem claro que planejava ampliar suas atividades missionárias em direção ao Ocidente, e essa carta devia servir como ponto de partida para uma maior expansão do cristianismo. Nela, Paulo chega perto de fornecer uma síntese da fé cristã. Destaca que é apenas mediante a graça de Deus que o homem pode ser salvo.

O APOCALIPSE (OU A REVELAÇÃO)

No fim do Novo Testamento está a Revelação de João, que, assim como o Livro de Daniel, é um *apocalipse*, um tipo de literatura conhecido na época. O Apocalipse se compõe de uma série de visões que evocam imagens de uma dramática cena final. Distingue-se do Livro de Daniel, que é seu equivalente apocalíptico judaico, de duas maneiras importantes. Em primeiro lugar, é um livro *cristão*, no qual Cristo irá assumir definitivamente o controle e vencer o mal; em segundo lugar, no Apocalipse o fim do mundo já começou. Não se trata de algo que ocorrerá num futuro distante. Depois da obra de Jesus pela salvação, já teve início a batalha decisiva entre o bem e o mal.

O Apocalipse de João é, pois, mais que uma escritura profética. Redigido durante as perseguições contra os cristãos travadas no reinado (81-96) do imperador Domiciano, descreve a situação dos cristãos da época, constantemente ameaçados de martírio. Acima de tudo, portanto, é uma *escritura consoladora* destinada aos cristãos que viviam naquele período atribulado. Nela, o Estado romano é chamado de "a besta", "o dragão" ou "a grande prostituta". Mas no embate final Cristo, o Cordeiro, vencerá as forças da escuridão. O livro chega então ao final com uma visão de "um novo céu e uma nova terra".

Com suas imagens nascidas de uma necessidade histórica, o Apocalipse é pouco familiar aos leitores modernos e já recebeu variadas interpretações através dos tempos. Pode-se dizer que nenhum outro livro da Bíblia tem sido tão mal empregado. Com sua fé em Deus claramente expressa, levando a uma vitória final do bem sobre o mal, ele é, mesmo assim, uma conclusão apropriada para a maneira como a Bíblia descreve a grave situação do mundo.

PESQUISA BÍBLICA E ATITUDES COM RELAÇÃO À BÍBLIA

Os estudos sobre a Bíblia e as interpretações das escrituras bíblicas vêm se realizando há mais de 2 mil anos. A principal tarefa dos escribas judeus era compreender e explicar a Lei e os profetas para as gerações futuras. Logo no início, a Igreja cristã precisou definir quais escrituras iria considerar autorizadas e quais não seriam incluídas em seu cânone. Para isso, foram estabelecidos três critérios: (1) a escritura devia ter sido redigida por um apóstolo, ou por um dos discípulos mais próximos a um apóstolo; (2) seu conteúdo tinha de estar em completa unanimidade com a proclamação de Jesus como o Filho de Deus, e (3) a escritura devia ter sido usada pela maioria das igrejas antigas. Antes de tomar uma decisão sobre essas questões, era necessário efetuar um estudo cuidadoso.

A pesquisa e a interpretação bíblica foram importantes durante toda a Idade Média, só que baseadas na tradução latina. Um avanço significativo para essa pesquisa ocorreu na Renascença, quando os humanistas, leais a seu desejo de voltar às fontes, começaram a estudar a Bíblia em suas línguas originais, hebraico e grego. Isso teve grande significado para Martinho Lutero e os demais reformadores, já que acreditavam que a Bíblia era o único alicerce da Igreja. No entanto, os estudos de Lutero também levaram à crítica de certas escrituras. Ele julgava, por exemplo, que a Epístola de Tiago não deveria ter sido incluída no cânone. Para compreender isso, é necessário compreender o ponto de vista de Lutero sobre a Bíblia. Ele se opunha à linha oficial da Igreja católica, que dizia que os mestres e doutores da Igreja — sobretudo o papa — interpretavam a Bíblia corretamente, e por conseguinte de uma maneira obrigatória para todos os crentes. Lutero, por sua vez, pensava que qualquer pessoa deveria poder ler diretamente a Bíblia e interpretá-la sozinha com sua própria autoridade.

Uma nova fase de pesquisa bíblica teve início nos séculos XVIII e XIX, quando muitos passaram a encarar a Bíblia como um livro escrito como qualquer outro. Foram apontadas muitas contradições e inconsistências na Bíblia; por exemplo, suas duas histórias sobre a criação do homem. Esse foi o princípio da pesquisa bíblica histórico-crítica, a qual, valendo-se de métodos científicos padronizados, procura obter o maior conhecimento possível sobre a Bíblia. Inclui-se aí o estudo do grego e do hebraico, as pesquisas sobre caligrafia antiga, fontes literárias e descobertas arqueológicas, cujo objetivo é revelar o ambiente cultural em que as escrituras foram redigidas. Tudo ajuda na *exegese* final, ou seja, na interpretação do conteúdo do texto.

A pesquisa bíblica é totalmente rejeitada pelos *fundamentalistas*, que consideram a letra da Bíblia a Palavra de Deus absoluta e completa, e, portanto, perfeita, até mesmo quanto a informações factuais sobre o mundo e sua história. Segundo eles, os fundamentalistas, Deus ditou o conteúdo para seus autores mortais, palavra por palavra, por intermédio do Espírito Santo. Assim, o fundamentalismo leva a uma confrontação com as ciências naturais; por exemplo, na teoria da evolução biológica.

Hoje em dia muitos cristãos aceitam a pesquisa histórico-crítica sem reconhecer necessariamente que a Bíblia seja obra apenas humana.

FILOSOFIAS DE VIDA NÃO RELIGIOSAS

Ter uma filosofia de vida nem sempre é sinônimo de pertencer a uma religião. Neste capítulo apresentaremos três diferentes tendências filosóficas que se baseiam num fundamento não religioso.

• *O* humanismo *é uma tendência ideológica cuja importância tem se acentuado na vida espiritual da Europa nos últimos séculos. Hoje, há muitas pessoas que afirmam ter uma atitude humanista perante a vida. O humanismo é um bom exemplo de visão da vida relacionada com a* filosofia.

• *O* materialismo, *tendência ideológica aliada à* ciência, *tem raízes também na filosofia, assim como o humanismo.*

• *O* marxismo *foi incluído aqui para mostrar que uma filosofia de vida pode surgir com base numa* teoria política. *Como tal, o marxismo ocupa uma posição única entre as ideologias políticas. Enquanto o conservadorismo e o liberalismo apoiam seus conceitos morais sobretudo em elementos derivados do humanismo e do cristianismo, o marxismo possui uma visão própria da ética e da moral. Diferentemente de outros credos políticos, por vezes se torna uma ideologia com uma visão global da existência. Também há muitas pessoas que afirmam ter uma atitude marxista perante a vida.*

Em muitos aspectos, essas tendências filosóficas são fundamentalmente diferentes. Isso torna difícil compará-las. De uma maneira bem ampla, o sustentáculo do humanismo é o *indivíduo*; o materialismo tem uma perspectiva global baseada nas *ciências naturais*; o eixo do marxismo é a *sociedade*.

Isso implica que essas três "filosofias de vida" não precisam ser mutuamente exclusivas. Muitas pessoas escolhem elementos

243

de mais de uma dessas tendências para formar sua própria atitude filosófica.

COMPREENSÃO DA REALIDADE, ATITUDE PARA COM A HUMANIDADE E VALORES ÉTICOS

Como já vimos, cada ponto de vista se baseia nas respostas para uma série de questões existenciais. Estas se agrupam em três categorias: de que maneira o mundo foi criado? Quais as forças que controlam o curso dos eventos mundiais? Existe Deus? As respostas a essas três perguntas nos dão nossa *compreensão da realidade*.

Nós mesmos somos parte dessa realidade. Mas como tudo isso surgiu? Será que o homem é algo mais que um animal superior? O homem é bom ou mau? O que dá significado à vida humana? O que acontece conosco quando morremos? Aos poucos, vamos formando uma *atitude para com a humanidade*.

Não escolhemos nascer. Mas, dentro de certos limites, escolhemos *como* iremos viver. O que é mais importante na vida? O dinheiro, a amizade, a experiência própria, a liberdade? O que desejamos conservar? Pelo que desejamos lutar? O que é certo e o que é errado? Cada pessoa tem um *conjunto de valores*, ou uma *ética*.

Depois de oferecer uma síntese histórica, resumiremos cada uma dessas abordagens da realidade, e suas posturas humanas e éticas.

HUMANISMO

Humanismo é um termo abrangente que se refere a ideias e atitudes de muitos filósofos e pensadores distintos.

A palavra *humanismo* deriva de *humano*. Podemos definir um humanista como aquele que dá maior importância aos seres humanos, à vida humana e à dignidade humana. O humanismo enfatiza a liberdade do indivíduo, sua razão, suas oportunidades e seus direitos.

Como todas as outras filosofias de vida, o humanismo tem raízes históricas antigas. Certos períodos foram mais caracterizados pela maneira de pensar humanista — em particular a Antiguidade, a Renascença e o Iluminismo.

CONTEXTO HISTÓRICO

O HUMANISMO NA ANTIGUIDADE

Muitos ideais do humanismo foram primeiro expressos no mundo greco-romano da Antiguidade, época em que os filósofos formularam conceitos sobre o mundo e a humanidade que, pela primeira vez, não se baseavam na religião.

SÓCRATES

No ano 399 a. C., em Atenas, um homem estava no banco dos réus. Fora acusado de corrupção da juventude e ofensa contra os deuses oficiais. Por uma pequena maioria, um júri de quinhentos homens o decretou culpado. Quando, em vez de implorar compaixão, ele garantiu ao júri que agira no melhor interesse do Estado e segundo sua consciência, foi condenado à morte. Logo depois, bebeu um copo de veneno na presença de seus melhores amigos e pôs fim a sua vida.

O nome desse homem era *Sócrates*. Foi, talvez, o indivíduo que mais influenciou o desenvolvimento da filosofia humanista.

Ele deu as costas a tudo o que considerava especulação filosófica vã. Desenvolveu ideias próprias, fundamentadas nos problemas humanos. Já foi dito que Sócrates "trouxe a filosofia do céu para a terra, deu-lhe um lar nas cidades e a fez entrar dentro das casas, forçando as pessoas a pensar sobre o bem e o mal, a vida e a moral". Seu objetivo era estudar o homem a fim de descobrir a maneira correta de viver.

Sócrates foi um *racionalista*, ou seja, acreditava firmemente na razão humana. Foi ele o pai da ideia de que o pensamento correto produz a ação correta. Aquele que sabe o que é o bem será bom, e só quem é bom poderá ser um ser humano contente. Sócrates afirmava que quando fazemos o mal, é porque não conhecemos nada melhor do que isso. Assim, é importante ampliar nossos conhecimentos.

Ele acreditava que possuía um deus dentro de si, o qual lhe dizia o que era certo e o que era errado. Para saber o que é certo ou errado, é crucial nossa convicção interna, e não obedecer a mandamentos ou regras herdadas. Sua resolução indômita de encarar a morte em nome do que acreditava que era certo demonstrou igualmente que ele prezava a verdade acima da própria vida. "Obedecerei aos deuses mais do que a vós", disse ele a seus juízes.

Com sua ênfase em ter a razão como guia, Sócrates também ressaltou os limites daquilo que o ser humano pode compreender: a verdadeira sabedoria consiste em ser consciente daquilo que não sabemos.

OS ESTOICOS

Os estoicos representam outra importante contribuição para a história do humanismo.

Escola filosófica fundada em Atenas por volta de 300 a. C., o estoicismo teve valor especial para a cultura romana desde cerca de 150 a. C. até por volta de 200 d. C.

Os estoicos acreditavam que a base para se decidir entre o certo e o errado deve ser encontrada na natureza. Todos compartilham a mesma compreensão universal, diziam; assim, deve existir uma justiça universal, a chamada justiça natural ou *lei natural*. Uma vez que a lei natural se fundamenta na compreensão do homem, vinda de tempos imemoriais, ela não se altera com o tempo nem com o local e se aplica a todos os seres humanos — até aos escravos.

Cosmopolitas, os estoicos visavam o interesse comum da humanidade. Interessavam-se pela vida comunitária, e diversos deles eram ativos homens de Estado. Contribuíram para a promoção da cultura e da filosofia gregas em Roma, e cunharam a palavra *hu-*

manitas, que significa "humanidade", ou "humanismo". A palavra *consciência* também era muito usada pelos estoicos.

Vários ideais e lemas do humanismo se originaram com os estoicos: "O homem perante outro homem permanecerá inviolado".

OS HUMANISTAS DA ANTIGUIDADE

• *focalizaram os seres humanos, e não mais a especulação filosófica sobre a origem do mundo e os elementos que o formam;*
• *indicaram a razão como fundamento de toda percepção, e*
• *acreditavam que há uma lei natural que se aplica a todos os seres humanos.*

O HUMANISMO DA RENASCENÇA

O humanismo contemporâneo deriva basicamente do humanismo renascentista. A partir de meados do século XIV, a arte e a cultura, a ciência e o pensamento tomaram uma nova direção na Europa. Esse movimento começou em algumas cidades da Itália central, mas durante os séculos seguintes foi se espalhando para o Norte.

LEONARDO DA VINCI

Em 1469 Leonardo, um rapaz de dezessete anos, partiu da pequena aldeia de Vinci para Florença, o centro da Renascença, na Itália central. Com ansiosa impaciência, lançou-se em todas as áreas da arte, da cultura e das ciências. Era um apaixonado estudioso da natureza e de todos os processos naturais — desde o movimento da água até o sistema circulatório humano, desde o feto no ventre da mãe até as fibras e as pétalas das plantas.

Não contente em simplesmente observar os processos naturais, Leonardo passou a realizar uma série de experiências científicas e tentou se tornar um inventor. Sozinho, fez muitas descobertas e inventos de importância duradoura. Tudo devia ser investigado com os cinco sentidos, tudo tinha de ser testado pela experiência; cada ideia tinha de ser registrada no papel. Era como se o mundo acabasse de ser criado.

Acima de tudo, Leonardo estava interessado em examinar o homem — o maior mistério da natureza. Seus numerosos estudos, esboços e pinturas demonstram profunda sensibilidade para as formas humanas. Leonardo viveu numa época em que mais uma vez se tornara comum retratar figuras nuas — depois de mil anos de pudor. Isso era uma expressão da nova visão da humanidade: o homem se construía com base em si mesmo, como um ser independente. Não devia mais ser visto em outro contexto. O homem ousava ser ele mesmo. Não tinha nada de que se envergonhar.

Não era simplesmente o ser humano como espécie que fascinava Leonardo, mas também o ser humano como indivíduo. Seus desenhos e suas pinturas retratam seres humanos cheios de caráter e personalidade. Seu retrato mais famoso é a *Mona Lisa*. Desde que foi pintada, a enigmática expressão dessa mulher sempre despertou discussões. Isso diz muito sobre o tino psicológico desse mestre.

A versatilidade de Leonardo, seus intensos estudos naturais, seu envolvimento com as ciências e a tecnologia, não esquecendo seu profundo afeto pela humanidade e pela natureza do indivíduo, são traços típicos do homem renascentista. Em Leonardo da Vinci se personifica a Renascença inteira.

AS IDEIAS DO HUMANISMO RENASCENTISTA

A palavra *Renascença* significa "renascimento", "novo nascimento". E quem estava nascendo de novo era o humanismo da Antiguidade. Durante a Idade Média, a filosofia e a moral cristãs dominaram a cena. Agora, porém, os humanistas da Renascença voltavam a se aprofundar nas culturas pré-cristãs da Grécia e de Roma, ao passo que a "Idade Média" passava a ser percebida como uma época obscurantista e bárbara, separando duas épocas de ouro.

"Voltar às fontes", isto é, à arte e à cultura da Antiguidade, tornou-se a palavra de ordem. Isso incluía também o aspecto educacional. O estudo das humanidades oferecia a "educação clássica" e desenvolvia a humanidade (*humanitas*). Dizia-se: "Os cavalos nascem, mas os homens não nascem — são feitos".

Os humanistas da Renascença não viam contradição entre a cultura clássica e o cristianismo. Até mesmo o Novo Testamento foi escrito em grego, dizia-se. Todavia, apesar do *leitmotiv* cristão da arte renascentista, todo o humanismo subsequente foi influenciado pelo humanismo renascentista, marcando assim o início da *secularização* (o processo da descristianização) que caracterizou a Europa nos últimos séculos.

A Renascença trouxe uma redescoberta do valor do ser humano. Nasceu uma nova *fé* na humanidade. O homem agora era visto como algo grandioso e belo. "Conhece-te a ti mesmo, ó raça divina em forma humana!", exclamou uma figura-chave da Renascença.

Os humanistas da Renascença se sentiam à vontade no mundo e desfrutavam a vida plenamente. Uma característica típica dessa atitude foi o otimismo. Se o homem conseguisse se desenvolver livremente, seu potencial seria ilimitado.

Até os fenômenos naturais eram agora vistos sob uma luz positiva, o que abriu caminho para um renovado estudo do mundo natural. Os humanistas romperam com as velhas autoridades e começaram a ver o mundo com seus próprios olhos. Isso estabeleceu uma base inteiramente nova para a ciência. O método experimental passou a existir. Cada pesquisa tinha de ser fundamentada na observação, na experiência e na experimentação.

O humanismo renascentista trouxe consigo:

- *uma nova atitude para com a humanidade;*
- *um novo estado de espírito;*
- *uma nova visão do mundo natural;*
- *um novo método científico, e*
- *uma nova imagem do mundo.*

O ILUMINISMO

O século XVIII viu surgir um novo capítulo na história do humanismo: o Iluminismo, um movimento humanista que começou na Inglaterra e logo se difundiu na França, onde atingiu seu pleno florescimento. O Iluminismo marcou o sucesso de muitas ideias renascentistas, mas trouxe também suas próprias contribuições para a filosofia do humanismo.

VOLTAIRE

O humanismo francês do Iluminismo é associado sobretudo a *Voltaire* (1694-1778). O pai desse filósofo tentara obrigá-lo a cursar direito, mas o filho tinha certeza de sua vocação: "Desejo ser apenas uma coisa — escritor!".

Os escritos de Voltaire haveriam de ter importantes consequências. Quando ele contava apenas 23 anos, foi preso por ter escrito versos satíricos atacando as autoridades. Depois de mais uma temporada na prisão, soltaram-no sob a condição de que deixasse o país. Viajou então para a Inglaterra, onde ficou muito impressionado com a liberdade de expressão, a tolerância religiosa e a orientação racional e empírica que reinava na comunidade científica e filosófica.

Voltaire passou toda a sua carreira fugindo da censura. Durante a vida inteira, travou uma guerra contra o fanatismo, a intolerância e o abuso do poder. Seus ataques ao poder eclesiástico e ao dogmatismo irracional foram especialmente virulentos.

Lutou contra a opressão religiosa e a crença dogmática em Deus, embora pessoalmente não fosse ateu. Acreditava que por trás daquele mundo bem-ordenado, que fora descrito por Newton, deveria existir um criador racional. Contudo, não saberíamos nada sobre o criador, já que ele não se revelou ao mundo de maneira sobrenatural, como creem os cristãos, judeus e muçulmanos. Deus se mostrou ao ser humano apenas por meio da natureza e das leis naturais. Essa noção, muito popular durante o Iluminismo, é chamada de *deísmo*. Há um Deus, acreditava Voltaire, porém o dogma religioso e os conceitos de Deus são ideias humanas. A cegueira e a ignorância levam os homens a perseguir e a matar uns aos outros em nome da religião. Igualmente tola é a ideia de que podemos influenciar a Deus e o curso dos acontecimentos mundiais valendo-nos da oração. O mundo é controlado por leis imutáveis.

Voltaire tinha uma crença inabalável no triunfo do esclarecimento e da razão. O problema era apenas como explicar as novas ideias e conceitos do mundo a um público mais amplo. De todos os escritores do Iluminismo, ele foi o principal. Sua grande conquista foi conseguir disseminar os conhecimentos de sua época numa linguagem acessível a todos.

AS IDEIAS DO HUMANISMO ILUMINISTA

Da mesma forma que os humanistas da Antiguidade, os filósofos do Iluminismo tinham uma fé inabalável na razão humana. O Iluminismo também é conhecido como Idade da Razão. O objetivo era estabelecer uma base moral, religiosa e política coerente com a razão.

Foi a nova fé na razão que propagou a ideia do Iluminismo. Agora, a massa é que precisava ser esclarecida. Era esse o pré-requisito para uma sociedade melhor. Segundo os filósofos do Iluminismo, a carência e a opressão tinham como causas a superstição e a ignorância. Portanto, a educação se tornou para eles uma preocupação central. Deu-se muita atenção à educação das crianças e também à educação popular. Se a razão e o conhecimento conseguissem se expandir, a humanidade avançaria a passos largos. Era apenas uma questão de tempo até que a irracionalidade e a ignorância fossem varridas da face da terra por uma raça humana esclarecida.

É bem característico que a publicação mais importante do Iluminismo tenha sido uma enciclopédia (palavra que significa "círculo do conhecimento humano"). A extensa Enciclopédia Francesa, publicada em 28 volumes de 1751 até 1772, continha contribuições de todos os grandes filósofos do Iluminismo. "Nela se pode encontrar de tudo", dizia-se, "desde como se fabrica um prego até como se funde um canhão."

Com igual intensidade, os filósofos do Iluminismo procuraram derrubar os baluartes sociais, lutando pela inviolabilidade do indivíduo e pelos "direitos naturais" do cidadão. Isso se relacionava, em primeiro lugar, à liberdade de imprensa. Fosse em assuntos religiosos, morais ou políticos, o direito do indivíduo a expressar suas opiniões tinha de ser garantido. Ideias essenciais foram a tolerância e a filantropia.

O valor supremo do indivíduo foi formulado na Declaração dos Direitos do Homem e do Cidadão, proclamada pela Assembleia Nacional francesa em 1789. Essa declaração formou a base para a Declaração dos Direitos Humanos da ONU em 1948.

OS HUMANISTAS DO ILUMINISMO

- *rebelaram-se contra as autoridades tradicionais, como a da Igreja e da aristocracia;*
- *desejavam que a razão prevalecesse em todas as esferas da vida;*
- *trabalhavam pela educação das massas;*
- *acreditavam no progresso cultural e técnico;*
- *desejavam libertar a religião do fanatismo e do dogma, e*
- *lutavam pela inviolabilidade do indivíduo, pela liberdade de expressão, pela justiça, filantropia e tolerância.*

HUMANISMO CRISTÃO E HUMANISMO PROFANO

A grande maioria dos humanistas da Renascença era cristã por convicção. Muitos humanistas do Iluminismo também se consideravam cristãos e acreditavam que o humanismo nada mais era do que o cristianismo interpretado corretamente. É possível encontrar uma compreensão cristã do humanismo — *humanismo cristão* — mesmo das comunidades religiosas.

A chave do humanismo cristão é que o homem foi criado à imagem de Deus. De toda a criação, o homem é a criatura mais "semelhante a Deus". Isso, além de explicar sua posição especial e sua inviolabilidade, deve significar ainda que o homem tem a capacidade de fazer o bem, que ele não se tornou totalmente corrompido depois da queda.

Muitos ideais humanistas estão expressos na Bíblia, inclusive a ideia de que todas as pessoas têm igual valor. "Não há judeu nem grego, não há escravo nem livre, não há homem nem mulher; pois todos vós sois um só em Cristo Jesus" (Gálatas 3,28; veja também Romanos 10,12 e Colossenses 3,11). O Novo Testamento ressalta assim a unidade da espécie humana e a igualdade universal, junto com a singularidade do indivíduo sob a mão criadora de Deus. A caridade e a misericórdia também são ideais humanistas que têm um papel central no cristianismo.

Através dos tempos, os humanistas cristãos criticaram o poder eclesiástico e a intolerância religiosa, enquanto ressaltavam as necessidades religiosas do homem. É a razão humana e sua capacidade de percepção religiosa que fazem do homem mais do que um mero animal.

Este último ponto em particular distingue o humanismo cristão daquele conhecido como *humanismo profano*. A palavra *profano* significa "não sagrado", e com humanismo profano queremos dizer um humanismo que não tem raízes religiosas. Já na Renascença havia tendências para o humanismo profano, mas foi apenas no século XIX que este rompeu totalmente com a tradição humanista cristã. Isso ocorreu sobretudo por causa das novas descobertas científicas, em especial a teoria do biólogo Charles Darwin sobre as origens do homem (a doutrina da evolução).

A partir dessa época, o humanismo foi comumente usado para descrever uma filosofia de vida que se opunha a todas as formas de religião. Desde a Renascença, a capacidade do homem de pensar livremente vem sendo uma das pedras fundamentais do humanismo. Hoje, muitos humanistas são livres-pensadores, ou, em outras palavras, pensam livremente em assuntos relativos à Igreja e ao cristianismo. A razão e a ciência passaram a se opor ao cristianismo, e o ateísmo ou agnosticismo se tornou uma característica importante do humanismo.

É o humanismo profano que iremos considerar agora, ao examinar os pontos principais da visão de vida humanista.

AS CARACTERÍSTICAS BÁSICAS DO HUMANISMO

COMPREENSÃO DA REALIDADE

O humanismo se caracteriza por uma forte confiança na *razão* humana. Mas a razão é apenas um dos instrumentos que empregamos para compreender o mundo. Precisamos usar também nossa capacidade de recolher experiências. Todas as opiniões devem se fundamentar em nossa *experiência*. Nossa razão e nossa experiência é que formam a base de tudo o que conhecemos do mundo.

O ser humano não pode afirmar que Deus existe utilizando apenas sua razão ou sua experiência. Mas tampouco é possível dizer com certeza que não existe Deus. Para expressar essa posição, o humanista costuma se definir como *agnóstico*.

Os humanistas reconhecem que as *faculdades humanas são limitadas*. Há perguntas que não conseguimos responder. Há enigmas que não conseguimos solucionar. Mesmo assim, faz parte do ser humano formular ideias acerca do desconhecido. O importante é não transformar essas ideias em princípios religiosos absolutos. Segundo os humanistas, é isso que fazem as religiões. Desse modo, na prática, os humanistas assumem o ponto de vista ateu. Eles vivem como se Deus não existisse. Não aceitam nenhuma realidade sobrenatural, porque não têm base alguma para acreditar numa tal realidade. De acordo com os humanistas, só existe uma realidade que tem sentido para a vida humana.

Como o humanismo não reconhece nenhum destino ou vontade divina que controle a vida dos homens, destaca que o homem deve confiar em si mesmo. *O homem é senhor de si mesmo* e só deve depender de si mesmo e de suas próprias capacidades.

ATITUDE PARA COM A HUMANIDADE

A atitude humanista para com o ser humano é *positiva* e *otimista*. O homem tem grande valor e potencial. E ele é *naturalmente bom*.

Os humanistas costumam definir o homem como um *ser espiritual*. Ele tem mais capacidade e mais potencial do que qualquer outra criatura. E tem uma *liberdade* muito diferente da de qualquer outro ser vivo. Outro ponto capital: ele tem a *capacidade de criar* algo por meio de seu trabalho e de suas atividades artísticas.

O homem também é *parte da natureza* e está sujeito às leis da natureza. A "alma" do homem é total e inseparavelmente ligada ao funcionamento da mente dele. O humanismo não aceita a ideia de que o homem tenha uma alma eterna. Depois da morte, o homem não tem mais consciência.

Segundo os humanistas, cada ser humano é uma criação única. Mas embora sejamos diferentes, *todos os homens têm igual valor*. A *tolerância mútua* das diferenças que distinguem as pessoas é um dos ideais mais importantes do humanismo.

Também é importante a ideia de que nenhum homem pode ser usado como um meio para algum outro fim — seja esse fim uma "necessidade histórica", um objetivo político mais alto ou algo do gênero. Muitas vezes os seres humanos conseguem ver um propósito em "se sacrificar" por uma causa, mas eles nunca devem ser sacrificados involuntariamente pelos fins de outras pessoas. Cada ser humano *é um fim em si mesmo*. Ele nunca deve ser tratado como um mero número na multidão.

O objetivo ideal é que todos os seres humanos consigam realizar seu potencial e seus talentos. A felicidade e a realização do indivíduo são, portanto, fundamentais no humanismo.

Com sua ênfase na singularidade de cada pessoa, o humanismo possui uma visão *individualista* da vida. Mas o homem não vive apenas para si mesmo e para sua família. Os humanistas se identificam com o gênero humano como um todo e têm uma visão otimista do *desenvolvimento da humanidade*. Ao longo de alguns milhares de anos, passamos da Idade da Pedra para a Era Atômica. E continuamos a progredir, tanto tecnologicamente como em nossa capacidade de sermos humanos — ou seja, de demonstrarmos cuidado e preocupação com os outros.

ÉTICA

Os humanistas acreditam que, em virtude de sua razão, o homem sabe a diferença entre o certo e o errado. O homem não precisa de nenhum mandamento ou regra externa. Certos valores e normas básicas podem ser estabelecidos com base puramente na razão humana. É isso que se quer dizer com a expressão *ética humanista*.

O princípio ético superior do humanismo é a Regra de Ouro: trate os outros como você gostaria de ser tratado. Essa regra é mais conhecida por fazer parte do Novo Testamento, mas muitos humanistas apontam que ideias semelhantes já foram expressas por outras culturas, inclusive no judaísmo (Levítico 19,18). Assim, preferem chamar a regra de *princípio da reciprocidade*. O essencial é que, segundo os humanistas, esse princípio pode ser estabelecido sobre uma base humana.

Outros princípios humanistas importantes são o *respeito pela dignidade humana* e a *inviolabilidade do indivíduo*. Os *direitos humanos*, tal qual detalhados em diversas declarações de direitos humanos, constituem o próprio cerne da ética humanista. Como membros da raça humana, é nossa responsabilidade lutar pela liberdade, igualdade e justiça, tanto em nosso próprio país como no resto do mundo.

Com sua ênfase na *vida sobre a terra*, no aqui e agora, os humanistas apoiam uma *prosperidade material crescente*. Mas esse objetivo deve ser constantemente julgado de acordo com *valores fundamentais* e com a *qualidade de vida* no sentido mais amplo. A meta não é alimentar um impulso cego para a eficiência, nem um materialismo complacente. Nesse caso, o humanismo critica o progresso materialista e tecnológico unidimensional — seja sob forma socialista ou capitalista.

MATERIALISMO

FILOSOFIA E CIÊNCIA

Atualmente a ciência é capaz de dar respostas a um grande número de perguntas que antes eram deixadas por conta da imaginação das pessoas. As ciências modernas vêm oferecendo explicações cada vez mais completas sobre como o universo e a Terra podem ter se iniciado. Em consequência, hoje muitas pessoas afirmam que têm uma visão científica da vida. Elas se intitulam materialistas ou naturalistas.

Mas será que a ciência pode de fato ter a resposta para todas as perguntas? Os materialistas dizem que sim. Segundo eles, muitas questões que ainda estão sem resposta serão resolvidas quando a ciência tiver desenvolvido novos métodos e técnicas.

O QUE É MATERIALISMO?

Imagine que o universo inteiro seja composto apenas de matéria. Não existe nada além de átomos e partículas elementares. O mundo é uma coisa — ou a soma de um número enorme de minúsculos tijolos. Todas as mudanças no universo todo e nessa Terra se devem aos movimentos desses tijolinhos. Deus não existe. Não há nenhuma força ou poder espiritual. A consciência do homem é apenas um produto de seu cérebro, que não passa de uma máquina extremamente complicada. Essa é uma visão materialista do mundo.

Quando falamos do materialismo como uma filosofia, na verdade estamos falando de duas coisas diferentes. Deve-se fazer uma distinção entre o materialismo filosófico e o materialismo ético.

• *O* materialismo filosófico *é a convicção de que todos os fenômenos do mundo podem ser atribuídos a condições físicas. Não há forças espirituais agindo independentemente das leis da física. A realida-*

de é composta unicamente de matéria, *ou, em outras palavras, natureza.*

• *O* materialismo ético *é uma visão da vida, ou uma atitude perante a vida, que dá importância aos benefícios materiais e ao prazer físico.*

A palavra *materialismo* deriva da palavra latina *materia*. Esta, por sua vez, vem de *mater*, que significa "mãe".

CONTEXTO HISTÓRICO

O ATOMISMO DA ANTIGUIDADE

Os primeiros filósofos gregos, que surgiram a partir do século VI a. C., muitas vezes são chamados de *filósofos naturais*, porque estudavam a natureza (em grego, *physis*). Seu objetivo era revelar os segredos da natureza sem apelar para explicações místicas ou religiosas. Eles desejavam encontrar uma *explicação natural* para o enigma que é o próprio mundo. Dessa maneira, impulsionaram todas as futuras ciências naturais.

Sua ideia é que devia existir uma *substância original* — da qual tudo provinha e para a qual tudo voltava — que seria subjacente a todos os fenômenos. Do mesmo modo que a água pode se transformar em gelo ou vapor — e depois voltar a seu estado natural, de líquido —, devia haver uma substância original por trás de todas as alterações; era o que eles imaginavam.

Um desses filósofos naturais foi *Demócrito* (*c.* 460-370 a. C.). Ele criou uma explicação materialista coerente do mundo: tudo o que existe é composto apenas de átomos e espaços vazios. Os átomos são indivisíveis (a palavra grega *átomos* significa "indivisível"). Se não fossem indivisíveis, não poderiam servir de tijolos para construir tudo o que vemos a nosso redor, e tudo seria como uma sopa rala. Os átomos também devem ser eternos e não criados, porque nada pode se materializar do nada. E nada do que existe pode se tornar nada.

Demócrito especulava que os átomos podem se unir para formar corpos compostos. Tudo passa a existir e morre porque os átomos se juntam e depois voltam a se separar. Sim, pois os átomos se encontram em movimento contínuo. Isso significa que estão constantemente colidindo uns com os outros, e assim mudando de direção e velocidade. Nada mais os afeta. Tudo acontece de maneira *mecânica* (da palavra grega *mekhane*, "máquina"). Não há razão nem poder por trás dessas mudanças. O mundo funciona como uma grande máquina.

A teoria dos átomos também explica nossas percepções sensoriais. Quando notamos alguma coisa, é por causa do movimento dos átomos pelo espaço. Vemos a Lua, por exemplo, porque os "átomos da Lua" atingem nossos olhos.

Mas e o que dizer da consciência? Será que ela pode realmente ser composta de átomos, de meras partículas de matéria? Sim, os atomistas acreditavam que a alma é feita de "átomos de alma", átomos especiais, macios e redondos. Isso implica que o homem não tem uma alma eterna — ideia que era amplamente aceita na Antiguidade. Quando um ser humano morre, os átomos de sua alma se espalham em todas as direções e vão se tornar componentes de uma nova alma, recém-formada.

O MATERIALISMO ÉTICO DE EPICURO

O filósofo *Epicuro* concordava com o atomismo de Demócrito, mas ao mesmo tempo lançou os alicerces de um materialismo ético. Epicuro e seus discípulos se reuniam num jardim, motivo por que ficaram conhecidos como "os filósofos do jardim". Dizia-se que acima da entrada desse jardim havia uma inscrição dizendo: "Estrangeiro, aqui dentro te espera o contentamento. Aqui, o deleite é o maior dos bens".

A ética, que é a arte de bem viver, se resumia em obter o maior prazer possível e evitar todas as formas de desprazer. Porém, Epicuro lembrava que por vezes é necessário aceitar um desgosto a curto prazo, para poder experimentar um prazer maior e mais duradouro. Diferentemente dos animais, o homem possui a capacidade de planejar sua vida. Epicuro teve o cuidado de ressaltar que o "prazer" não era necessariamente sinônimo do deleite sensual. Valores como a arte e a amizade também deviam ser abraçados. Um pré-requisito para o desfrute da vida incluía ainda os ideais gregos de prudência, moderação e equanimidade.

Epicuro acreditava que uma das coisas mais importantes para se levar uma vida feliz era vencer o medo da morte. Nesse aspecto ele se voltou para os ensinamentos de Demócrito sobre os "átomos da alma". "A morte não nos afeta", disse com simplicidade. "Pois enquanto estamos vivos, a morte não está conosco — e quando ela está conosco, não existimos mais."

O MATERIALISMO MECANICISTA DOS SÉCULOS XVII E XVIII

O materialismo de épocas mais recentes veio na esteira da nova compreensão do mundo: a Terra é um dos muitos planetas que orbitam em volta do Sol. *Isaac Newton* (1643-1727) afirmou que as mesmas leis do movimento se aplicam ao universo inteiro. Todas as mudanças na natureza — tanto na terra como no espaço sideral — são governadas pela lei da gravidade e pelas leis do movimento. Tudo está sujeito às mesmas constantes imutáveis — ou à mesma *mecânica*. Na teoria, portanto, é possível calcular cada mudança que ocorre na natureza com precisão matemática. Pode-se dizer que a física de Newton deu os toques finais no que podemos chamar de *materialismo mecanicista*, ou *imagem mecanicista do universo*.

Também para nossa visão da humanidade o materialismo mecanicista teve consequências. No século XVIII foi publicado na França um livro com o notável título *L'homme machine* — o homem-máquina. Da mesma forma que a perna tem músculos para andar, afirmava o livro, o cérebro tem músculos para pensar. Os materialistas alemães formularam ideias semelhantes: os processos do pensamento provêm naturalmente do cérebro, assim como a urina dos rins e a bílis do fígado.

O NATURALISMO DO SÉCULO XIX

Durante o século XIX, o materialismo mecanicista foi aos poucos eclipsado por uma visão mais orgânica dos processos naturais. Palavras como *natureza, evolução* e *crescimento* tomaram a dianteira. E esse "naturalismo" também deixou suas marcas na atual filosofia materialista de vida.

No campo da biologia, *Charles Darwin* ofereceu uma explicação naturalista coerente sobre a evolução da vida na Terra. Sua teoria dizia que as plantas e os animais se desenvolveram gradualmente, numa contínua luta pela sobrevivência na qual vencem os mais fortes e mais bem equipados. Darwin denominou esse processo de "seleção natural".

Os chamados "darwinistas sociais" procuraram transferir o princípio da seleção natural para a sociedade humana, acreditando que até mesmo entre as pessoas deve vigorar o princípio da sobrevivência dos mais aptos. Um conceito semelhante foi expresso por *Friedrich Nietzsche* (1844-1900), que considerava o cristianismo "a religião dos fracos". Em sua opinião, os fortes devem ter permissão para se realizar. Os "super-homens", isto é, os que se superam como indivíduos, não devem se deixar dominar pela "mentalidade escrava" dos fracos. "Deus está morto", disse Nietzsche, e se Deus está morto, vale tudo. Não se deve deixar que nenhuma norma ética atrapalhe a autorrealização do indivíduo. Esse tipo de atitude moral é chamada de *niilismo* (da palavra latina *nihil*, "nada").

Desde o início do século XX as ideias naturalistas também prevaleceram na psicologia. *Sigmund Freud* acreditava poder demonstrar que a vida mental do ser humano é dominada pelo princípio sexual. O fato de permanecer insatisfeita a vida sexual do indivíduo — ou seus "instintos naturais" — pode, em casos extremos, levar a distúrbios psiquiátricos.

CARACTERÍSTICAS BÁSICAS DO MATERIALISMO

COMPREENSÃO DA REALIDADE

Os materialistas modernos procuram ter uma visão científica coerente da realidade. A chave para o mundo deve se basear inteiramente no próprio mundo, e não em algum conceito humanamente produzido. A crença em deuses é rejeitada.

O mundo é exatamente como nós o percebemos. Os seres humanos têm uma compreensão mais complexa do mundo do que os animais apenas por causa de seu sistema nervoso e de seu aparato sensorial, que são mais desenvolvidos. O conhecimento que o homem tem do mundo é obtido somente por meio da experiência e da percepção sensorial. O materialismo é, portanto, altamente *empírico*. Ele rejeita a crença racionalista de que a razão humana, por si só, pode ser uma fonte de percepção. O papel da razão é apenas organizar nossas experiências sensíveis.

É característico dos seres humanos formar ideias sobre o desconhecido — por exemplo, a ideia de um deus. Porém, como essas ideias não têm a experiência como fundamento, devem ser rejeitadas. Não existe deus. O universo é independente. O materialismo tem assim uma visão *ateísta* da realidade. Um verdadeiro materialista tem que ser *ateu*.

Da mesma forma que o pensamento astronômico moderno, os materialistas creem que o universo começou há cerca de 15 bilhões de anos. Toda a matéria estava então comprimida numa grande massa que, por causa de sua tremenda densidade, explodiu. As galáxias, as estrelas e os planetas são o resultado dessa explosão.

Nosso planeta passou a existir há 4,6 bilhões de anos. Aqui a vida se iniciou primeiro no mar, quando os átomos formaram moléculas complexas, capazes de se reproduzir. Assim, a vida na Terra foi se desenvolvendo e adquirindo formas cada vez mais complexas.

Os materialistas em geral são céticos quanto à ideia de que nosso planeta é sem-par neste vasto universo. Talvez o universo esteja pululando de vida. Talvez seres inteligentes possam ser encontrados em outros planetas. E não se considera impossível que em algum momento do futuro o homem consiga estabelecer contato com eles. No entanto, atualmente, o único exemplo que temos de planeta onde a matéria cósmica se transformou em vida e consciência, ainda é a Terra.

Muitos cristãos e humanistas compartilham dessa visão científica do universo. O que é peculiar aos materialistas é o fato de acreditarem que nossa moderna imagem do mundo exclui a ideia de qualquer tipo de criação religiosa. Eles não só apoiam a descrição que a ciência oferece da Terra e do universo, mas sustentam que isso é tudo o que se pode afirmar.

Até mesmo cientistas que são cristãos costumam basear suas pesquisas no chamado *ateísmo metódico*. Isso significa que veem o mundo *como se* não existisse nenhum deus. Os materialistas filosóficos vão mais além: negam já de início a existência de deus. São conhecidos como *ateus teóricos*.

ATITUDE PARA COM A HUMANIDADE

Em princípio, o materialismo não reconhece diferenças básicas entre a espécie humana e outros organismos vivos. As leis da química regem todas as formas de vida.

Muitos materialistas rejeitam, por isso, a ideia de liberdade humana. Na natureza a liberdade não existe, dizem. Tudo é governado por leis invioláveis. Isso também se aplica à consciência humana?

No século XVIII o homem foi comparado a uma máquina complexa ou a um autômato. Hoje parece ser apropriada a comparação com um computador. O cérebro humano — que compreende 10 bilhões de células — funciona como um computador imensamente complexo. É a matéria mais complexa que se encontra em nosso planeta. Porém, todos os processos do cérebro humano estão sujeitos exatamente às mesmas leis bioquímicas que vigoram no restante do mundo natural. A consciência é controlada do início ao fim pela física molecular. Por conseguinte, o homem não pode ter consciência após a morte.

263

ÉTICA

Uma visão materialista do mundo em geral vem acompanhada de um conjunto de valores materialistas, mas isso necessariamente não acontece. É possível combinar uma visão materialista da realidade com um estilo de vida simples. Um materialista filosófico não é automaticamente alguém que quer "viver a vida intensamente". Um interesse maior pode ter, por exemplo, o conhecimento científico.

Não há nenhuma contradição entre uma visão materialista e a caridade, ou o respeito pela dignidade humana. Contudo, o respeito pela sacralidade da vida e sua inviolabilidade pode não ser prioritário para os indivíduos coerentemente materialistas. É raro eles hesitarem quanto ao aborto, a eutanásia, os transplantes ou as modernas pesquisas médicas. Por exemplo, muitos materialistas já apoiaram e apoiam experiências com material genético humano na luta contra doenças hereditárias.

O materialismo rejeita a ideia de justiça natural. Não há valores e normas permanentes ou que se apliquem universalmente. Os valores e as normas são criados pela sociedade, variando de uma sociedade para outra e de uma cultura para outra. Assim, não podemos discernir aquilo que é moralmente bom ou correto simplesmente estudando a natureza humana ou a razão humana. A validade universal da ciência não se aplica aos valores. Isso se chama *relativismo moral*.

Segundo essa atitude, a consciência é um reflexo das exigências sociais e ambientais feitas ao indivíduo. A consciência não transmite o que *é* certo ou errado, mas a *visão do meio* sobre o que é certo e errado.

MARXISMO

O marxismo se fundamenta nas crenças do filósofo e político alemão *Karl Marx* (1818-83). Marx provinha de uma família judia alemã, mas seu pai se convertera ao protestantismo. Estudou em várias universidades alemãs e em seu doutorado apresentou uma dissertação sobre os materialistas gregos Demócrito e Epicuro. Juntamente com seu compatriota *Friedrich Engels*, diretor de uma fábrica em Manchester, publicou em 1848 o *Manifesto comunista*, um dos mais famosos textos de propaganda política. Marx também tomou parte na I Internacional de 1864. De 1848 até sua morte viveu em Londres, onde escreveu uma série de obras sobre política e economia.

CONTEXTO HISTÓRICO

O SOCIALISMO ANTES DE MARX

O pensamento socialista surgiu na Europa, em resposta ao crescimento do capitalismo moderno. Este último trouxera consigo uma formação social que se afastava dos modos de vida rural e artesão, a sociedade industrial, formada por alguns poucos cidadãos ricos, proprietários das fábricas, e muitos assalariados cada vez mais pobres.

Tal situação levou os socialistas a questionar o direito à propriedade e a má distribuição da riqueza do mundo. A Revolução Francesa de 1789 trouxe à baila o tema da igualdade jurídica. Os socialistas levantaram a ideia da igualdade econômica.

Os socialistas apoiavam a propriedade comum da terra e das fábricas. O cerne de seu pensamento era a camaradagem: o homem só poderia desenvolver seus dons e se libertar dos grilhões do capitalismo em camaradagem com outros. Foi nesse contexto que se cunhou a palavra *socialismo*, em 1832. *Socius* é uma palavra latina que significa "companheiro" ou "aliado".

Os primeiros socialistas acreditavam que era necessário voltar a uma forma de coletivismo simples, de âmbito local, em que as pessoas pudessem viver em paz e harmonia, e onde houvesse justiça. Foram realizadas experiências em vários lugares com a propriedade coletiva de oficinas, lojas e casas. Esse foi o início do moderno movimento das cooperativas; mas como tentativa de mover a sociedade numa direção socialista, não teve êxito.

Karl Marx chamava esses primeiros socialistas de socialistas *utópicos*, porque tentavam atingir os objetivos do socialismo de modo demasiado otimista e romântico. Eles acreditavam que o socialismo haveria de vencer porque eram ideias racionais, e as pessoas acabariam por reconhecer esse fato. Não tinham nenhuma teoria política sobre como conquistar o poder necessário para introduzir o socialismo. Tampouco tinham alguma teoria sobre o desenvolvimento econômico da sociedade. Era justamente uma teoria assim que Marx queria desenvolver, e queria fazê-lo de maneira científica.

A VISÃO DE MARX SOBRE O DESENVOLVIMENTO DA SOCIEDADE

Marx concordava com os socialistas utópicos quando diziam que o capitalismo é um sistema econômico que explora os trabalhadores, e que é importante adotar o seguinte sistema: "A cada um segundo suas necessidades, de cada um segundo suas capacidades". Mas ao mesmo tempo considerava o capitalismo um estágio necessário e vital na evolução histórica. Para compreender isso, precisamos levar em conta um dos axiomas de Marx, que é a sentença inicial do *Manifesto comunista*: "A história de todas as sociedades que existiram até hoje é a história da luta de classes".

Em sua análise da história, Marx examinou como o homem produz bens e como os distribui.

Na Idade Média, o sistema econômico era feudal. A aristocracia possuía extensas terras, e os camponeses tinham de trabalhar nelas. Porém, esses proprietários precisavam de mais mercadorias do que suas propriedades eram capazes de produzir e, portanto, compravam-nas dos mercadores e artesãos. Estes, que eram homens livres, passaram a desempenhar um papel cada vez mais significativo. Muitos ficaram ricos, fundaram bancos e fábricas. Houve então, entre os proprietários de terras e os burgueses, um choque e uma luta de poder que só tiveram fim quando os burgueses tomaram o poder (a revolução da classe média).

O capitalismo substituiu o feudalismo como sistema econômico. Mas aos poucos, à medida que o capitalismo se desenvolvia, o número de assalariados ia crescendo. A tensão entre a classe burguesa e a classe operária gerou uma nova luta de classes que, segundo Marx, culminaria na tomada do poder pelos operários, numa revolução socialista. A terra e as fábricas seriam transferidas da propriedade privada para a propriedade coletiva. Quando toda a propriedade fosse coletiva (comunismo), a base para a distinção de classes desapareceria e também a luta de classes, surgindo uma sociedade sem classes, o objetivo final do marxismo. No período de transição seria necessário que os operários assumissem pleno controle do aparelho do Estado (ditadura do proletariado), mas na sociedade sem classes do futuro não seria preciso haver nenhum governo central. Segundo Marx, o indivíduo experimentaria então um estado de paz, liberdade e felicidade.

O MARXISMO DEPOIS DE MARX

Após a morte de Marx, os socialistas começaram a desenvolver as ideias marxistas. Em consequência, surgiram duas correntes principais dentro do movimento socialista: a *social-democracia* e o *leninismo*.

Os social-democratas se ativeram à crença de que as condições econômicas são parte integrante do desenvolvimento social, e, em certo grau, as indústrias principais devem ser propriedade coletiva. Acreditam que o fim do capitalismo deve ser atingido por meios pacíficos, e não por uma revolução. Segundo eles, a experiência demonstra que os trabalhadores ganharam poder mediante reformas econômicas e a participação no sistema político. Essa é a visão que prevalece nos grandes partidos social-democratas da Europa Ocidental.

O leninismo alcançou notável significado histórico, mas hoje está em declínio. Sua influência internacional se iniciou na Rússia com a tomada do poder por Lenin e o Partido Comunista após a Revolução de 1917. A par de grandes reformas sociais e a total reorganização da economia, houve restrição da liberdade e dos direitos humanos. Logo toda democracia, dentro ou fora do partido, foi esmagada. Depois de Lenin, *Josef Stalin* continuou a ampliar o Estado soviético. A União Soviética foi uma *ditadura total*, assim como muitos outros países que introduziram governos de estilo comunista, por períodos mais longos ou mais curtos.

A linha de Lenin não demorou a ser criticada pelos social-democratas, e também por marxistas revolucionários como a alemã *Rosa Luxemburgo*. Já em 1917 ela atacou o leninismo e a revolução bolchevique, afirmando que a vida pública iria esmorecer se não houvesse eleições comuns e liberdade de imprensa e de reunião. Apenas alguns líderes do Partido iriam ordenar e governar a sociedade. Essa "panelinha" seria então uma ditadura, não do proletariado, mas como a ditadura jacobina durante a Revolução Francesa. Rosa Luxemburgo resumiu a questão nas seguintes palavras: "A liberdade é sempre, e exclusivamente, a liberdade daquele que pensa de maneira diferente".

O marxismo não foi interpretado apenas pelos social-democratas e pelos leninistas. Uma série de pensadores políticos analisou e desenvolveu as teorias de Marx durante o último século. À luz de Marx, eles criticaram a social-democracia, porque ela nunca teve nenhum confronto real com o *capitalismo*. Porém, também censuraram a linha que o socialismo assumiu na União Soviética, com a supressão dos *direitos humanos*. Buscaram um modelo marxista para uma sociedade capitalista moderna, na qual os operários industriais já não são a classe mais numerosa.

CARACTERÍSTICAS BÁSICAS DO MARXISMO

COMPREENSÃO DA REALIDADE

"Lutaremos sempre por uma compreensão científica do mundo. Nosso programa se baseia inteiramente numa visão do mundo científica e materialista", escreveram Marx e Engels. Estavam, assim, ressaltando que suas ideias não são uma filosofia de vida como outra qualquer. São uma maneira científica de descrever condições reais. Afirmavam que seus princípios teóricos "não repousam sobre as ideias e os princípios de nenhum filantropo".

Marx e Engels comparavam seus estudos sobre as relações dentro da sociedade aos estudos de Charles Darwin sobre as relações dentro da natureza. Na oração fúnebre que proferiu no enterro de seu amigo, Engels disse: "Assim como Darwin descobriu as leis que governam a evolução da natureza orgânica, Marx descobriu as leis que governam o desenvolvimento histórico do homem".

A visão marxista da história é uma visão materialista. De acordo com ela, não existe nenhum poder divino ou espiritual governando a história. Tampouco, em última análise, as ideias e os pensamentos dos homens determinam o desenrolar dos acontecimentos. Pensamentos e ideias, moral e religião, arte e filosofia não surgem do vácuo, mas dependem das condições econômicas e sociais. Elas se elevam, como um toldo, sobre a base econômica.

Por "base econômica" Marx entendia em primeiro lugar o trabalho e as ferramentas, os meios essenciais de produção; em segundo lugar, aqueles que possuem as oficinas e as fábricas, e tiram lucro delas.

A era do capitalismo se caracteriza por grandes fábricas repletas de máquinas e multidões de operários. Um punhado de capitalistas possui os meios de produção e recebe o lucro sobre os bens que os trabalhadores produzem. Quando Marx fala em luta de classes, refere-se à luta entre a classe dos proprietários (a burguesia, a classe capitalista) e aqueles que não são proprietários (a classe operária).

Marx acreditava que a história avança inexoravelmente rumo a um objetivo final: uma sociedade sem classes sociais, na qual toda a propriedade pertence a todos. Essa evolução não aconteceria gradualmente, mas mediante uma enorme oposição; ocorreria de maneira *dialética*. Uma certa situação (tese) provoca a situação oposta (antítese) e se resolve numa situação inteiramente nova (síntese), que inclui elementos de cada um de seus antecedentes.

A luta de classes é um exemplo de evolução dialética. A burguesia tem poder no sistema capitalista (tese); as classes trabalhadoras tomam o poder por meio de uma revolução (antítese), e o resultado é uma sociedade sem classes (síntese). Nessa sociedade sem classes, a exploração capitalista dos assalariados cessará; porém, Marx também acreditava que certos valores positivos do período capitalista deveriam ser mantidos, como a alta tecnologia e os direitos políticos.

ATITUDE PARA COM A HUMANIDADE

Marx admirava Darwin, mas não estava disposto a aplicar ao homem as mesmas leis que vigoram para os animais. O fato de ter a mesma origem que as outras espécies não significa que o homem possa ser visto como um animal.

O homem vive num estado de antagonismo com a natureza. Diferentemente dos outros animais, ele produz seu próprio meio ambiente. Não é o fato de ser uma criatura *pensante* que o distingue de outros animais, mas o fato de ser *criativo* pelo trabalho. O homem molda as coisas naturais com ferramentas e implementos que ele criou, e manufatura o que é necessário para sua vida.

O trabalho, a produção material, é fundamental para todas as formas de vida humana. Até mesmo a cultura, a política, a moral e a religião surgem da produção material, isto é, da base econômica. Isso não deve ser interpretado de maneira inteiramente mecanicista. Sempre haverá uma interação, a fim de que os pensamentos e as ideias retornem à organização do trabalho e da produção.

Além de ser criativo, o homem é um animal *social*, um ser gregário. A sociedade é necessária para ele. É a sociedade que lhe permite desenvolver seu potencial criativo e satisfazer suas necessidades.

ÉTICA

O marxismo afirma que as condições *econômicas* formam a base de toda a atividade humana. Isso significa que a ética, os princípios mais importantes que ditam a moral correta numa sociedade, também depende das circunstâncias econômicas predominantes. Se o sistema econômico se altera, os princípios éticos irão igualmente se modificar. As normas morais e os conceitos do que é certo e errado se desenvolveram à medida que o homem passou das sociedades escravocratas da Antiguidade para uma sociedade feudal na Idade Média, e desta para a sociedade capitalista.

Sob o feudalismo, no qual a aristocracia era a classe dominante, havia uma exigência moral de fidelidade, uma vez que os senhores feudais dependiam da lealdade de seus subordinados. Sob o capitalismo, a liberdade se tornou um ideal, e isso inclui a liberdade desfrutada pela burguesia de gerir empresas capitalistas sem interferência do governo central.

O aspecto crucial para Marx é que a ética não constitui apenas o espelho de um conjunto de condições sociais, mas uma maneira de promover os interesses de determinada classe. A ética serve à classe que detém o poder numa dada época. Em outras palavras, é a classe dominante que determina qual é a moral correta. Daí o protesto de Lenin: "As ações que servem aos interesses da classe trabalhadora são ações morais, boas e justas".

Apesar de a teoria marxista dar pouca importância à ética e à moral, muitos marxistas já demonstraram um forte compromisso moral na prática da política.

NOVAS RELIGIÕES E
NOVAS PERSPECTIVAS

SECULARIZAÇÃO E NOVA ESPIRITUALIDADE

Com o avanço da industrialização e da ciência no último século, surgiram novas explicações não religiosas para o curso dos eventos. Embora as religiões se mantenham vivas, áreas cada vez maiores da vida social e cultural têm saído de sua influência. E além de os princípios religiosos terem perdido influência na vida social, também os conceitos éticos ensinados pelas religiões não afetam mais as questões sociais. Esse processo é conhecido como *secularização*.

Tais fatos vêm tendo efeitos diversos sobre as pessoas. Alguns mantêm sua crença religiosa, mas traçam uma linha divisória entre a religião e a ciência. Outros rejeitam a religião e se tornam *ateus* ou *agnósticos*. Outros, ainda, incorporam a consciência científica a sua fé religiosa.

Será que somos menos religiosos hoje do que éramos cinquenta anos atrás? Não é fácil responder. Na Europa, durante muito tempo a religião pareceu desempenhar um papel menos influente na vida das pessoas. Porém, na esteira da descristianização, apareceram novos movimentos religiosos.

Hoje as igrejas cristãs têm de lutar não só contra a descristianização, mas também contra uma série de diferentes tendências religiosas, entre elas algo que pode ser chamado de *esoterismo*.

Tornou-se comum falar de uma "nova espiritualidade". Por exemplo, na Dinamarca há mais líderes em tempo integral dentro dos vários movimentos religiosos novos do que padres na Igreja cristã dinamarquesa.

A expressão "nova espiritualidade" é muito abrangente. Ela compreende:

- *novas campanhas missionárias de religiões antigas como o hinduísmo e o budismo;*
- *novas seitas cristãs;*
- *novas seitas religiosas não cristãs, que adotam ideias de uma ou de mais de uma das principais religiões do mundo;*
- *antigas noções esotéricas, e*
- *novo "conhecimento", que com frequência é uma mistura de ciência moderna com antigos conceitos religiosos.*

Além dessas denominações de constituição mais ou menos permanente, há uma grande quantidade de novos traços na abordagem que as pessoas têm da vida em geral, que nada têm a ver com a nova religiosidade.

Em meio a essa abundância de novas direções filosóficas, é útil distinguir entre:

- *novas tendências religiosas;*
- *tendências esotéricas, e*
- *movimentos alternativos.*

Parte do contexto histórico desses novos movimentos foi a "revolução da juventude" da década de 1960. Naquela época foram lançadas as bases para novos grupos religiosos, bem como para um renovado interesse pelo esoterismo e pelos movimentos hoje conhecidos como alternativos.

NOVAS TENDÊNCIAS RELIGIOSAS

SINCRETISMO

Hare Krishna, Igreja da Unificação do reverendo Moon (os Moonies), Meninos de Deus: eis alguns exemplos de novos movimentos religiosos internacionais que cresceram durante as últimas décadas.

Em termos históricos, o surgimento de novas religiões não é um fenômeno desconhecido. As grandes religiões mundiais que estudamos aqui sofreram muitas divisões ao longo dos séculos. Em alguns casos, isso levou à fundação de religiões totalmente novas, ao passo que em outros se fundaram apenas novas comunidades, novas igrejas, seitas ou tendências religiosas que mantiveram o contato com suas raízes e tradições.

Uma característica típica das diversas orientações religiosas novas que vêm surgindo é o que se conhece como *sincretismo*: a seita ou comunidade religiosa contém elementos de várias religiões diferentes. Também nisso não há nada de novo.

A época romana nos dá um bom exemplo de fusão religiosa. Através de todo o Império romano, ideias vindas da África, da Ásia e da Europa se fundiram para criar uma série de novos movimentos religiosos. Geralmente eles adotavam conceitos de outras religiões, como a egípcia, a persa, a babilônica, a judaica, a grega e a romana.

Durante o século XIX, muitos líderes religiosos na Índia proclamaram que todas as grandes religiões do mundo são compatíveis entre si e que, no fundo, expressam a mesma coisa. Tais ideias devem igualmente ser chamadas de sincretistas.

CARACTERÍSTICAS COMUNS DOS NOVOS MOVIMENTOS RELIGIOSOS

Todas as religiões têm características comuns em termos de conceitos, culto e organização. As novas religiões também têm inúmeras semelhanças com as grandes religiões mundiais. Mas será que existem outros aspectos típicos dos novos movimentos, que os diferenciam como um grupo especial? Vejamos alguns elementos que aparecem em muitos dos novos movimentos religiosos.

• *Normalmente foram fundados por alguém com* forte personalidade, *que teve uma revelação da divindade e se sente chamado a li-*

derar uma Igreja. Pode ser uma "figura messiânica" a quem as pessoas recorrem em épocas de crise espiritual, cultural ou política. Mas também pode ser, como em vários movimentos inspirados pelo hinduísmo, um "guru" (mestre religioso) que exige a completa obediência e devoção de seus discípulos. O guru em si não é necessariamente divino, mas representa o divino e, portanto, pode receber oferendas de seus seguidores.

• *Os novos movimentos religiosos afirmam que são* universais *e* aplicáveis a todos, *e veem a si mesmos como "a religião das religiões". Costumam alegar que se trata de uma síntese de todas as grandes religiões do mundo — e transformam Moisés, Jesus, Maomé, Krishna e Buda em seus precursores. Com frequência, a ideia é que as velhas religiões já esgotaram seus papéis, pois cada uma, por si só, contém apenas uma fração da verdade. A nova religião é a revelação final, a resposta última, a verdade plena e completa. Em geral, as religiões anteriores não são de todo repudiadas, mas vistas como uma tradição antiga e vital que tem sua resolução ou consumação na nova religião.*

• *Dá-se realce à* experiência interior, *considerada mais importante do que o dogma ou as formalidades externas. Usualmente há nesses movimentos um elemento de revolta contra o* status quo *religioso ou contra a liderança religiosa. Eles desafiam as normas correntes e as práticas religiosas estabelecidas, e em casos extremos chegam até a infringir a lei. A experiência interior, segundo eles, propicia uma libertação total, que promove a tranquilidade, a harmonia e a felicidade. O indivíduo pode encontrar a si mesmo. É justamente isso que a moderna sociedade precisa; é a solução para todos os problemas internos e externos. Alguns grupos ressaltam que não se trata de religião, mas de uma forma de conhecimento ou de compreensão total e repentina. É uma questão de alcançar a experiência interior correta.*

• *Os membros do movimento costumam manifestar um fervor na fé e um zelo religioso tais que são levados a devotar todas as suas energias à seita ou movimento. Essas conversões em geral resultam na ruptura com a família. O indivíduo pode deixar sua casa — para viver numa pequena comuna, por exemplo —, assumir um novo nome ou abandonar seu emprego, seus estudos etc.*

CONVICÇÃO OU LAVAGEM CEREBRAL?

A intervalos regulares a mídia dá notícia de novos movimentos religiosos acusados de fazer lavagem cerebral nos novos adeptos, os quais são comumente recrutados entre jovens e adolescentes que estão em busca de sua identidade.

Uma característica importante dos novos grupos religiosos é a exigência de que o indivíduo se entregue a eles por inteiro — o que inclui um rompimento total com sua vida anterior. A pessoa "morre" em sua vida antiga e "renasce" dentro da nova seita. Não basta ser simpatizante. Com frequência, o indivíduo deve doar a elas tudo o que possui. Muitos já se viram destituídos de suas posses depois de um encontro com um desses novos movimentos religiosos.

A seita começa apresentando algumas questões existenciais bem conhecidas, em especial as que mais intrigam as pessoas no limiar da idade adulta, e costuma fazer um diagnóstico certeiro. Afirma que há muita coisa errada com a sociedade moderna, que não vivemos uma vida "autêntica" e "plena", que sentimos um vazio e não vemos sentido para a existência. Numerosos membros, dizem eles, estavam desestruturados pelo álcool ou pelas drogas quando foram recrutados. Mas há algo capaz de trazer uma renovação de tudo: a nova religião. Basta apenas aderir a ela e se comprometer. Se depois disso o novato tenta voltar para sua vida anterior, seus "padrinhos" na seita podem dificultar extremamente as coisas para ele.

Sobretudo nos Estados Unidos, há associações especiais para pais que tentam reaver seus filhos e filhas. Alguns pais chegaram a raptar os filhos de volta a fim de "desprogramá-los" — ou seja, fazer uma espécie de lavagem cerebral ao contrário — com a ajuda de ex-membros da seita. Essas atividades, naturalmente, levantam questões legais e éticas consideráveis; por outro lado, há diversas "vítimas" de novos grupos religiosos que ficaram gratas por terem sido trazidas de volta a seu antigo ambiente. Entretanto, essas "aterrissagens forçadas" são processos dolorosos e caros, que muitas vezes exigem os serviços de um psiquiatra ou psicólogo.

TENDÊNCIAS ESOTÉRICAS

Esoterismo é um termo quase tão abrangente quanto *religião*. Ele engloba a astrologia, o espiritismo, a ufologia, a parapsicologia, várias formas de magia e clarividência, a teosofia e a antroposofia.

Em décadas recentes, o interesse pelo esotérico cresceu enormemente em quase todo o mundo. Isso se explica, pelo menos em parte, pela secularização generalizada. Embora as tendências esotéricas nem sempre levem à criação de novos organismos religiosos, as ideias ocultistas de diferentes tipos têm tamanha importância para tantas pessoas, que formam uma grande parcela de sua filosofia de vida.

O esoterismo está longe de ser um fenômeno novo. Ele se estende, numa tradição contínua, desde a Antiguidade, passando pela Idade Média, até os dias de hoje.

ASTROLOGIA

A tradição esotérica mais significativa na história europeia é sem dúvida a astrologia. Ela é também a mais difundida das tendências ocultistas de hoje.

As raízes da astrologia se encontram na Mesopotâmia de 2000 a. C. Ela foi depois refinada dentro das culturas babilônica, grega e romana, e teve sua idade de ouro no início da época moderna, do século XIV ao XVI.

A astrologia se baseia, em resumo, na crença de que há uma correlação entre a posição dos astros e a vida humana individual. Hoje, assim como em épocas medievais, muitas pessoas acreditam que sua vida e sua personalidade — e até mesmo o curso dos acontecimentos mundiais — são influenciados pelas posições relativas das estrelas e dos planetas no céu. De particular relevância é o mapa astral, isto é, o aspecto celestial no momento do nascimento.

Nem todos os que leem o horóscopo nos jornais ou mandam fazer seu mapa astral acreditam naquilo que leem. Mas há pessoas que têm uma fé tão forte "no que dizem as estrelas" que isso se torna o próprio fundamento de sua visão da vida.

Os astrólogos afirmam estar praticando uma ciência antiga, mas não existe nenhuma base científica para a astrologia. Aqui, como em outros contextos, deve-se fazer uma distinção entre *crença* e *ciência*.

ESPIRITISMO

O espiritismo é a crença num mundo dos espíritos e na possibilidade de os vivos entrarem em contato com os espíritos dos mortos. Realizam-se *sessões* durante as quais os chamados *médiuns* afirmam transmitir mensagens de um espírito. Isso também pode ser feito por meio da chamada "escrita automática" ou "psicografia", em que um espírito controla a caneta do médium e dessa forma se comunica com os vivos.

A ideia de que os mortos continuam a viver e que se pode estabelecer contato com eles é bastante antiga, e teve representação especialmente clara nas religiões que chamamos de primais. Muitas vezes tal noção floresceu após as guerras, quando tantos perderam seus entes queridos.

Não existem provas científicas dos fatos alegados pelo espiritismo, e muitas tentativas de monitorar cientificamente as sessões espíritas constataram charlatanismo. Uma teoria diz que, embora o médium atue com boa-fé, o "espírito" que fala por meio dele é, na verdade, seu próprio subconsciente. Assim considerada, a sessão espírita pode ter mais a ver com a hipnose ou com casos de personalidade dividida.

Em 1875, a russa Helena Blavatsky fundou em Nova York a *Sociedade Teosófica*, fundamentada no espiritismo. A teosofia de Blavatsky continha elementos de ocultismo misturados com as doutrinas indianas do carma e da reencarnação.

Mais recentemente, ideias espíritas ganharam força num estudo das chamadas *experiências de quase-morte*. Muitas pessoas que já estiveram próximas da morte afirmam que sua alma deixou o corpo (experiências extracorporais). Por exemplo, enxergaram-se deitadas na mesa de operação e puxadas para um estado espiritual, voltando depois ao corpo. Há quem considere que esses relatos dão mais peso às crenças espíritas.

UFOLOGIA

Uma tendência mais moderna dentro do esoterismo é a crença na existência de seres inteligentes em outros sistemas solares. Esses seres visitariam continuamente nosso planeta em discos voadores, ou OVNIs (Objetos Voadores Não Identificados, expressão do jargão dos pilotos americanos; em inglês, a sigla é UFOs, *Unidentified Flying Objects*). Muitas pessoas dizem que já viram OVNIs, e algumas afirmam que já viram seres do espaço — ou seja, que tiveram um *encontro imediato de terceiro grau*. Outras relatam que entraram em contato com seres do espaço sideral durante sessões espíritas. Essa crença se tornou tão forte, em especial nos Estados Unidos, que deve ser considerada um novo movimento religioso. Existem igrejas dirigidas aos OVNIs também em outras partes do mundo. Por exemplo, *George Adamski* é um profeta que viaja pelo mundo contando suas conversas com seres de Vênus. Ele crê que o mundo esteja à beira de uma guerra atômica e que algumas pessoas serão salvas e levadas para outra estrela no universo, numa versão moderna da história da Arca de Noé. Os livros de *Erich von Däniken* se concentram mais no passado. Segundo sua teoria, diversos enigmas históricos só podem ser explicados se aceitarmos que a Terra foi visitada por astronautas de civilizações mais adiantadas vindos do espaço sideral.

Embora vários astrônomos e físicos acreditem que possa existir vida em outros planetas, por enquanto não há nenhuma prova conclusiva disso. Assim, não existem provas científicas para as alegações da ufologia, como, aliás, para qualquer outro conceito religioso. Novamente, devemos aqui fazer uma distinção entre crença e ciência.

MOVIMENTOS ALTERNATIVOS

Uma série de diferentes movimentos chamados "alternativos" surgiu nas últimas décadas como reação às igrejas estabelecidas, à ciência oficial e ao *status quo*. Muitos deles têm um novo ponto de vista sobre a vida, tão forte e predominante que não podemos deixar de considerá-los num levantamento de novas correntes filosóficas.

Existem incontáveis movimentos alternativos, e suas ideias são tão díspares que é difícil abranger a todos sob um só título. Contudo, certas características são claras:

• *Há uma profunda* desconfiança do materialismo. *Trata-se de uma reação ao ponto de vista materialista e também à ciência aplicada, que levou ao acúmulo de armas atômicas e à ameaça ambiental para a vida na Terra. O materialismo é prejudicial ao corpo e à mente, a nosso ambiente físico e a nossa cultura como um todo.*

• *Dá-se ênfase a* valores espirituais *mais profundos, muitos inspirados pela filosofia oriental. Mais e mais pessoas estão se voltando para o carma e a reencarnação (p. 48) ou para a interação entre* yin e yang, *de maneira totalmente independente de sua formação religiosa. Da mesma forma, o interesse pela meditação e pela ioga cresceu bastante nas últimas décadas — mais ou menos isoladamente de seu próprio contexto religioso. Os astrólogos creem que estamos rumando para uma "nova era" (a Era de Aquário), a qual se caracterizará por uma orientação mais espiritual. Tais ideias, originalmente enraizadas num contexto religioso, permitem-nos falar de uma nova "espiritualidade universal".*

• *Muitas pessoas também são estimuladas por um* novo conhecimento. *Várias ciências tradicionais entraram em crise neste século, entre elas a física atômica, que rompeu, de diversas maneiras, com a física clássica e a física materialista (p. 261). Contudo, em geral as conclusões que as pessoas tiram desse "novo conhecimento" vão muito além do que os especialistas achariam aceitável. O* movimento da "Nova Era", *que surgiu na Califórnia, acredita que todo o nosso processo científico de pensamento está prestes a passar por uma "mudança de paradigma", isto é, uma mudança fundamental para a própria natureza do pensamento científico.*

Tentativas de encontrar novos canais para o pensamento se manifestaram ainda na área da medicina e saúde. Alega-se que a "medicina acadêmica" deve, pelo menos em certo grau, ser substituída pela "homeopatia" ou "naturopatia". O interesse pela acupuntura, pelas curas espirituais, pela análise da aura etc. também aumentou consideravelmente nos últimos anos.

• *É comum a uma área do movimento alternativo o interesse pela* parapsicologia. *Esta se concentra em fenômenos extrassensoriais, como a telepatia (transmissão de pensamento), clarividência, levitação ou telecinesia (movimento de objetos físicos pela energia psíquica). Em várias regiões do mundo a parapsicologia é hoje uma disciplina científica séria, mas é ponto pacífico que também há muita fraude nessa área. O fato é que o cotidiano de um bom número de pessoas está tão impregnado da parapsicologia que esta pode determinar toda a visão que elas têm da vida.*

• *Muitos movimentos alternativos creem que a nova mentalidade científica será caracterizada pelo "holismo" (da palavra grega* holos, *"total", "inteiro"). Ressalta-se que, em diversos casos, o todo afeta as partes. Cada órgão dentro do corpo é influenciado pelo indivíduo como um todo; o indivíduo é parte de um sistema ecológico, e nosso planeta tem uma relação orgânica com o resto do universo. Essa filosofia também tem raízes bem antigas na história humana.*

• *Os movimentos alternativos não apenas se preocupam em alterar nossa maneira de pensar, mas se empenham também na implantação de um novo estilo de vida, já que há algo fundamentalmente errado com a civilização ocidental de modo geral.*

ÉTICA

VIDA E ESCLARECIMENTO

Até aqui estudamos uma série de filosofias de vida que, para muitas pessoas, respondem a questões existenciais. Estas incluem as grandes religiões, mas também pontos de vista que não têm fundamento religioso — como o humanismo, o marxismo e o materialismo. Examinamos ainda o conjunto de valores, ou ética, pertinentes à visão de cada indivíduo.

Esta seção do livro irá se concentrar em alguns conceitos-chave.

Mesmo com toda a diferença dos contextos religiosos ou culturais, encontramos diversos exemplos de concordância nas implicações práticas, tanto para o indivíduo como para a vida social.

Muitas vezes foram pessoas com uma devoção religiosa ardente ou alguma outra visão da vida bem firme que abriram o caminho para mudanças sociais significativas — por exemplo, em questões de desarmamento, poluição ambiental ou no relacionamento entre países ricos e pobres.

Não se trata somente de saber *qual* filosofia de vida a pessoa escolheu. Pode ser igualmente importante apenas escolher *alguma*, tomar uma posição, qualquer que seja. O oposto de uma filosofia de vida é a apatia e a falta de convicções. Até mesmo o orçamento nacional ou o manifesto de um partido político tomam posição nas questões existenciais. Não se pode dizer que haja um partido político com uma posição existencial neutra.

É sensato salvar o planeta em que vivemos de uma catástrofe global — hoje, para muitas pessoas, esse é um dos problemas fundamentais da vida. Ao divulgar seu relatório em abril de 1987, a comissão ambiental da ONU conseguiu unir pessoas com convicções extremamente variadas para elaborar uma resolução conjunta a respeito de uma série de dilemas sobre o futuro da Terra. Com frequência, as semelhanças éticas entre filosofias de vida distintas são mais acentuadas do que as diferenças.

É comum, no entanto, haver um abismo profundo entre a teoria e a prática. Por exemplo, a história registra opressão crônica e muitas atrocidades cometidas em nome do cristianismo e do marxismo. A Inquisição católica na Europa e na América Latina e as perseguições de Stalin na ex-União Soviética são apenas dois exemplos. É difícil conciliar esses atos com ideias de caridade e justiça.

A diferença entre a teoria e a prática apresenta ainda outro aspecto. Ter boas ideias não basta; elas devem ser postas em prática. O poeta norueguês Nordahl Grieg atacou os humanistas bem-intencionados que sentem aversão pela injustiça mas não lutam pelo que é justo.

ÉTICA E MORAL

"Isso é imoral!", alguém exclama de vez em quando. Talvez nós mesmos o façamos. Expressões como "moralidade comercial" e "moral sexual" surgem nas conversas ou nas manchetes dos jornais. Ou se pode empregar o termo *ética*. Perguntamos: "Será que isso é ético?". Falamos em "ética do trabalho" ou "ética médica". A maneira de tratar os assuntos públicos e as pessoas é governada pela "ética da mídia".

As palavras *ética* e *moral* costumam ser usadas indiferentemente. Mas em geral têm um sentido bastante distinto. A *moral* se relaciona às ações, isto é, à conduta real. A *ética* são os princípios ou juízos que originam essas ações. Podemos dizer que a ética e a moral são como a teoria e a prática. A ética é a teoria moral, ou filosofia moral.

Todo mundo tem uma moral, pois todos praticam ações que podem ser examinadas eticamente. Mas nem todo mundo já levou em consideração a ética.

Examinar questões éticas pode resultar na elevação de nossa moral.

ÉTICA DESCRITIVA E ÉTICA NORMATIVA

A *ética descritiva* simplesmente retrata as noções éticas predominantes em diversas sociedades e populações, as ações que são corretas e os argumentos que lhes são subjacentes. Utilizando métodos científicos e os requisitos científicos de objetividade, a ética descritiva relata, sem julgar certo ou errado, o que descobriu. Portanto, a ética descritiva não se baseia num conjunto de valores ou de códigos; procura apenas mapeá-los dentro da sociedade.

Exemplos de ética descritiva são as pesquisas feitas com a população a respeito de seus pontos de vista sobre a defesa do país, a verdade e a falsidade, a moral sexual, o aborto; ou de suas atitudes perante sonegação de impostos, roubo de carros, fraude na previdência social e coisas desse tipo. Somos confrontados, quase diariamente, com a ética descritiva sob a forma de estatísticas e pesquisas de opinião.

Um perigo óbvio de tais pesquisas é que elas podem facilmente gerar uma espécie de "moralidade estatística", ou seja, a noção de que aquilo que a maioria faz deve estar certo. Na ausência de outras normas, a estatística passa a ser o princípio orientador! Mas saber o que é certo ou errado nunca pode ser a mesma coisa que saber o que é mais usual. A ética descritiva jamais deve ser usada de maneira normativa. Se fosse demonstrado que o preconceito racial é muito difundido, isso não o tornaria eticamente aceitável. Embora outras pessoas fraudem o imposto de renda, isso não torna moralmente defensável que você faça o mesmo.

Já a *ética normativa* procura mostrar quais ações são certas e quais são eticamente inaceitáveis. Ela argumenta em favor de certos valores ou códigos; ela fornece normas, por isso é "normativa". Não busca o estado vigente da moralidade, e sim em que estado ela deveria se encontrar. Não busca o que é, mas o que deve ser.

Por exemplo, será que devemos manter ou rejeitar as normas predominantes em nossa sociedade? Quais valores devem servir de base para nossas prioridades?

Exemplos de ética normativa são os "dez mandamentos" e o "princípio da reciprocidade".

ALGUNS CONCEITOS-CHAVE DA ÉTICA

VALORES

As primeiras perguntas a fazer são: O que desejamos alcançar com nossas ações? Quais são os valores que mais prezamos? O que é mais importante para nós?

Dinheiro? Carros? Lazer? Saúde? Liberdade? Amizade? Amor?

Alguns valores são meios para se alcançar outros valores. O dinheiro é o exemplo mais óbvio. Ele não tem valor intrínseco, mas pode ser usado para se obter alguma outra coisa. Um belo carro, por exemplo. Mas será esse belo carro, de fato, um valor em si mesmo? Não é ele apenas uma maneira de ir rápida e confortavelmente de um lugar a outro, talvez uma maneira de saciar o desejo de velocidade ou de despertar a admiração dos amigos e conhecidos?

Diz a história que o deus Dioniso recompensou o lendário rei grego Midas atendendo seu maior desejo. Midas pedira que tudo aquilo em que tocasse se transformasse em ouro. E seu desejo foi atendido tão ao pé da letra que até mesmo a comida em que ele tocava virava ouro. Assim, o rei Midas precisou implorar que o poder que recebera fosse anulado, já que não poderia comer ouro.

Qualquer pessoa seria capaz de escrever uma longa lista dos valores que gostaria de promover por meio de suas ações:

- *vida, saúde;*
- *paz, liberdade, verdade, justiça;*
- *conhecimento, experiência, desenvolvimento pessoal;*
- *amizade, companheirismo, uma relação amorosa, vida familiar;*
- *prazer sensual, prazer estético.*

A lista poderia se prolongar, mas a questão de saber quais os valores que mais prezamos estará sempre presente. Geralmente precisamos comparar um valor com outro. Precisamos escolher.

Nós *priorizamos valores* muitas vezes por dia, talvez sem ter consciência disso. Uma opção que temos de fazer com frequência diz respeito ao uso do dinheiro. Devemos gastar nosso dinheiro em roupas e outras coisas que nos trazem contentamento e satisfação? Em livros que irão enriquecer nosso conhecimento? Numa viagem que nos oferecerá uma experiência valiosa? Ou não devemos usar todo o nosso dinheiro conosco, mas comprar um presente, talvez para uma tia idosa? Ou quem sabe o correto não seria separar uma pequena quantia para ajudar os pobres num país do Terceiro Mundo?

Conflito de interesses é uma expressão que descreve bem essas dificuldades. Diferentes interesses costumam puxar para direções opostas, e uma delas tem de ceder. O conflito de interesses mais comum acontece entre nós mesmos e os outros. Precisamos continuamente considerar, de um lado, nosso próprio interesse e as boas coisas de nossa própria vida, e de outro, o que é melhor para os outros. Nossa boa sorte não pode ser o infortúnio alheio. O ato de se preocupar apenas com a própria sorte é chamado de *egoísmo ético.*

CONSCIÊNCIA

Consciência é a capacidade que temos de reagir ao certo e ao errado. Podemos dizer que a consciência é um cão de guarda normativo. Se infringimos uma de nossas normas, a consciência começa a rosnar. Em casos mais flagrantes, seu peso pode nos derrubar; ou ela pode nos forçar a recuar, modificar nossas ações, pedir desculpas a alguém.

Para alguns, a consciência é uma autoridade inflexível. É inútil tentar negociar com ela. Podemos enganar nosso semelhante, mas não nossa consciência. Podemos nos esconder da polícia e da lei, talvez até fugir da censura moral dos outros, mas nunca podemos nos esconder da consciência. E tampouco podemos fugir dela, pois ela é uma parte de nós. Muito tempo depois de alguma ação errada, ela pode nos repreender pelo que fizemos — ou deixamos de fazer.

Várias pessoas experimentam a consciência como uma autoridade absoluta. Mas de onde ela vem? Será que todos os seres humanos têm a mesma consciência? Vamos fazer a seguir uma distinção ampla entre duas diferentes visões da consciência.

A CONSCIÊNCIA COMO UM CONTROLE INATO NO HOMEM

Podemos encontrar a origem histórica dessa visão em Sócrates. Ela sempre esteve também no cerne da teologia cristã: "A obra da lei gravada em seus corações", como diz Paulo (Romanos 2,15). A consciência, como já se disse, é "o ouvido que escuta a voz de Deus". Mesmo numa base não religiosa, já foi dito que a consciência é "natural", isto é, um controle universal e inato que existe dentro do ser humano.

A CONSCIÊNCIA IMPOSTA PELO AMBIENTE EXTERNO

Vamos falar do ponto de vista que encontrou uma expressão especial na psicologia e nas ciências sociais dos anos recentes. Desde tenra idade nos fazem certas exigências. Precisamos nos comportar de acordo com determinados valores e códigos, e ficamos com a "consciência pesada" quando fazemos coisas que os contrariam. As exigências do ambiente social da infância continuam, de alguma forma, a viver na consciência do adulto. Assim, a consciência não é um controle constante ou imutável inerente à natureza humana, mas algo moldado pelas condições culturais externas. A consciência é um "eco" dos valores e das normas prevalecentes na comunidade e no meio ambiente em que somos criados.

É provável que os dois pontos de vista sejam parcialmente corretos. Nascemos com a capacidade de falar — mas não de falar algum idioma em especial. Um idioma é algo que temos de aprender. O mesmo ocorre com a consciência. Nascemos com a capacidade de viver como seres humanos responsáveis, mas o que isso significa exatamente pode variar de uma cultura para outra.

Do mesmo modo que a fala é o instrumento que usamos para nos comunicar com outras pessoas, a consciência é a voz dentro de nós que nos diz quando nos desviamos do que é correto. Se não falarmos nossa língua natal, podemos vir a esquecê-la. E se agirmos constantemente contra nossa consciência, ela pode se desgastar, ou ser esquecida ou anulada por completo. Dizemos de algumas pessoas que elas "não têm consciência".

A consciência não dita o que é certo ou errado; ela é o instrumento que os seres humanos possuem para alertá-los quando do infringem as normas éticas. A consciência equivale a um tribunal. Julga e decide o que é certo ou errado, mas deve ter alguma informação externa sobre *o que* é certo e *o que* é errado. Pune as pessoas quando rompem as normas, mas não determina absolutamente essas normas.

O DIREITO POSITIVO E O SENSO DE JUSTIÇA

Toda sociedade se baseia numa certa ética, que se manifesta em códigos de leis, regulamentos e acordos. Cada acordo ou contrato contém em si algo dessa ética ideal. Portanto, quebrar uma lei, um acordo ou um contrato será, na maioria dos casos, o mesmo que violar as regras morais normalmente aceitas. A honestidade e a reciprocidade são os fundamentos não apenas da boa prática, mas da existência social de modo geral.

Mesmo assim, o conceito individual do que é certo ou errado nem sempre corresponde às leis do país. Devemos fazer uma distinção entre o *senso de justiça* de um indivíduo e o *sistema jurídico*, o direito escrito que governa uma sociedade numa determinada época.

Há exemplos constantes de conflito entre o senso de justiça de um indivíduo ou de um grupo social e o direito positivo. O direito positivo — ou seja, a lei — às vezes vai contra a noção particular de justiça desses indivíduos. Em alguns casos isso leva à *desobediência civil* — isto é, a pessoa ou o grupo passa a desafiar e infringir o direito positivo de maneira plenamente intencional.

Vemos exemplos de tais conflitos em casos de eutanásia, em casos de quebra consciente de sigilo, em greves e protestos não oficiais, e numa série de atos de sabotagem (por exemplo, contra certos projetos de construção ou contra a fabricação de armas atômicas). Em várias situações assim, há pessoas que põem sua consciência e seus próprios códigos acima das leis do país. Especialmente em Estados totalitários, há exemplos sucessivos do conflito entre o senso de justiça das pessoas e a lei escrita do país em questões que envolvem a proibição da prática de religiões, a censura política e as leis de emergência ("prisioneiros de consciência").

Também há exemplos de pessoas que se recusam a fazer coisas que são absolutamente legais. É legal em certos países fazer um aborto para dar fim a uma gravidez indesejada. Porém, alguns funcionários do serviço de saúde percebem que sua consciência não lhes permite tomar parte nisso. O aborto vai contra seu senso pessoal de justiça.

RESPONSABILIDADE E UNIDADE

A base de toda a ética é o senso de responsabilidade. Por quem nos sentimos responsáveis? E pelo que nos sentimos responsáveis?

Falamos de *responsabilidade individual*, isto é, da responsabilidade do indivíduo por si mesmo e por tudo o que o rodeia. Há também a *responsabilidade coletiva*, isto é, da sociedade, pelas tarefas que o indivíduo não pode realizar por si só. Exemplos de responsabilidade coletiva são a conservação da natureza e do meio ambiente, a luta contra a poluição, o trabalho pela paz, pelo desarmamento e por uma distribuição equitativa dos recursos.

Mas até mesmo a responsabilidade coletiva pertence ao indivíduo. Se as instituições e as organizações internacionais não cuidam das pessoas no Terceiro Mundo, é responsabilidade do indivíduo fazê-lo. Assim, se a sociedade se esquiva de seus deveres, o indivíduo tem uma responsabilidade. Ele não pode se esconder atrás da obrigação coletiva da sociedade. Ele está incluído nessa sociedade. Portanto, é sua responsabilidade *fazer sua parte* nela.

Também se menciona com frequência a *diluição da responsabilidade*. Isso significa que ninguém está assumindo responsabilidade pelo que está acontecendo — ou pelo que não está acontecendo. Hoje em dia a sociedade é tão complexa, tanto em nível nacional como internacional, que em muitos casos pode ser difícil atribuir com clareza as responsabilidades.

Existe o perigo de os computadores terem de tomar decisões porque os seres humanos não conseguem assimilar enormes quantidades de dados com suficiente rapidez. Nesse caso, quem será responsável pelas decisões?

Na sociedade agrária do passado, as responsabilidades eram mais óbvias, definidas com mais clareza. Se o pão tinha gosto ruim, a culpa era do padeiro; se as ferraduras do cavalo estavam mal colocadas e ele se machucava, era o ferreiro quem devia assumir a responsabilidade por isso.

Um exemplo pode servir para ilustrar a diferença entre o passado e o presente. Recentemente, certa empresa internacional tentou vender no Terceiro Mundo um leite em pó artificial para bebês. Campanhas publicitárias agressivas e em massa procuravam mostrar que não dar de mamar aos bebês era algo "moderno" e "europeu". Em consequência, houve um número muito maior de mortes de bebês por infecções e intoxicação. Não existe nada melhor para os bebês, especialmente em países quentes (e com más condições sanitárias), do que o leite materno. De quem é a culpa? Do diretor administrativo da empresa? Ou dos acionistas? Ou de todos os que trabalham ali? Todos nós somos responsáveis quando compramos produtos dessa empresa?

A palavra *solidariedade* descreve um conceito que tem a ver com a responsabilidade mútua. Quando nos juntamos aos outros, compartilhamos a responsabilidade, a unidade e a afinidade mental — unindo nosso destino ao das pessoas que estão em dificuldade. Levando isso para a prática, chegaremos ao que se chama *trabalhar pela solidariedade*.

A solidariedade é um requisito básico dentro da família. Mas se não nos sentimos solidários também com pessoas que não pertencem à família nuclear, nossos horizontes éticos são demasiadamente limitados.

O HOMEM POSSUI LIVRE-ARBÍTRIO?

Diversas vezes já mencionamos a questão da escolha. Nesses casos, admitimos que as pessoas tinham alternativas entre as quais podiam escolher livremente. Mas será que o homem tem livre-arbítrio?

A história da filosofia apresenta duas opiniões opostas sobre esse ponto: o determinismo e o indeterminismo, ambas derivadas do verbo latino *determinare*, ou seja, "decidir" ou "estipular".

Segundo o determinismo, tudo é comandado por certos fatores. Nossas atitudes e ações, nossas escolhas e nossa vontade são decididas por determinantes externos, herdados de nossos pais ou do ambiente onde nos criamos. Portanto, não temos livre-arbítrio. A sensação de livre escolha é ilusória.

Os indeterministas discordam; eles sustentam que temos, sim, livre-arbítrio. Somos mais do que robôs programados. Somos capazes de escolher entre o bem e o mal, o certo e o errado. Se não tivéssemos liberdade, também não teríamos responsabilidade. E nós somos responsáveis pelo que fazemos.

Quem tem razão?

Não há dúvida de que o determinismo foi fortalecido pelas descobertas científicas dos últimos 150 anos. O darwinismo aponta a importância dos fatores herdados e do meio ambiente. O psiquiatra Sigmund Freud mostrou como o estado mental do indivíduo pode ser afetado por desejos, necessidades e experiências que ficaram reprimidos em seu subconsciente. Muitas de nossas escolhas não são feitas tão livremente como queremos crer, dizia ele, mas sob a influência das pulsões do inconsciente.

O existencialista francês Jean-Paul Sartre virou o determinismo de cabeça para baixo. Segundo ele, nossas escolhas não são determinadas por quem somos, ou pelo que somos. Ao contrário, nós *nos tornamos* aquilo que escolhemos. Uma pessoa cujas ações são mesquinhas e baixas não se comporta assim porque *tenha* uma disposição particularmente mesquinha e baixa. São suas *ações* mesquinhas e baixas que a fazem uma pessoa mesquinha e baixa. Segundo Sartre, o indivíduo é totalmente responsável por tudo o que faz — e por tudo o que deixa de fazer. Dize-me o que fazes, e te direi quem és!

Ambos os pontos de vista contêm um pouco de verdade. Quando agimos, sentimos que estamos agindo livremente. Mas quando consideramos nossas ações em retrospectiva, podemos encontrar motivos para a maneira específica como nos comportamos. Depois que o indivíduo fez algo errado, podemos apontar para circunstâncias atenuantes. Porém, essas circunstâncias atenuantes não podem ser aplicadas *no exato momento* em que se está fazendo uma escolha ética.

O QUE É CERTO, E O QUE É ERRADO?

AS REGRAS DO COMPORTAMENTO ÉTICO

Já vimos como determinamos nossas ações com base em certos valores. Mas a ética não se fundamenta naquilo que custa caro ou é agradável. Devemos perguntar o que é bom, e para quem é bom. Devemos perguntar o que é certo.

Mas será que é possível formular regras para o certo e o errado? Haverá alguma regra que seja aceitável para todos? O Novo Testamento traz duas regras sobre o comportamento correto:

AMA A TEU PRÓXIMO COMO A TI MESMO.

Essa regra é conhecida como o "mandamento da caridade", ou como preferem alguns, "mandamento do amor". Embora nem sempre vivamos de acordo com essa regra, a maioria das pessoas concorda que *deveríamos* fazê-lo.

TRATA OS OUTROS COMO GOSTARIAS DE SER TRATADO.

Essa é a chamada Regra de Ouro, ou "princípio da reciprocidade".

Através da história, muitos filósofos morais tentaram formular outras regras para o comportamento correto. Algumas delas foram amplamente aceitas como orientação ética.

O chamado "utilitarismo" defende a ação que leva ao maior contentamento. Só que o termo *contentamento* não é usado aqui no sentido estrito de satisfação e desfrute da vida; inclui conhecimento, amizade, autodesenvolvimento etc. Todos tentam alcançar esse tipo de contentamento. Assim, o trabalho da ética deve ser descobrir, com a ajuda da razão, de que modo o maior número possível de pessoas pode alcançá-lo. Eis sua máxima:

AGE DE MANEIRA A TRAZER O MAIOR CONTENTAMENTO PARA O MAIOR NÚMERO POSSÍVEL DE PESSOAS.

O utilitarismo pergunta, em primeiro lugar, o que é "bom" ou "útil" e o que é "mau" ou "ruim". Já a *ética baseada no dever* questiona sempre o que é "certo" e o que é "errado". A ideia fundamental é que todos os indivíduos devem se comportar em conformidade com uma autoridade ou um controle normativo. Este pode estar em Deus ou numa autoridade social, mas pode residir também no próprio indivíduo. O filósofo alemão Immanuel Kant (1724-1804) pensava que é dever do indivíduo se comportar segundo um código moral interno que existe em todas as pessoas. Para ele, estes eram os requisitos para uma ação correta:

AGE APENAS SEGUNDO AQUELA MÁXIMA QUE POSSAS QUERER QUE SE TORNE UMA LEI UNIVERSAL.

Antes de agir, devemos nos certificar de que realmente desejamos que nossa ação seja repetida por todas as pessoas numa situação semelhante. Do ponto de vista de Kant, isso não é apenas uma máxima sensata, mas um "imperativo categórico". É um imperativo, isto é, um mandamento ou algo obrigatório que não pode ser evitado nem questionado. E é categórico, ou seja, aplica-se de maneira absoluta em todas as situações. De acordo com ele, até mesmo a menor mentira deveria ser evitada. Afinal, quem gostaria que todo mundo a seu redor ficasse o tempo todo mentindo?

Diferentemente do utilitarismo, o "imperativo categórico" de Kant exige que se pratique determinada ação sem questionar se ela é adequada, se irá produzir contentamento ou algo semelhante. Para ele, a lei moral tem a mesma força absoluta que a lei natural.

Kant também expressou seu imperativo categórico de outra maneira:

O SER HUMANO SEMPRE DEVE SER TRATADO COMO DOTADO DE UM VALOR INTRÍNSECO, E NÃO DEVE SER USADO MERAMENTE COMO UM MEIO PARA SE CONSEGUIR UMA OUTRA COISA.

Neste livro mencionamos certas *normas* ou máximas bem gerais de comportamento. De cada uma delas podemos extrair toda uma série de outras normas específicas. A Regra de Ouro implica que não devemos roubar dos outros, nem tentar passar na frente dos outros numa fila. O imperativo categórico de Kant significa que não devemos fraudar nossa declaração de imposto de renda, nem desrespeitar os sinais de trânsito.

RACIOCÍNIO ÉTICO

Há um dilema ético quando existem dois ou mais caminhos alternativos a se tomar. Com a ajuda de um conjunto de *valores* e *normas*, é possível inferir qual é o caminho certo.

Quando estamos diante de uma escolha, podemos relacionar uma série de prós e contras. Considerando certos valores e certas normas, argumentamos a favor de cada uma das alternativas e contra cada uma delas. Desse modo fica mais fácil perceber o caminho correto para a ação, assim como o caminho mais conforme com nossos próprios valores e normas.

Embora a ética jamais possa ser uma ciência como a matemática ou a física, ela pode nos ajudar a fazer uma escolha. Não podemos demonstrar o que é certo e o que é errado. Mas podemos reconhecer nossos próprios valores e normas, refletir sobre eles, discuti-los, examiná-los para ver se são conflitantes ou contraditórios, e assim por diante — e, dessa forma, justificar nossas escolhas éticas de maneira lógica e racional.

Muitas vezes é necessário fazer escolhas no impulso do momento. Nem sempre há tempo de refletir. Alguém nos faz uma pergunta — e devemos decidir no mesmo instante se iremos mentir ou falar a verdade. Nessa situação pode ser de grande ajuda ter bem presentes na consciência os valores e as normas que procuramos seguir como princípios orientadores.

Além disso, com frequência surgem situações nas quais devemos explicar o que fizemos, ou o que queremos fazer. Em especial na política e na vida pública, é necessário justificar as ações de acordo com princípios éticos gerais.

INTENÇÃO, MEIOS E FINS

"A honestidade é a melhor política" — essa máxima é bem conhecida. Mas muita gente já passou por situações em que não parecia correto dizer a verdade, em consideração a outra pessoa. Será que um médico deve, por exemplo, dizer sempre a verdade ao paciente? Será que devemos dizer o que achamos de um presente que recebemos e de que não gostamos?

Outra máxima diz que "o fim justifica os meios". É claro que em certas situações a consideração por um indivíduo em particular se vê superada pela consideração pela maioria. Por exemplo, será que um trem ou um avião deve esperar um passageiro atrasado, mesmo que isso atrase centenas de outros?

Casos extremos de ter que priorizar valores ocorrem em tempos de guerra e opressão. É correto matar uma pessoa a fim de alcançar a liberdade para uma nação? Alguns afirmam que sim, outros discordam. Independentemente da situação, dizem eles, nunca é certo tirar a vida de alguém.

Toda defesa militar se baseia no princípio de que podem surgir situações em que o fim justifica os meios. Mas todos os tipos de opressão política e militar exploram essa mesma mentalidade. O modelo ético por trás dos campos de concentração alemães foi o mesmo que justificou as bombas atômicas lançadas sobre Hiroshima e Nagasaki.

Uma variante extrema do princípio de que o fim justifica os meios se encontra no terrorismo. O objetivo pelo qual os terroristas lutam pode ser justo. Mas os meios que empregam muitas vezes são censuráveis. Deve haver um limite para os meios de que podemos fazer uso a serviço do bem. É claro que o princípio de que "o fim justifica os meios" deve ser visto com a máxima cautela.

Outra frase bastante conhecida afirma que "o que vale é a intenção". Podemos até comprar um presente de aniversário que não agrade, mas nossa boa intenção deve valer alguma coisa. Há também o perigo de sermos tão envolvidos por nossos próprios sentimentos que não prestamos atenção suficiente nas consequências.

Um rico comerciante, de natureza generosa e caridosa, doa todo o seu dinheiro para boas causas, sem considerar se este está mesmo indo para onde deveria. Com isso, seu negócio vai à falência e ele acaba tendo de demitir muitos empregados.

Outro comerciante faz grandes doações para organizações beneficentes confiáveis. Porém, a motivação desse homem é conseguir uma boa publicidade; ele pretende se tornar um líder de sua comunidade. Isso terá um efeito benéfico para seus negócios, e em consequência também para seus funcionários.

Como devemos julgar as ações desses dois homens?

O QUE TORNA UMA AÇÃO BOA?

Nem sempre é fácil decidir o que é certo. Será que devemos dar mais importância ao *motivo* por trás da ação, à *ação em si*, ou ao *resultado* ou *consequência* da ação?

Pode-se enfatizar o motivo ou o desejo que há por trás de uma ação. Para que esta seja qualificada como boa, deve ser praticada sem que se pense em ganhos pessoais. O que está em foco é o motivo, o desejo ou a intenção por trás da ação.

O foco pode se dirigir ainda para a ação propriamente dita. Muitos de nós já sentimos em relação a determinada ação que se trata de "algo que eu simplesmente não consigo fazer", ou "algo de que não consigo participar", mesmo que o objetivo da ação seja bom e ela possa ter resultados positivos.

Por vezes o foco não está na ação nem na pessoa que a pratica, mas em seus resultados reais. Isso é conhecido em ética como *consequencialismo*. Há ocasiões em que é certo mentir. Será que há também ocasiões em que seria certo roubar? Será que em alguma circunstância pode ser justificável tirar a vida de alguém?

Com mais frequência o motivo por trás de uma ação, a ação em si e o resultado ou consequência da ação são avaliados em conjunto. Mas às vezes parece que o objetivo é o aspecto mais decisivo. Há certas ações que nós jamais poderíamos considerar, a despeito de quaisquer consequências positivas. E há ocasiões em que as consequências da ação é que determinam se podemos ou não dizer que agimos bem.

OS QUATRO PONTOS PRINCIPAIS DA ÉTICA

Já vimos que os fundamentos da ética são o *senso de responsabilidade*, a *consciência* e um conjunto de *valores* e *normas*. Em última instância, nossas deliberações éticas devem resultar numa ação prática. Apresentemos isso de outra maneira, falando sobre os quatro pontos principais da ética:

HORIZONTES. Nossos horizontes éticos se expandem e se entrelaçam com a *responsabilidade*. Será que nosso senso de responsabilidade se estende além do círculo de nossa família e amigos? Qual é o alcance de nosso horizonte ético? Será que ele inclui aqueles que realmente precisam de nosso apoio? Ou será que nossos horizontes são estreitos demais?

CORAÇÃO. Com coração queremos dizer *consciência*. É algo que se projeta para dentro, para o interior de nós mesmos. Até que profundidade nossa consciência alcança? A ética não pode existir sem um coração caloroso. Podemos nos anestesiar contra o frio, e podemos anestesiar nossa consciência da mesma maneira.

CABEÇA. Não basta se sentir responsável ou ter a consciência pesada. Não basta "ser bom". Devemos usar nosso cérebro e nosso raciocínio para estabelecer os *valores* e as *normas* nos quais desejamos basear nossa conduta. Precisamos analisar a situação para ver onde nossos esforços podem ser aplicados da melhor maneira. Não devemos ser "moles" — permitindo que nossas ações tenham o efeito oposto do que pretendíamos. Não devemos agir de um modo "tolo" ou cego. Ser uma pessoa eticamente responsável exige certo grau de discernimento.

MÃOS À OBRA. Não basta ter horizontes éticos, coração caloroso e cabeça fria. Não podemos apenas ter ideias sobre nosso caminho para a boa vida moral. Devemos agir. Devemos fazer a *experiência* ética prática. As deliberações éticas nunca devem cessar, mas não podemos ficar a vida toda imóveis, pesando e ponderando as coisas. Devemos sempre escolher entre várias ações alternativas. Estamos numa eterna encruzilhada.

A ausência de um desses quatro pontos pode indicar que um grande problema se aproxima. Em geral, é quando um desses princípios orientadores falha que as coisas começam a não dar certo.

APÊNDICE: AS RELIGIÕES NO BRASIL

Antônio Flávio Pierucci

O mundo inteiro conhece a gigantesca estátua do Cristo Redentor no Rio de Janeiro. Inaugurado em 1931 bem no topo do Corcovado, ponto da mais alta visibilidade e imponência, esse cartão-postal é encarado por todos como uma imagem de marca do Brasil. Símbolo de um país de cristãos, sem dúvida. Antes de mais nada, porém, dado que os protestantes abominam como idolatria o uso que os católicos fazem das imagens sacras, o Cristo do Corcovado pretende ser o ícone *católico* de um "país católico" — só que, hoje, cada vez menos católico.

CATOLICISMO, A RELIGIÃO DOS CONQUISTADORES

Descoberto em 1500, conquistado e colonizado pelos portugueses ao mesmo tempo que catequizado pelos missionários mais representativos da Contrarreforma ibérica, os *padres jesuítas*, o Brasil foi um país *oficialmente católico* por quase quatro séculos. Mesmo depois de ele ter se tornado uma nação independente em 7 de setembro de 1822, manteve-se a Igreja católica oficialmente unida ao novo Estado-nação.

Décadas antes do Descobrimento, o papado já havia concedido à Coroa portuguesa o direito de *padroado* sobre as igrejas instaladas nas terras conquistadas por Portugal. As conquistas portuguesas se transformavam, assim, em verdadeiras "cruzadas" destinadas à conversão compulsória de novos povos e populações. A evangelização ia junto com a dominação colonial.

O que era o *padroado*? Em recompensa pelo envolvimento direto do Estado português na conversão dos "infiéis", o papa concedeu à Coroa o controle sobre as novas igrejas. Cabia ao rei de Portugal conquistar, junto com as novas terras, novas almas.

Devia construir templos e mosteiros, dotá-los de padres e religiosos e, principalmente, nomear os bispos. O clero fazia parte do funcionalismo público, remunerado pelo Estado.

No período colonial, a Igreja dependia mais do Estado português que do papado. O Estado impunha sua orientação à Igreja, totalmente subordinada. Todas as diretrizes e instruções emanadas do Vaticano chegavam ao Brasil por meio da administração portuguesa. O monarca detinha a prerrogativa de censurar os documentos oficiais vindos de Roma, antes de serem publicados nas colônias. Era a Coroa portuguesa que regulamentava as reuniões dos sínodos diocesanos.

Com o Império, o padroado passou da Coroa portuguesa para o imperador d. Pedro I, em 1827. O catolicismo tornou-se, então, *a religião oficial do Estado brasileiro*. O controle do imperador mostrou-se ainda mais estrito e eficiente que o da Coroa portuguesa. O Império incorporou a tal ponto o clero aos quadros do Estado, que transferiu aos funcionários das províncias a prerrogativa de regulamentar o funcionamento da Igreja em nível local.

O catolicismo só deixou de ser a religião oficial do Estado brasileiro no final do século XIX, quando a monarquia foi substituída pelo regime republicano, o qual abriu mão sem mais da religião oficial. A República Velha desferiu um golpe mortal no regime do padroado, ao separar juridicamente a Igreja católica do Estado nacional. Este foi, desde então, declarado *laico*. Isto é, religiosamente neutro, religiosamente isento, religiosamente abstrato.

LIBERDADE RELIGIOSA

A *separação entre Igreja e Estado*, ato político que institucionalizou a neutralidade do Estado em matéria de religião, foi obra da República proclamada em 1889, depois chamada República Velha. Os republicanos houveram por bem inscrever desde logo na Constituição de 1891 — definitivamente, pelo menos até agora — a moderna *liberdade de culto*. Vale dizer: o respeito a todas as formas de expressão religiosa, o respeito escrupuloso às convicções mais íntimas de um ser humano, a *liberdade de consciência*.

Mas não só, pois a liberdade de culto implica ainda outras tantas liberdades, tão fundamentais para a vida social quanto a liberdade de pensamento. A saber: a liberdade de associação, a liberdade de reunião, a liberdade de expressão coletiva e, a mais importante de todas, a *livre concorrência* entre as organizações religiosas. Para as outras igrejas e religiões, assim como para a própria Igreja católica, que também se sentia cerceada e sufocada pelo controle estatal, o advento da República representou o começo de uma era de expansão organizacional sem precedentes.

Hoje, a situação do quadro religioso brasileiro é de competição pluralista entre religiosidades as mais diversas. O quadro é de *pluralismo religioso*, energizado por um processo de conversão e reconversão muito complexo e dinâmico, com os mais diferentes movimentos de reavivamento das religiões tradicionais, além da incorporação de novas formas de religiosidade, a criação de novas igrejas e até mesmo de algumas novas religiões, não raro com a passagem do converso por várias possibilidades de adesão religiosa.

Nunca houve tanta liberdade religiosa no Brasil como agora. Nunca antes as religiões foram tão livres para se estabelecer, competir entre si e se propagar como agora. Cento e tantos anos depois da separação entre o Estado brasileiro e a Igreja católica — em inglês esse processo político-cultural de *laicização* ou *secularização* do Estado se chama *disestablishment* —, o Brasil começa hoje a ver os efeitos dinamizadores que a liberdade de expressão religiosa tem trazido para o campo das religiosidades quando elas se põem em livre concorrência.

DIVERSIDADE CRISTÃ

Ao deixarem de se pensar tão somente como um "país católico", por força da visibilidade da intensíssima concorrência religiosa que se instalou no país, os brasileiros tendem sempre mais a fazer de si a imagem de uma *nação multicultural*, etnicamente heterogênea e não raro hibridizada, por isso pluralista em matéria de religião. E isso é bom.

Só que, em grande medida, esse pluralismo tem se concretizado sob a forma de uma pluralização crescente de igrejas cristãs, vindas de fora ou fundadas aqui mesmo, algumas delas muito bem-sucedidas em seu expansionismo, cujos exemplos mais conhecidos são as *igrejas neopentecostais*. Mais que um *país católico*, o Brasil parece se tornar cada vez mais um *país cristão*. Em outras palavras, o recuo do catolicismo em território brasileiro não significa nem implica o recuo do cristianismo.

A maior parte dos brasileiros que hoje abandonam o catolicismo adere a um outro ramo do cristianismo. Não dá um salto muito grande em termos de visão de mundo, filiando-se normalmente a uma Igreja pentecostal, ou seja, cristã. O evangelismo pentecostal, portanto, ao se implantar e expandir, nada mais faz do que *recristianizar* os católicos desistentes ou desapontados com sua antiga Igreja.

Vejamos agora alguns dados gerais mostrando que no Brasil as religiões mais importantes em número de seguidores são as *igrejas cristãs*.

Em primeiro lugar, o *catolicismo* continua sendo de longe a religião predominante, amplamente majoritária e culturalmente hegemônica. Apesar de estar sucessivamente perdendo seguidores nas últimas décadas, ele ainda abarca a soberba porção de três quartos da população brasileira adulta (75%). Seu simples crescimento vegetativo, portanto, mediante a reprodução biológica das famílias católicas, já em si constitui uma cifra bem considerável. No censo demográfico de 1991, os católicos no Brasil eram nada menos que 121 milhões. Dá para entender por que o catolicismo é a única religião que com o passar do tempo só perde adeptos para as outras religiões, sobretudo para as outras igrejas cristãs.

Em segundo lugar vem o *protestantismo*, com 13% da população, segundo dados de 1994, dividido, desde o início do século XX, em *protestantes históricos* e *pentecostais*. Cabe registrar que no Brasil o termo *evangélico* é genérico para todos os protestantes; aqui, *evangélico* é sinônimo de *protestante*.

As estatísticas religiosas mostram uma dominância revigorada do *cristianismo* neste país de dimensões continentais. São os números que insistem em dizer que o Brasil é mesmo, como um dia chegou a se chamar, a "Terra de Santa Cruz", uma terra de cristãos. A maioria esmagadora dos brasileiros professa o cristianismo — 88% dos brasileiros adultos! Nove entre dez. É cristã a quase totalidade da população.

O PROTESTANTISMO NO BRASIL

PROTESTANTISMO DE IMIGRAÇÃO

Pode-se dizer que o protestantismo aportou de verdade no Brasil, como um fato bruto inelutável — *as a matter of fact* —, com a chegada dos imigrantes estrangeiros, muitos dos quais eram portadores de protestantismo em sua própria cultura, em seus usos e costumes, em sua vida cotidiana. Então, sim, o protestantismo passou a existir em território brasileiro como um fenômeno populacional significativo.

Isso tem a ver diretamente com o Sul do Brasil. Antes de mais nada, com os estados do Rio Grande do Sul e de Santa Catarina, para onde se dirigiu e onde se fixou, a partir de 1824, um expressivo contingente de imigrantes alemães. O *luteranismo*, o ramo original da Reforma protestante, só então chegava ao Brasil. Mas chegava para ficar.

Até hoje o luteranismo continua sendo a maior das denominações protestantes históricas existentes no Brasil. De início, sua principal preocupação era com a preservação de si como patrimônio cultural do imigrante alemão. O luteranismo trazido para o Brasil pelas sucessivas levas de alemães durante o Império era um protestantismo falado em alemão, pregado em alemão, cantado em alemão.

Os primeiros imigrantes alemães, entre 1824 e 1864, eram assistidos religiosamente por leigos no papel de pastores, mas a partir de 1886 as igrejas da Alemanha passaram a enviar pastores para os diferentes pontos da colonização alemã. Logo se fundou a *Igreja Evangélica Alemã do Brasil*, que agrupava algumas dezenas de comunidades só no Rio Grande do Sul. Em 1904, uma missão luterana de norte-americanos deixaria fundada em seu rastro a *Igreja Evangélica Luterana do Brasil*, ligada ao Sínodo Luterano de Missouri (Estados Unidos). Depois da Segunda Guerra Mundial, formou-se a *Igreja Evangélica de Confissão Luterana no Brasil*.

Os *anglicanos* e uma parte dos *metodistas* (os que vieram dos Estados Unidos no grupo dos emigrantes confederados e se estabeleceram no interior do estado de São Paulo) também representam casos típicos de protestantismo de imigração. Os imigrantes anglicanos que aqui começaram a se estabelecer já a partir de 1810 procuravam formar, em torno de seus "capelães", comunidades religiosas fortemente coesas mas culturalmente retraídas, empenhadas em preservar a língua materna, as tradições e os vínculos de dependência política e financeira em relação às igrejas de origem. Os protestantismos de imigração constituíam verdadeiros enclaves culturais, desinteressados em se abrir para os brasileiros e sem afã proselitista, retardando sobremaneira o processo de "nacionalização" dessas igrejas.

Embora *anglicanos* e *episcopais* sejam de um mesmo ramo, no Brasil do século XIX eram chamadas "anglicanas" só as comunidades de imigrantes britânicos, ao passo que eram ditas "episcopais" as comunidades resultantes das missões episcopais vindas dos Estados Unidos. Por isso os episcopais no Brasil se encaixam na categoria protestantismo de conversão.

PROTESTANTISMO DE CONVERSÃO

Os outros ramos do protestantismo histórico hoje existentes no Brasil aqui chegaram com as *missões*: os presbiterianos, os metodistas, os batistas e os episcopais provenientes dos Estados Unidos. Trata-se de igrejas para cá trazidas e aqui implantadas pela palavra de pregadores e missionários enviados apenas com este fim: converter brasileiros.

A dinâmica do protestantismo de conversão — o próprio nome está dizendo — é inteiramente diversa da religiosidade dos enclaves subculturais de imigrantes estrangeiros. Aqui prevalece desde o começo a preocupação em "nacionalizar" os seguidores e as lideranças, o que só se consegue aumentando constantemente o número de *brasileiros convertidos*.

As missões evangélicas rumo ao Brasil começaram na metade do século XIX. Isso significa que houve brechas para tanto na legislação do Império. Por razões econômicas e diplomáticas, o governo imperial viu-se obrigado a afrouxar as restrições legais no campo religioso e, desse modo, facilitar a entrada de outras igrejas cristãs vindas dos países desenvolvidos.

Pioneiras mesmo no trabalho de propaganda evangélica no Brasil foram as *sociedades bíblicas* de origem inglesa e norte-americana. E as missões *metodistas*. Os metodistas norte-americanos foram praticamente os primeiros a vir para o Brasil em missão evangelizadora. Aqui chegados em 1835, lançaram-se desde logo ao trabalho de conversão, em meio a resistências e dificuldades de toda ordem, sem muito sucesso entre os brasileiros. Ao lado das sociedades bíblicas estrangeiras, que em duas décadas (1850--60) distribuíram dezenas de milhares de bíblias entre os brasileiros, os metodistas também se esmeraram como distribuidores de bíblias.

Dessa obra de difusão das Sagradas Escrituras resultou a criação de uma *Igreja congregacional* no Rio de Janeiro (1858). Outras iniciativas missionárias, todas de procedência norte-americana, foram: a primeira missão presbiteriana (1859), a missão presbiteriana do Sul dos Estados Unidos (1868), a missão metodista episcopal (1870), a primeira missão batista (1881), a missão episcopal (1889) e a missão congregacional Help for Brazil (1893).

Essas missões tiveram como consequência a formação quase imediata de congregações protestantes com forte inclinação proselitista, voltadas claramente para a conquista de mais brasileiros para o protestantismo. No final do século XIX, já estavam praticamente implantadas no Brasil todas as denominações clássicas do protestantismo:

- *luteranos;*
- *anglicanos, ou episcopais;*
- *metodistas;*
- *presbiterianos;*
- *congregacionalistas, e*
- *batistas.*

PENTECOSTALISMO

Nas primeiras décadas do século XX, começaram a chegar as *igrejas pentecostais*. Em 1910, surgia no Paraná e em São Paulo a primeira Igreja pentecostal em terras brasileiras, a *Congregação Cristã do Brasil*. E, em 1911, dois missionários suecos fundavam em Belém do Pará a *Assembleia de Deus*. Ambas as denominações logo se difundiram pelo país inteiro. Ainda hoje, são elas as duas maiores alas do pentecostalismo no Brasil.

Na segunda metade do século XX, a partir dos anos 50, os evangélicos pentecostais cresceram tanto e se diversificaram de tal forma, que acabaram por se tornar amplamente majoritários entre os protestantes brasileiros. No início da década de 90, pelo menos um décimo dos brasileiros adultos era pentecostal (10%), ao passo que os protestantes históricos representavam apenas 3% desses brasileiros.

Recentemente, o movimento pentecostal no Brasil passou a se diferenciar em dois tipos, com dois formatos básicos: os pentecostais "clássicos" e os "neopentecostais".

As formas de vida religiosa que hoje mais crescem no Brasil são, em primeiro lugar, as igrejas protestantes pentecostais. E, entre as pentecostais, as que mais crescem são aquelas que já se convencionou chamar de *neopentecostais*. Estas oferecem uma forma de religiosidade muito eficiente em termos práticos, pouco exigente em termos éticos e doutrinariamente descomplicada. Os neopentecostais conservam do pentecostalismo clássico o estilo de culto fortemente emocional, voltado para o êxtase, com papel de destaque para a glossolalia, o exorcismo e o milagre, visados sempre como resultados palpáveis a ser experimentados de imediato.

Em meio à infinidade de *igrejas pentecostais* de tipo clássico existentes no Brasil, as maiores são as seguintes:

- *Congregação Cristã do Brasil (desde 1910 no Brasil);*
- *Assembleia de Deus (desde 1911 no Brasil);*
- *Igreja do Evangelho Quadrangular (desde 1953 no Brasil);*
- *Igreja Pentecostal O Brasil para Cristo (fundada em 1955);*
- *Deus é Amor (fundada no Brasil em 1962), e*
- *Casa da Bênção (fundada no Brasil em 1964).*

As *igrejas neopentecostais* mais representativas em tamanho e visibilidade são as seguintes, todas elas criadas no Brasil:

- *Igreja de Nova Vida (fundada em 1960);*
- *Comunidade Evangélica Sara Nossa Terra (fundada em 1976);*
- *Igreja Universal do Reino de Deus (fundada em 1977);*
- *Igreja Internacional da Graça de Deus (fundada em 1980), e*
- *Renascer em Cristo (fundada em 1986).*

RELIGIÕES NÃO CRISTÃS

Fora do campo propriamente cristão, vamos encontrar no Brasil uma infinidade de organizações religiosas, todas no entanto bastante minoritárias. Entre elas, as mais bem representadas em termos numéricos são as chamadas *religiões de transe* (ou *de possessão*): o *espiritismo kardecista*, que se propaga principalmente entre as camadas médias urbanas e escolarizadas, e o conjunto multifacetado das *religiões afro-brasileiras*, também denominadas *religiões dos orixás*.

Dessas vertentes vamos tratar demoradamente a seguir, mas é importante falar aqui das *religiões não cristãs menos representadas no Brasil* em número de seguidores. Elas merecem ser citadas por sua relevância cultural: o judaísmo, o islã, o budismo, o Hare Krishna, o xintoísmo e outros cultos vindos do Japão e da Coreia: Seicho--No-Iê, Soka Gakkai, Igreja Messiânica, Perfect Liberty etc.

Resta mencionar, finalmente, um grupo de igrejas que é difícil definir como cristãs, mesmo quando usam o adjetivo *cristão* para se identificar, como é o caso da Ciência Cristã. À primeira vista parecem igrejas ou seitas protestantes, mas não são, já que não pertencem à linhagem da Reforma protestante. Alguns estudiosos classificam essas organizações de "neocristãs" ou "paracristãs". São elas: os mórmons, os adventistas, as Testemunhas de Jeová, a Ciência Cristã, o Racionalismo Cristão etc.

ESPIRITISMO/KARDECISMO

O espiritismo kardecista consiste num sistema filosófico-religioso cujo eixo principal é a *crença na reencarnação*.

Essa crença, baseada na milenar doutrina hinduísta da transmigração das almas, se apoia em dois pilares básicos: a concepção hinduísta do *carma* e a possibilidade concreta de *comunicação com os mortos*. A comunicação entre o mundo dos mortais e o mundo dos mortos — usualmente chamados de "espíritos desencarnados" — é feita por meio de pessoas especialmente dotadas para o transe mediúnico, os *médiuns*, durante uma *sessão espírita* (ou sessão de "mesa branca"). O kardecismo também é conhecido como "espiritismo de mesa branca", ou mesmo "alto espiritismo" (por oposição à umbanda, discriminada como "baixo espiritismo". Ver a seguir).

A designação *kardecismo* deriva do pseudônimo Allan Kardec, adotado pelo prolífico teórico da doutrina espírita francesa, Léon Hippolyte Denizard Rivail (1804-69). Sua obra essencial, *O livro dos espíritos*, desenvolve a teoria do espiritismo como uma filosofia científico-religiosa. O espiritismo de Allan Kardec se revela um sistema complexo de pensamento: filosofia, ciência e religião ao mesmo tempo. No Brasil, diferentemente do que ocorreu na França, seu país natal, o espiritismo acabou realçando mais o seu lado religioso de moralização da conduta, ao passo que seu atrativo inicial eram os *serviços terapêuticos* que oferecia.

O kardecismo foi introduzido no Brasil durante a segunda metade do século XIX. As principais organizações espíritas surgiram por volta de 1870, na Bahia e no Rio de Janeiro. Desde a chegada, o traço distintivo de sua proposta foi a *terapia mediúnica* por meio de "passes" para combater todos os tipos de enfermidade e desconforto.

Passe é uma espécie leve de exorcismo. O passe é dado individualmente por um dirigente ou pelo médium em transe durante a sessão espírita, com o objetivo de afastar as influências negativas, as más vibrações, os "encostos", as "demandas" etc. e transmitir energia espiritual positiva ao interessado. Vale notar que a energia boa, a energia positiva, é sempre pensada como sendo "luz". Quanto mais evoluídos os espíritos, mais eles são portadores de luz, "espíritos de luz".

A noção que o kardecismo tem de Deus exalta-o como Ser e Fim Supremo, a meta de perfeição de todo o processo evolutivo dos espíritos. Deus é inacessível aos homens. Separa-os uma distância incomensurável, um abismo intransponível. Mais próximos dos humanos nesta Terra estão os *espíritos desencarnados*, para os quais o espiritismo disponibiliza o principal meio de expiar e aliviar suas obrigações cármicas — a *caridade*. Ajudar a humanidade é um meio eficaz de expiar as faltas passadas e assim progredir rumo à perfeição.

A ideia da evolução dos espíritos regida pela lei do carma (do sânscrito *karmam*) aparece nas grandes religiões do Oriente, mas é particularmente marcante no *hinduísmo*. E tem importância básica também para o espiritismo kardecista, que, por isso mesmo, pode ser considerado uma espécie de posto avançado da cosmovisão hindu em plena América Latina.

Os seres humanos encontram-se num longuíssimo processo de evolução, que não se limita ao tempo curto de uma encarnação, mas prossegue por reencarnações sucessivas, indefinidamente. As vidas passadas explicam nossa atual situação e condição aqui na Terra. É que a trajetória da evolução espiritual é regida pela lei do carma (ou *karma*), uma lei férrea de causalidade moral; segundo ela toda ação, boa ou má, recebe a devida retribuição, o devido retorno.

Nesse longo percurso, os espíritos passam por diversos mundos habitados, os quais se localizam *em diferentes planos*, escalonados de acordo com os princípios evolutivos num gradiente que vai dos planos mais próximos à matéria, os andares inferiores, até o plano mais elevado, da suprema perfeição espiritual. Nesse sistema classificatório, a Terra se situa num nível muito baixo: ela é vista como planeta de expiação e aprendizado.

Acontece, porém, que o kardecismo é doutrinariamente sincrético e, sobre essa base estrutural hinduísta, ganha destaque uma inspiração tirada dos Evangelhos: a *ética da caridade*. Jesus Cristo é visto como a maior entidade já encarnada, e Kardec considera seu maior mandamento, o *amor ao próximo*, a virtude suprema. Exige-se que tanto os vivos como os mortos respeitem esse mandamento. Isso explica o conhecido interesse que demonstram os espíritas por obras assistenciais, como asilos, albergues, orfanatos, hospitais etc.

Graças ao mandamento do amor, os mortais podem contar, em seu processo de purificação e evolução, com a ajuda e as orações dos espíritos de luz já desencarnados, sujeitos também eles à norma ética máxima do kardecismo, a caridade.

RELIGIÕES AFRO-BRASILEIRAS: RELIGIÕES DOS ORIXÁS

Entre as *religiões de matriz não cristã* que se desenvolveram no Brasil ao lado do catolicismo e do protestantismo — por fora do cristianismo, portanto —, há um grupo que se destaca pela posição de relevância estrutural que ocupa no quadro geral da cultura brasileira: o grupo das *religiões afro-brasileiras*.

Os *cultos afro-brasileiros* são assim chamados por causa da origem de seus principais portadores, os escravos traficados da África para o Brasil, mas também porque até meados do século XX funcionavam exclusivamente como ritos de preservação do estoque cultural dos diferentes grupos étnicos negros que compunham a população dos antigos escravos e seus descendentes. Até hoje essas religiões são reconhecidas pelas lideranças do Movimento

Negro como *religiões negras*, autênticas expressões culturais da *negritude*, embora seja cada vez maior o número de brancos, e até mesmo de descendentes de japoneses e coreanos, que estão aderindo ao candomblé e, mais ainda, à umbanda.

A organização das religiões negras no Brasil deu-se bastante recentemente. Quando, nas últimas décadas do século XIX, no período final da escravidão, os africanos trazidos em levas para o Brasil foram assentados nas cidades, eles puderam viver em maior contato uns com os outros, num processo de interação e liberdade de movimentos que antes não conheciam. A fixação urbana dos escravos forneceu as condições favoráveis à sobrevivência de algumas tradições religiosas africanas, com o aparecimento de grupos de culto organizados.

As religiões afro-brasileiras formaram-se em diferentes regiões e estados do Brasil e em diferentes momentos da nossa história. Por isso, elas adotam não só diferentes formas rituais e diferentes versões mitológicas derivadas de tradições africanas diversificadas, como também adotam nome próprio diferente:

- candomblé, *na Bahia;*
- xangô, *em Pernambuco e Alagoas;*
- tambor de mina, *no Maranhão e no Pará;*
- batuque, *no Rio Grande do Sul, e*
- macumba, *depois* umbanda, *no Rio de Janeiro.*

CANDOMBLÉ

Seja dito de saída: o candomblé não é uma religião ética, como o cristianismo. É uma religião mágica e ritual. Nas religiões mágicas não há a ideia de salvação da corrupção do pecado, não há espaço para a negação deste mundo terreno em prol da busca necessária de um "outro mundo", de uma vida eterna no Além. No candomblé o que se busca é a interferência concreta do sobrenatural "neste mundo" presente, mediante a manipulação de forças sagradas, a invocação das potências divinas e os sacrifícios oferecidos às diferentes divindades, os chamados *orixás*.

312

O candomblé, portanto, como todas as outras religiões afro-brasileiras, acredita na existência de uma pluralidade de deuses, com diferentes poderes e diferentes funções na vida humana, além de diferentes exigências a seus adeptos. Juntamente com a umbanda, o batuque, o xangô e o tambor de mina, o candomblé representa o melhor exemplo de *politeísmo explícito* que temos no Brasil. Não sendo uma religião ética, concebe esses deuses como inteiramente desprovidos de moralidade, desinteressados por conseguinte de censurar, punir e corrigir os seres humanos por suas faltas e fraquezas morais.

Os orixás não são divindades moralistas, que exigem e recompensam quem é bom, ou condenam e castigam quem faz o mal. Diferentemente das grandes religiões mundiais surgidas da palavra e da ação extraordinária de grandes personalidades proféticas, religiões moralizadoras cuja mensagem visa regulamentar com princípios éticos gerais e sanções morais bem definidas a conduta cotidiana dos seguidores, e diferentemente sobretudo do cristianismo, com sua noção de pecado individual e seu ideal de uma vida santificada no arrependimento sincero dos pecados, a ênfase do candomblé é ritual. E as regras de comportamento, normalmente bastante minuciosas e estritas, têm fundamento apenas ritual, não ético: usar esta ou aquela roupa, deixar de comer isto ou aquilo, e assim por diante. Por isso os estudiosos consideram o candomblé um exemplo vivo e palpável de religiosidade não ética, uma religião aética.

Não existe pecado no candomblé, porque não existe um código de conduta geral aplicável a todos os seres humanos, nem mesmo a todos os seguidores da religião dos orixás, uma vez que estes são muitos e a distinção entre o bem e o mal depende basicamente da relação entre cada seguidor e seu deus pessoal, o orixá. É na relação entre cada indivíduo e seu "santo" particular que se estabelece o que é certo ou errado. Para um adepto do candomblé, a definição do que é bom e do que é mau nunca é abstrata, mas sempre relativa a uma pessoa concreta com seu orixá. Pois cada orixá está relacionado a uma série de tabus específicos. O que o devoto não pode fazer é quebrar os tabus de seu orixá. Só que, na lógica do politeísmo, aquilo que é proibido para um orixá não é necessariamente proibido para outro.

Segundo o candomblé e as outras religiões afro-brasileiras mais importantes (xangô, batuque e umbanda), cada pessoa tem seu orixá. Melhor dizendo, cada pessoa pertence a um deus determinado, que é o senhor de sua "cabeça"; deus a quem pertence sua mente e cujos traços de personalidade e tendências de comportamento herda e procura imitar. Podem ser qualidades, mas também defeitos, pois nenhum orixá é inteiramente bom nem inteiramente mau.

A pessoa descobre qual é o seu orixá por meio do *jogo de búzios*, forma de atendimento pessoal que é uma das prerrogativas religiosas do *babalorixá* (pai de santo) ou da *ialorixá* (mãe de santo). Saber a que orixá alguém pertence é absolutamente imperativo no processo de iniciação de novos devotos e mesmo no atendimento aos clientes que procuram, sem maiores compromissos e lealdades comunitárias, os serviços de adivinhação e previsão do futuro que são oferecidos pelo pai de santo no jogo de búzios. O jogo de búzios sempre se faz fora dos rituais comunitários, em sessões de atendimento individualizado, e é um serviço pago.

Os orixás vieram da África com os escravos. Só que, enquanto na África há registro de culto a cerca de quatrocentos orixás, apenas uns vinte deles sobreviveram no Brasil. A cada orixá cabe reger e controlar as forças da natureza assim como certos aspectos da vida humana e social.

Cada orixá, além de ter funções distintas e poderes específicos condizentes com seus traços de personalidade, conta também com símbolos particulares, por exemplo, as roupas, as cores das roupas e das contas, determinados objetos, adereços, batidas de atabaque e canções características, bebidas e alimentos, sem falar dos animais sacrificiais próprios de cada orixá.

E cada orixá tem ainda um grito de saudação dirigido somente a ele: *Larô-yê!* para Exu, *Kaô kabiessi!* para Xangô, *Ora yeyê ô!* para Oxum, *Eparrei!* para Iansã, *Epa Babá!* para Oxalá...

314

Todo seguidor do candomblé leva a sério os atributos do seu orixá, seu tipo mítico. Ele pode simplesmente encarar os atributos do seu orixá como se fossem os seus próprios e tentar se parecer com ele, ou estabelecer, valendo-se dessas características da divindade, bases que não apenas explicam, mas também justificam e legitimam sua conduta em casa ou na rua, no trabalho ou no lazer. Não sendo esta uma religiosidade de cunho moralista, mudar ou não o comportamento conta menos que o sentir-se identificado com o modelo divino, tanto nas suas qualidades e capacidades, como nos defeitos e fraquezas.

Por meio de uma riquíssima série de narrativas míticas, a religião dos orixás fornece padrões de comportamento que modelam, ajustam, confirmam e legitimam o comportamento dos fiéis. O tipo mítico, ou seja, o padrão apresentado pelos mitos dos orixás, pode ser usado como um modelo a ser copiado, ou como validação social de um tipo de conduta que a pessoa já tem, ou de desejos que já traz consigo. Um iniciado pode, ao familiarizar-se com seu estereótipo mítico, identificar-se com ele e reforçar em si certos comportamentos e atitudes que compõem a identidade mítica que ele herdou do orixá ao qual pertence sua cabeça.

Além do orixá dono da cabeça, acredita-se que cada pessoa possui um segundo orixá, o qual atua como uma divindade associada que complementa o primeiro e é chamada de *juntó*. Cada pessoa tem um orixá de cabeça e mais um *juntó*. Esse homem, por exemplo, pode ser filho de Xangô e Oxum, aquela mulher pode ser de Iemanjá e Oxalá. Geralmente, se o "santo de cabeça" for masculino, o segundo será feminino e vice-versa, como se cada filho de santo tivesse pai e mãe.

A segunda divindade de uma pessoa (*juntó*) tem papel importante na definição do comportamento, permitindo aos seguidores do candomblé operar com combinações mais sutis e sofisticadas. Além disso, como cada orixá particular da pessoa deriva de uma qualidade do orixá geral, que pode ser o orixá em idade jovem ou já idoso, o orixá em tempo de guerra ou de paz, o orixá como rei ou como subordinado etc., as variações e combinações são quase inesgotáveis.

Vamos agora descrever muito rapidamente alguns atributos de ação, cores rituais e elementos naturais próprios de cada orixá, segundo o candomblé queto da Bahia, fornecendo também sua correspondência sincrética com os santos católicos.

OS ORIXÁS

Exu: orixá mensageiro, guardião das encruzilhadas e da entrada das casas.
Saudação: *Laroyê!* Sexo: masculino; elemento natural: minério de ferro; cores das roupas e colares: vermelho e preto; sincretismo: diabo.

Ogum: orixá da metalurgia e da tecnologia, deus da guerra.
Saudação: *Ogunhê!* Sexo: masculino; elemento natural: ferro forjado; cores das roupas e colares: azul-escuro, verde e branco; sincretismo: são Jorge e santo Antônio.

Oxóssi (ou *Odê*): orixá da caça, deus da fauna.
Saudação: *Okê arô!* Sexo: masculino; elemento natural: florestas e matas; cores das roupas e colares: azul-turquesa e verde; sincretismo: são Sebastião e são Jorge.

Ossaim: orixá da vegetação, deus das folhas.
Saudação: *Euê assá!* Sexo: masculino; elemento natural: folhas; cores das roupas e colares: verde e branco; sincretismo: santo Onofre.

Oxumarê: orixá do arco-íris.
Saudação: *Arrumbobô!* Sexo: andrógino; elemento natural: chuva e condições atmosféricas; cores das roupas e colares: amarelo, verde e preto; sincretismo: são Bartolomeu.

Obaluaiê (ou *Omulu*): orixá da varíola, da peste, pragas e doenças; da cura.

Saudação: *Atotô!* Sexo: masculino; elemento natural: terra, solo e subsolo; cores das roupas e colares: vermelho, branco e preto com capuz de palha; sincretismo: são Lázaro, são Roque.

Xangô: orixá do trovão, deus da justiça.
Saudação: *Kaô kabiessi!* Sexo: masculino; elemento natural: trovoadas, raios e pedras de raio; cores das roupas e colares: vermelho, marrom e branco; sincretismo: são Jerônimo, são João Batista.

Iansã (ou *Oiá*): orixá do relâmpago, dona dos espíritos dos mortos.
Saudação: *Eparrei!* Sexo: feminino; elemento natural: relâmpagos, raios, ventos, tempestade; cores das roupas e colares: marrom e vermelho-escuro ou branco; sincretismo: santa Bárbara.

Obá: orixá da água, deusa do trabalho doméstico e do poder da mulher.
Saudação: *Obá xi!* Sexo: feminino; elemento natural: rios; cores das roupas e colares: vermelho e dourado; sincretismo: santa Joana d'Arc.

Oxum: orixá das águas doces e do ouro, deusa do amor e da fertilidade.
Saudação: *Ora yeyê ô!* Sexo: feminino; elemento natural: rios, lagoas e cachoeiras; cores das roupas e colares: amarelo ou dourado; sincretismo: Nossa Senhora da Conceição, Nossa Senhora Aparecida.

Logum Edé: orixá dos rios dentro das florestas.
Saudação: *Lôgum!* Sexo: alternadamente masculino e feminino; elemento natural: rios e florestas; cores das roupas e colares: dourado e azul-turquesa; sincretismo: são Miguel Arcanjo.

Iemanjá: orixá das grandes águas, dos mares e oceanos, a Grande Mãe, deusa da maternidade.

Saudação: *Odoyá!* Sexo: feminino; elemento natural: mares e grandes rios; cores das roupas e colares: azul-claro, branco, verde-claro; sincretismo: Nossa Senhora das Candeias (ou dos Navegantes), Nossa Senhora da Conceição.

Nanã: orixá da lama do fundo das águas.

Saudação: *Saluba!* Sexo: feminino; elemento natural: lama, pântanos; cores das roupas e colares: lilás, azul e branco; sincretismo: santa Ana.

Oxaguiã (*Oxalá Jovem*): orixá da criação da cultura material, da sobrevivência.

Saudação: *Epa Babá!* Sexo: masculino; elemento natural: o ar; cores das roupas e colares: branco com um mínimo de azul real; sincretismo: Menino Jesus.

Oxalufã ou *Obatalá* (*Oxalá Velho*): orixá da criação da humanidade.

Saudação: *Epa Babá!* Sexo: andrógino; elemento natural: o ar, o sopro da vida; cor das roupas e colares: branco; sincretismo: Jesus Crucificado, Cristo Redentor, Senhor do Bonfim.

UMBANDA, A "RELIGIÃO BRASILEIRA"

Convém desde já mencionar uma especificidade da umbanda entre as cinco vertentes afro-brasileiras supracitadas: apesar de suas origens negras, a umbanda nunca esteve preocupada com a ideia de preservação das raízes africanas e nem mesmo se empolga hoje com o movimento de reafricanização que perpassa as suas congêneres, principalmente o candomblé.

A umbanda surgiu na década de 1920, no Rio de Janeiro. E quando em seguida começou a aparecer aqui e ali, nas décadas de 30 e 40, desde logo se propagando no tecido urbano do Brasil, pelas cidades mais desenvolvidas da região mais desenvolvida, o Sudeste, especialmente na cidade mais visível do Brasil —

o Rio de Janeiro, então Capital Federal —, a umbanda se comportou como uma "religião universal".

Não tardaria que ela, mais do que se comportar, passasse a se pensar dessa forma, a assumir-se como uma religião aberta a todos os brasileiros e não circunscrita apenas aos afrodescendentes. Desde o início a umbanda se mostrou visivelmente multiétnica, com uma forte presença de brancos em seus quadros, mesmo entre os pais de santo. Além disso, ela se destaca no grupo dos cultos afro-brasileiros por ter menor apego às "raízes", as marcas africanas originais. A umbanda prefere pensar suas raízes como sendo "brasileiras", não "africanas". É afro, sim, mas é afro-brasileira. Ela não só dispensou de seus rituais o uso de idiomas africanos (o iorubá, o jeje e as línguas bantas, todas línguas litúrgicas nos diferentes candomblés), como evita os sacrifícios de sangue e os processos iniciáticos demorados e caros, comuns no candomblé.

Apresentando-se como uma "mistura", um *mix* bem brasileiro de ingredientes reinterpretados como autóctones e, além do mais, de braços abertos "para todos", sem falar dessa visada de alcance nacional, dessa pitada de nacionalismo que ela carrega em si, a umbanda — sobretudo depois que se tornou conhecida dos intelectuais, artistas, acadêmicos e estudiosos em geral — tem sido reiteradamente identificada como sendo, ela, *a religião brasileira* por excelência.

Nascida no Brasil, a umbanda pode ser chamada de religião brasileira primeiro por esse fato. Mas a umbanda também pode ser dita "religião brasileira" porque é a resultante de um encontro histórico único, que só se deu no Brasil: o encontro cultural de diversas crenças e tradições religiosas africanas com as formas populares de catolicismo, mais o sincretismo hindu-cristão trazido pelo espiritismo kardecista de origem europeia. Eis aí a umbanda, um sincretismo religioso originalmente brasileiro.

Daí talvez sua enorme facilidade em atrair, com os serviços mágicos que oferece, uma clientela vastíssima, que extrapola de longe o número dos adeptos umbandistas propriamente ditos, uma clientela que, além de maciça, é diversificada ao extremo quanto às classes sociais. Esse fato fica evidente nas grandes manifestações religiosas que os umbandistas promovem nas datas de seus principais orixás, algumas dessas datas celebradas nas grandes festas profanas. A mais famosa é a noite do *réveillon*, efusivamente comemorada nas praias brasileiras com oferendas (flores brancas, velas acesas, vidros de perfume, espelhos) levadas até o mar por milhões de pessoas vestidas de branco — para a Grande Mãe *Iemanjá*, o poderoso orixá dos mares e oceanos. *Odoyá!*

O candomblé é a mais poderosa matriz negra da umbanda. Dele a umbanda herdou o que ela tem de básico e de luxo, seu traço afro fundamental: o *panteão dos orixás* (ver pp. 316-8). O fato de cultuar um panteão desse naipe e dessa respeitabilidade cultural — uma verdadeira plêiade de personalidades fortes, atraentes e que exercem grande influência — faz da umbanda um politeísmo caracteristicamente brasileiro. Por ser explícito e assumido, o politeísmo umbandista se oferece de modo convincente como alternativa legítima de religiosidade popular num país majoritariamente cristão, formalmente monoteísta.

A umbanda tem, por outro lado, características *espíritas* bastante acentuadas. Sob diversos aspectos, ela é de fato *um tipo de espiritismo*; em alguns casos, chega a constituir uma ala do espiritismo no Brasil. Aliás, durante muitas décadas a umbanda ficou sendo conhecida em diferentes meios sociais como "baixo espiritismo".

É que, além dos orixás propriamente ditos, cujo panteão ela compartilha com o candomblé, nos rituais da umbanda "baixam" espíritos: espíritos de índios brasileiros (os *caboclos*), espíritos de negros escravos (os *pretos-velhos*). São os chamados *guias*. Os guias são espíritos de gente morta, espíritos não individualizados como no kardecismo, mas tipificados, que também "baixam" e "se incorporam" nos médiuns durante os toques e danças rituais.

Os guias são espíritos intermediários, inferiores aos orixás. São agrupados e escalonados pela umbanda em *linhas* e *falanges* segundo os mais variados critérios: a origem étnica, as afinidades psicológicas e profissionais, os elementos da natureza, os estágios de evolução espiritual em que se encontram, a idade. Um dos esquemas classificatórios mais difundidos e mais tradicionais é o das *Sete Linhas*, subdivididas em sete falanges ou legiões. Algumas das linhas são encabeçadas por um orixá, outras não, como a Linha das Almas, a Linha do Oriente etc. Vejamos uma das versões possíveis desse esquema classificatório:

- *Linha de Oxalá;*
- *Linha de Iemanjá;*
- *Linha de Oxóssi;*
- *Linha de Xangô;*
- *Linha de Ogum;*
- *Linha do Oriente, e*
- *Linha das Almas.*

A Linha das Almas reúne os espíritos dos escravos, os *pretos-velhos* e os *baianos*; por isso é chamada também de Linha Africana. Em alguns terreiros a Linha do Oriente, na qual se juntam os espíritos dos *ciganos*, é substituída pela Linha das Crianças, que agrupa os espíritos infantis — ou *erês* — e é presidida pelos orixás gêmeos, os *Ibêjis*, sincretizados com os santos católicos Cosme e Damião. Assim como os erês, outras categorias de espíritos intermediários vão sendo distribuídas de acordo com alguma característica dos orixás que encabeçam as linhas. Desse modo, por exemplo, os espíritos de *marinheiros* e *sereias* são invocados na Linha de Iemanjá, os espíritos de *caboclos* e *boiadeiros* na Linha de Oxóssi, e assim por diante.

Todos esses guias são cultuados como "espíritos de luz", nomenclatura bem kardecista. Eles "se incorporam" durante as cerimônias, vale dizer, se manifestam nos corpos em transe dos iniciados, a fim de orientar espiritualmente e curar fisicamente os que precisam, sejam adeptos ou simples clientes. Tal como no kardecismo, a finalidade da comunicação mediúnica com os desencarnados é a prática da caridade: os mortos são invocados para ajudar, aconselhar e mesmo curar os mortais.

Em contraposição aos guias, espíritos de luz evoluídos, a umbanda reconhece a existência dos *espíritos das trevas* e os situa no escalão mais baixo da evolução espiritual: são os *exus*, muitas vezes identificados (na umbanda, mas não no candomblé) com os demônios da mitologia cristã. Os exus femininos são chamados de *pombagiras*. Suas cores: vermelho e preto.

Exus e pombagiras pertencem ao lado oculto da umbanda — a *quimbanda* —, o lado reprimido socialmente, que se dedica à magia negra. Em contraste com "o lado direito" da umbanda, voltado para a prática do bem e da caridade, é costume referir-se à quimbanda como sendo "a esquerda", o lado "do mal", especializado em "fazer feitiço" quando solicitado. A quimbanda é a vertente da umbanda que pratica feitiçaria pesada e, para tanto, dedica-se ao culto quase exclusivo dos exus e das pombagiras.

A assimilação da ética do amor fraterno via kardecismo acentuou bastante o lado ocidentalizado da umbanda. Isso, por sua vez, veio realçar ainda mais sua peculiaridade no conjunto das religiões afro-brasileiras: enquanto as outras se esforçam por ser cada vez mais "afro", a umbanda se torna cada vez mais híbrida, cada vez mais sincrética, cada vez mais "brasileira". Um sincretismo religioso ímpar, inapelavelmente brasileiro, com uma propensão insaciável a continuar se mesclando e hibridizando, sempre incorporando novidades, como faz agora, ao assimilar práticas mágicas e terapêuticas da Nova Era.

Entre ser uma religião ética, preocupada com a regulamentação moral da conduta, e ser uma religião estritamente ritual, voltada para a manipulação mágica do mundo, a umbanda escolheu o caminho do meio. Ao perder grande parte de suas raízes africanas, a umbanda se descolou do candomblé e das outras religiões afro-brasileiras, reforçou sua identidade híbrida, ampliou sua organização burocrática e conquistou autonomia. Foi assim que ela se propagou por todos os cantos e regiões do Brasil: sem barreiras de classe, escolaridade, origem étnica ou cor da pele.

É que, ao lado da caridade para todos, vivos e mortos, a umbanda jamais perdeu seu caráter mágico e fetichista, de magia propriamente dita: além do amor universal, ela oferece *magia universal*. Quem quer que esteja à cata de solução para seus males e mazelas pode recorrer à umbanda que terá boa acolhida. O feitiço é para todos. Por isso no Brasil há um velho refrão que diz: "A umbanda é pra todos nós!" — *Umbanda is for all of us!*

ÍNDICE

Introdução, 9
   Será que precisamos de uma filosofia de vida?, 9
   Quem sou? De onde venho? Para onde vou?, 10
   Face a face com a morte, 11
   Alegria de viver, 13
Conhecimento religioso, 15
   Por que ler sobre as religiões?, 16
   Tolerância, 17
   Como começaram as religiões?, 18
   Definindo a religião, 19
   O sagrado, 20
   Conceito (crença), 21
      Mitos, 21
   Conceitos de divindade, 22
      Monoteísmo, 22
      Monolatria, 22
      Politeísmo, 23
      Panteísmo, 23
      Animismo e crença nos espíritos, 24
   Conceito de mundo, 24
   Conceito de homem, 25
      A criação do homem, 25
      Morte, 26
      A relação do homem com o divino, 27
   Cerimônia, 28
      Oração, 29
      Sacrifício, 30
      Oferenda, 30
      Sacrifícios de alimentos, 31
      Sacrifícios de expiação, 31
      Ritos de passagem, 31
      Nascimento e morte, 32
      Ritos de puberdade, 33
   Ética — a relação entre os humanos, 34
   Organização, 35
   Experiência, 37

Misticismo, 37
    A experiência mística, 37
    Tendências místicas, 38
    Características do estado místico, 38
Tipos de religião, 40
    Religiões e tipos de sociedade, 40
    Religiões primais, 40
    Religiões nacionais, 40
    As religiões mundiais, 41
Religiões orientais e ocidentais, 41
Religiões com origem na Índia, 43
Hinduísmo, 44
    O que é o hinduísmo?, 44
    A religião védica, 44
    As castas, as vacas e o carma, 45
    O sistema de castas, 45
    A vaca sagrada, 47
    Carma e reencarnação, 48
    Três vias de salvação, 49
    A via do sacrifício, 49
    A via da compreensão ou do conhecimento, 50
    A via da devoção, 51
    Crença divina, 52
    Deusas, 53
    Divindades menores, 53
Vida religiosa, 54
    O culto no lar e no templo, 54
    O costume correto, 55
    Os quatro estágios da vida, 55
    O lugar das mulheres, 56
Budismo, 57
    A vida do Buda, 57
    O príncipe Sidarta, 57
    A virada, 58
    A iluminação, 58
    Buda e seus discípulos, 59
Os ensinamentos de Buda, 60
    A lei do carma, 60
    Visão da humanidade, 61
    As quatro nobres verdades sobre o sofrimento, 62
O caminho das oito vias, 63
Nirvana, 65
Ética, 66
Os cinco mandamentos, 67

Outras regras mais estritas, 69
   O perfeito meio de subsistência, 69
   O valor da doação, 70
   A coabitação e o papel das mulheres, 70
A vida religiosa, 71
   Monges, monjas e leigos, 71
   O culto, 72
   Feriados religiosos, 73
   Deuses, 73
A difusão do budismo, 74
   Theravada — o caminho da autorredenção, 74
   Mahayana — o caminho da ajuda mútua, 75
   Os bodhisattvas, 75
   A doutrina do carma e a ilusão do eu, 76
Diversidade religiosa, 77
   Budismo tibetano, 77
   O lamaísmo, 78
   Budismo tibetano contemporâneo, 79
Zen-budismo, 79
   "Visão direta", 80
   A "terapia de choque" zen-budista, 81
   O zen na vida cotidiana, 81
O reavivamento budista, 82
   Maior unidade, 82
   Missão, 83
   Atividade social, 83
Religiões do Extremo Oriente, 84
Confucionismo, 85
   Dados históricos, 85
   Confúcio (551-479 a. C.), 86
   A tradição confuciana, 86
   Atitude social e humana, 87
Confúcio e as coisas religiosas, 88
Taoísmo, 88
   Tao — o grande princípio, 89
   Vida social, 89
   O taoísmo como uma religião popular, 90
Xintoísmo, 90
   Características do xintoísmo, 91
   Origem divina dos japoneses, 91
   Religião estatal e culto imperial, 92
   O templo — morada dos kamis, 93
   O sacerdócio, 93
Os quatro principais aspectos do culto, 94

Purificação, 94
Sacrifício, 94
Oração, 94
Refeição sagrada, 95
O culto no lar, 95
Tenri-kyo, 95
Religiões africanas, 97
Papel essencial da tribo e da família, 98
O chefe tribal, 99
Deuses e espíritos, 99
Culto aos antepassados, 100
Os especialistas em religião, 102
Curandeiros, 102
Magia, 102
Adivinhação e profecia, 103
Ritos de passagem, 104
Religiões surgidas no Oriente Médio: monoteísmo, 105
Judaísmo, 106
O pacto de Deus com o povo escolhido, 106
De Abraão a Moisés, 107
O reino de Israel, 108
O exílio na Babilônia, 109
O judaísmo e a sinagoga, 109
Um povo culto, porém perseguido, 110
As expectativas messiânicas e o sionismo, 111
As Sagradas Escrituras, 113
A Lei (Torá), 113
Os livros históricos e proféticos, 113
Os escritos poéticos, 115
O Talmud — comentários sobre a Lei, 117
A noção de Deus, 117
A sinagoga e o Shabat, 118
Kosher — regras alimentares estritas, 119
Ética judaica, 120
Fases da vida, 121
Circuncisão, 121
Bar Mitsvá e Bat Mitsvá, 122
Casamento, 122
Enterro, 123
Festivais anuais, 124
Islã, 127
O que significa a palavra islã?, 127
Maomé, 128
A formação religiosa de Maomé, 128

Deus se revela a Maomé, 130
De Meca a Medina, 130
Maomé como líder religioso e político, 131
O cisma no islã após Maomé, 131
A difusão do islã, 132
O credo, 133
Monoteísmo, 133
Revelação, 135
Obrigações religiosas — os cinco pilares, 136
1. Credo, 136
2. Oração, 136
3. Caridade, 138
4. Jejum, 139
5. Peregrinação a Meca, 139
Relações humanas — ética e política, 141
Tradição e reforma, 142
Economia, 143
As mulheres no islã, 143
A filosofia no islã, 145
Averróis de Córdoba, 145
O sufismo — o misticismo do islã, 146
Cristianismo, 147
As duas histórias da criação: a cosmocêntrica e a antropocêntrica, 149
Mitos e crenças da criação, 149
O mundo não existe por acaso, 150
A visão cristã da humanidade, 152
A posição de destaque do ser humano, 152
O homem foi criado à imagem de Deus, 153
O ser humano é um ser social, 153
O ser humano tem livre-arbítrio, 154
Expressões que tentam descrever Deus, 154
O Deus do amor, 155
O Deus eterno e sagrado, 156
Outras definições cristãs de Deus, 157
Providência divina — fardo humano, 158
Deus como criador e provedor, 158
O ser humano como colaborador de Deus, 159
A humanidade — boa ou má?, 160
Qual é a essência do pecado?, 160
Pecado original, 162
O problema do mal, 163
Deus como salvador, 164
O homem de Nazaré, 164
Quem foi Jesus?, 165

Jesus de Nazaré (c. 6 a. C.–30 d. C.), 165
    O Jesus da história, 166
O Messias, Filho do Homem, Filho de Deus, 166
    O Messias, 167
    O Filho do Homem, 167
    O Filho de Deus, 168
A pregação de Jesus e a ética cristã, 168
    "Agora mesmo" e "ainda não", 168
    Jesus como mestre, 169
    O Sermão da Montanha, 170
    Interpretações do Sermão da Montanha, 171
    O mandamento principal, 172
    "Tal como fiz para vós", 173
A doutrina da Igreja sobre Jesus, 175
    As prédicas de Jesus e a proclamação cristã de Jesus, 175
    O credo, 176
    Verdadeiro Deus e verdadeiro homem, 177
Salvação — expiação, libertação e cura, 178
    Expiação, 178
    Salvação, 179
    Salvação — do quê?, 180
    Salvação — para quê?, 180
    A esperança cristã, 181
    O Juízo Final, 181
    Perdição, 184
O Espírito Santo e a Igreja cristã, 185
    O poder de Deus — o Espírito Santo, 185
    Os sacramentos, 186
    Batismo, 186
    Eucaristia, 187
    Oração, 188
    O significado da oração, 189
    A Igreja é a comunhão cristã, 190
    A Igreja é de Deus, 190
A difusão do cristianismo, 191
    Os primeiros cristãos, 191
Uma só Igreja — muitas comunidades religiosas, 192
    O mundo cristão, 193
    Diferentes tipos de comunidades da Igreja, 194
A Igreja católica romana, 195
    Abrangência, 195
    Organização, 195
    O papa, 195
    Bispos e padres, 196

A Igreja única, santa, católica, apostólica, 197
Os fundamentos: a Bíblia e a Tradição, 197
A noção católica de salvação, 198
Salvação, 198
Os sete sacramentos, 199
A missa, 201
Características distintivas: o povo de Deus, a Virgem Maria e os santos, 202
Mosteiros e ordens, 203
Renovação católica — o concílio do Vaticano, 203
A Igreja ortodoxa, 204
Abrangência, 204
Organização eclesiástica, 205
Os fundamentos: a Bíblia e a Tradição, 205
A noção católico-oriental de salvação, 205
Os sacramentos, 206
O Juízo Final, 206
Serviço divino, 206
A Reforma protestante, 208
A Igreja luterana, 209
Abrangência, 209
Organização, 210
Mulheres pastoras, 210
As mulheres na vida paroquial, 211
Igreja estatal, 211
Os fundamentos: só a Bíblia, 211
A noção luterana de salvação: "*sola fide*", 212
Os sacramentos, 213
A vida: um dom e um dever, 214
Serviço divino, 214
Movimentos reformados radicais, 214
Batismo de crianças versus batismo de adultos, 215
Reavivamento e conversão, 215
Piedade e moderação, 216
Metodistas, 216
Origens, 216
Distribuição, 216
Organização, 217
Escrituras, 217
Batistas, 217
Origens, 217
Distribuição, 217
Organização, 217
Escrituras, 218
Pentecostais, 218

Origens, 218
Distribuição, 218
Organização, 218
Escrituras, 218
Exército da Salvação, 219
Origens, 219
Distribuição, 219
Organização, 219
Escrituras, 219
Quakers (quacres), 219
Origens, 219
Distribuição, 220
Adventistas, 220
Origens, 220
Distribuição, 220
Organização, 220
Escrituras, 220
Metodismo, 221
Batistas, 221
Pentecostalismo, 222
O Exército da Salvação, 223
Adventismo, 224
Quakers (quacres), 225
O movimento ecumênico, 226
Cooperação e amizade entre os cristãos, 226
Os pioneiros do ecumenismo, 227
O Conselho Mundial de Igrejas, 227
Tipos especiais de comunidade, 228
Testemunhas de Jeová, 228
Mórmons: a Igreja de Jesus Cristo dos Santos dos Últimos Dias, 230
Conhecimento Bíblico, 232
"O Livro dos Livros", 232
O Antigo e o Novo Testamento, 232
A visão cristã do Antigo Testamento, 233
Os evangelhos, 234
O Evangelho de São Marcos, 234
O Evangelho de São Mateus, 234
O Evangelho de São Lucas, 235
O Evangelho de São João, 235
Como surgiram os evangelhos?, 236
O problema sinóptico, 237
Os Atos dos Apóstolos, 238
As epístolas, 238
O Apocalipse (ou A Revelação), 239

Pesquisa bíblica e atitudes com relação à Bíblia, 240
Filosofias de vida não religiosas, 243
    Compreensão da realidade, atitude para com a humanidade e valores éticos, 244
Humanismo, 244
    Contexto histórico, 245
        O humanismo na Antiguidade, 245
        Sócrates, 245
        Os estoicos, 246
        Os humanistas da Antiguidade, 247
    O humanismo da Renascença, 247
        Leonardo da Vinci, 247
        As ideias do humanismo renascentista, 248
    O Iluminismo, 250
        Voltaire, 250
        As ideias do humanismo iluminista, 251
        Os humanistas do Iluminismo, 252
        Humanismo cristão e humanismo profano, 252
    As características básicas do humanismo, 254
        Compreensão da realidade, 254
        Atitude para com a humanidade, 254
        Ética, 256
Materialismo, 257
    Filosofia e ciência, 257
    O que é materialismo?, 257
    Contexto histórico, 258
        O atomismo da Antiguidade, 258
        O materialismo ético de Epicuro, 259
        O materialismo mecanicista dos séculos XVII e XVIII, 260
        O naturalismo do século XIX, 261
    Características básicas do materialismo, 262
        Compreensão da realidade, 262
        Atitude para com a humanidade, 263
        Ética, 264
Marxismo, 264
    Contexto histórico, 265
        O socialismo antes de Marx, 265
        A visão de Marx sobre o desenvolvimento da sociedade, 266
        O marxismo depois de Marx, 267
    Características básicas do marxismo, 268
        Compreensão da realidade, 268
        Atitude para com a humanidade, 270
        Ética, 271
Novas religiões e novas perspectivas, 272

Secularização e nova espiritualidade, 272
Novas tendências religiosas, 273
Sincretismo, 273
Características comuns dos novos movimentos religiosos, 274
Convicção ou lavagem cerebral?, 276
Tendências esotéricas, 277
Astrologia, 277
Espiritismo, 278
Ufologia, 279
Movimentos alternativos, 280
Ética, 282
Vida e esclarecimento, 282
Ética e moral, 283
Ética descritiva e ética normativa, 284
Alguns conceitos-chave da ética, 285
Valores, 285
Consciência, 286
A consciência como um controle inato no homem, 287
A consciência imposta pelo ambiente externo, 287
O direito positivo e o senso de justiça, 288
Responsabilidade e unidade, 289
O homem possui livre-arbítrio?, 291
O que é certo, e o que é errado?, 292
As regras do comportamento ético, 292
Raciocínio ético, 295
Intenção, meios e fins, 295
O que torna uma ação boa?, 297
Os quatro pontos principais da ética, 298
Apêndice: As religiões no Brasil, 300
Catolicismo, a religião dos conquistadores, 300
Liberdade religiosa, 301
Diversidade cristã, 302
O protestantismo no Brasil, 304
Protestantismo de imigração, 304
Protestantismo de conversão, 305
Pentecostalismo, 307
Religiões não cristãs, 308
Espiritismo/Kardecismo, 309
Religiões afro-brasileiras: religiões dos orixás, 311
Candomblé, 312
Os orixás, 316
Umbanda, a "religião brasileira", 318

333

JOSTEIN GAARDER nasceu em 1952, na Noruega. Estudou filosofia, teologia e literatura, e foi professor no ensino médio durante dez anos. Estreou como escritor em 1986, tornando-se logo um dos autores de maior destaque em seu país, e a partir de 1991 ganhou projeção internacional com *O Mundo de Sofia*, já traduzido para 42 línguas. Pela Companhia das Letras publicou ainda *Através do espelho*, *A biblioteca mágica de Bibbi Bokken*, *O castelo do príncipe sapo*, *O castelo nos Pirineus*, *O dia do curinga*, *Ei! Tem alguém aí?*, *Eu me pergunto...*, *A garota das laranjas*, *Juca e os anões amarelos*, *O livro das religiões*, *Maya*, *Mistério de Natal*, *O pássaro raro*, *O vendedor de histórias* e *Vita brevis*. Mora em Oslo, com a mulher e dois filhos.

HENRY NOTAKER nasceu na Noruega. Jornalista, trabalhou nas áreas de cultura e política exterior. Foi correspondente no Leste Europeu e na Espanha por muitos anos. Publicou diversos livros técnicos e didáticos, muitos sobre os aspectos culturais e históricos da culinária.

VICTOR HELLERN é norueguês e possui uma longa experiência como professor e diretor de escola. Escreveu livros sobre teologia e história das ideias.

Antônio Flávio Pierucci é professor livre-docente do departamento de sociologia da Faculdade de Filosofia, Letras e Ciências Humanas da USP, onde leciona e pesquisa desde 1988. Sociólogo, especializou-se em sociologia clássica alemã e sociologia da religião. É autor de diversos livros, entre os quais *Textos sacros* (Abril Cultural, 1973, coautoria com B. Muniz de Souza), *A realidade social das religiões no Brasil* (Hucitec, 1996, coautoria com Reginaldo Prandi), *Ciladas da diferença* (Editora 34, 2000), *A magia* (Publifolha, 2001), *O desencantamento do mundo: todos os passos do conceito em Max Weber* (Editora 34, 2005). Coordenou a edição crítica do clássico de Max Weber *A ética protestante e o "espírito" do capitalismo* (Companhia das Letras, 2004), comemorativa dos cem anos de sua primeira publicação.

1ª edição Companhia das Letras [2000] 13 reimpressões
1ª edição Companhia de Bolso [2005] 15 reimpressões

Esta obra foi composta pela Verba Editorial em Janson Text
e impressa pela Gráfica Bartira em ofsete sobre papel Pólen
da Suzano S.A. para a Editora Schwarcz em maio de 2024

A marca FSC® é a garantia de que a madeira utilizada na fabricação do papel deste livro provém de florestas que foram gerenciadas de maneira ambientalmente correta, socialmente justa e economicamente viável, além de outras fontes de origem controlada.